GW00759029

Donato Carrisi è nato nel 1973 a Martina Franca e vive a Roma. Dopo la laurea in Giurisprudenza, ha studiato Criminologia e Scienza del comportamento. Dal 1999 è sceneggiatore di serie televisive e per il cinema. Firma del *Corriere della Sera*, con i suoi romanzi – *Il suggeritore, Il tribunale delle anime, La donna dei fiori di carta, L'ipotesi del male, Il cacciatore del buio, La ragazza nella nebbia, Il maestro delle ombre, L'uomo del labirinto, Il gioco del suggeritore, La casa delle voci* e *Io sono l'abisso* – ha ottenuto un successo crescente, superando i 3.000.000 di copie vendute nel mondo, di cui più di 1.700.000 solo in Italia. Nel 2017 è uscito il film che ha tratto dal suo romanzo *La ragazza nella nebbia*, interpretato da Toni Servillo, Alessio Boni e Jean Reno, per cui ha vinto il premio David di Donatello come miglior regista esordiente. A fine ottobre 2019 è tornato nelle sale con il suo secondo film, *L'uomo del labirinto*, con Toni Servillo e Dustin Hoffman.
donatocarrisi.it

Dello stesso autore in edizione TEA:

Donato Carrisi

La ragazza nella nebbia

Romanzo

Per informazioni sulle novità
del Gruppo editoriale Mauri Spagnol visita:
www.illibraio.it

TEA – Tascabili degli Editori Associati S.r.l., Milano
Gruppo editoriale Mauri Spagnol

www.tealibri.it

Prima edizione «I Grandi» TEA ottobre 2016
Prima edizione SuperTEA Plus novembre 2018
Prima edizione SuperTEA maggio 2019
Terza ristampa SuperTEA Plus agosto 2020
Quarta ristampa «I Grandi» TEA novembre 2020
Edizione speciale TEA^2 maggio 2021
Quarta ristampa SuperTEA Plus luglio 2021
Decima ristampa SuperTEA ottobre 2021

LA RAGAZZA NELLA NEBBIA

Per Antonio.
Mio figlio, mio tutto.

23 febbraio.
Sessantadue giorni dopo la scomparsa.

La notte in cui tutto cambiò per sempre iniziò con lo squillo di un telefono.

La chiamata giunse alle ventidue e venti. Era un lunedì sera, fuori c'erano meno otto gradi e una nebbia ghiacciata ingoiava tutto. A quell'ora, Flores se ne stava al calduccio nel letto accanto alla moglie, a godersi un vecchio film di gangster in bianco e nero alla tv. In realtà, Sophia dormiva già da un po' e gli squilli non sembrarono turbarle il sonno. Non si accorse nemmeno che il marito si alzava e si rivestiva.

Flores indossò un paio di pantaloni imbottiti, un dolcevita e il giaccone pesante per affrontare la maledetta caligine che sembrava aver cancellato il creato, e si apprestò a raggiungere il piccolo ospedale di Avechot dove, da ben quaranta dei suoi sessantadue anni, svolgeva la professione di psichiatra. In tutto quel tempo, era accaduto poche volte che qualcuno lo buttasse giù dal letto per un'emergenza, specie la polizia. Nel paese delle Alpi in cui era nato e aveva sempre vissuto, dopo il tramonto non succedeva quasi nulla. Era come se a quelle latitudini anche i criminali scegliessero di dedicarsi a un'esistenza morigerata, che prescriveva di ritirarsi regolarmente a casa ogni sera.

Perciò Flores si domandava la ragione per cui fosse necessaria la sua presenza a quell'ora così insolita.

L'unica informazione che la polizia gli aveva fornito per telefono riguardava il fermo di un uomo a seguito di un incidente stradale. Nient'altro.

Nel pomeriggio aveva smesso di nevicare, ma quella sera il freddo era aumentato. Flores uscì di casa e fu accolto da un silenzio innaturale. Ogni cosa era ferma, immobile. Anche il tempo sembrava essersi arrestato. Lo psichiatra provò un brivido che non aveva niente a che fare con la temperatura esterna, perché proveniva da dentro di lui. Mise in moto la vecchia Citroën e aspettò qualche secondo che il motore diesel si riscaldasse a dovere prima di avviarsi. Aveva bisogno di quel suono per spezzare la monotonia di quella pace minacciosa.

L'asfalto era ghiacciato ma fu soprattutto la nebbia a costringerlo a procedere a meno di venti chilometri orari, guidando con entrambe le mani saldamente agganciate al volante, la schiena ricurva in avanti e il volto a pochi centimetri dal parabrezza per cercare di individuare meglio i margini della strada. Per fortuna conosceva così bene il percorso che la mente era in grado di anticipare gli occhi suggerendogli dove andare.

Arrivato all'altezza di un bivio, scelse la direzione che portava verso il centro del paese e fu allora che scorse qualcosa nella coltre lattiginosa. Avanzò e provò la sensazione che fosse tutto rallentato, come in un sogno. Dalle profondità del manto biancastro apparvero dei bagliori luminosi, intermittenti. Sembrava gli venissero incontro, invece era lui ad andare verso di loro. Dalla nebbia emerse una figura umana. Faceva strani e ampi gesti con le braccia. Man mano che si avvicinava, Flores si rese conto che si trattava di un poliziotto che era lì apposta per avvertire le auto di passaggio di prestare attenzione. Lo psichiatra gli passò accanto e i due si salutarono fugacemente. Alle spalle dell'agente, i bagliori intermittenti diventarono i lampeggianti di una volante ma, soprattutto, le luci posteriori di una berlina scura finita in un fosso, fuori strada.

Poco dopo, Flores entrò nel centro del paese. Era deserto.

Le lampade giallognole dell'illuminazione pubblica sembravano miraggi in mezzo alla bruma. Attraversò tutto il centro abitato fino a raggiungere la propria destinazione.

Il piccolo ospedale di Avechot era animato da uno strano fermento. Appena Flores varcò la soglia gli vennero incontro un tenente della polizia locale e Rebecca Mayer, una giovane procuratrice che si era fatta molto apprezzare negli ultimi tempi. Sembrava preoccupata. Mentre lo psichiatra si sfilava il pesante giaccone, lei lo ragguagliò sull'identità dell'ospite inatteso di quella notte. «Vogel» disse soltanto.

Sentendo pronunciare il nome, Flores comprese il perché di tanta apprensione. Era la notte in cui tutto cambiò per sempre, ma in quel momento lui ancora non lo sapeva. Ecco perché non aveva ben capito quale fosse il proprio ruolo nella faccenda. «Cosa dovrei fare esattamente?» domandò.

«I medici del pronto soccorso dicono che sta bene. Però sembra in stato confusionale, forse a causa dello shock per l'incidente.»

«Ma lei non ne è sicura, giusto?» Flores aveva centrato il punto, infatti la Mayer non replicò. «È catatonico?»

«No, interagisce quando è stimolato. Ma ha sbalzi d'umore.»

«E non ricorda nulla di quanto accaduto» disse Flores, terminando lui stesso l'anamnesi.

«Ricorda l'incidente. Ma a noi interessa il prima: dobbiamo per forza sapere cosa è successo questa sera.»

«Quindi, secondo lei, sta fingendo» concluse lo psichiatra.

«Temo di sì. Ed è qui che entra in gioco lei, dottore.»

«Cosa si aspetta da me, procuratrice?»

«Non ci sono elementi sufficienti per incriminarlo e lui lo sa, per questo lei deve dirmi se è in grado di intendere e di volere.»

«E se lo fosse, cosa gli succederà?»

«Potrò formulare un'accusa e procedere con un interrogatorio formale senza il timore che qualche avvocato poi lo impugni in aula servendosi di uno stupido cavillo.»

«Ma... Mi avete detto che l'incidente non ha causato vittime, no? Quindi perché dovrebbe incriminarlo, scusi? »

La Mayer tacque per un momento. « Lo capirà quando se lo ritroverà davanti. »

Lo avevano fatto accomodare nel suo ambulatorio. Aprendo la porta, Flores scorse subito la figura dell'uomo seduto su una delle due poltroncine posizionate di fronte alla scrivania ingombra di carte. Indossava un cappotto scuro di cachemire e aveva le spalle ricurve, sembrò non accorgersi nemmeno che era entrato qualcuno.

Flores appese il giaccone all'attaccapanni e si massaggiò le mani ancora intirizzite dal freddo. « Buonasera » disse dirigendosi verso il calorifero per assicurarsi che fosse acceso. In realtà era solo un pretesto per posizionarsi di fronte all'uomo e accertarsi delle sue condizioni ma, soprattutto, per comprendere il senso delle parole della Mayer.

Sotto il cappotto, Vogel vestiva in maniera elegante. Completo blu scuro, cravatta di seta azzurro polvere con piccoli motivi floreali, un fazzoletto giallo nel taschino della giacca, camicia bianca e gemelli d'oro rosa di forma ovale. Solo che il suo aspetto sembrava sgualcito, come se portasse quegli abiti da settimane.

Vogel sollevò per un attimo gli occhi su di lui, senza rispondere al saluto. Poi lo sguardo gli ricadde sulle mani adagiate in grembo.

Lo psichiatra si interrogò sul bizzarro scherzo della sorte che aveva deciso di metterli l'uno davanti all'altro. «È da molto che è qui?» esordì.

«E lei?»

Flores rise alla battuta, ma l'altro rimase serio. «Più o meno quarant'anni» rispose. Nel tempo la stanza si era arricchita di oggetti e mobili, fino a esserne ingombrata. Lo psichiatra si rendeva conto che a un osservatore esterno l'insieme potesse apparire cacofonico. «Vede quel vecchio divano? L'ho ereditato dal mio predecessore, mentre la scrivania l'ho scelta di persona.» Sul tavolo c'erano le foto incorniciate dei suoi familiari.

Vogel ne prese una e la osservò tenendola fra le mani. C'era Flores circondato dalla sua numerosa progenie in un giorno d'estate in cui avevano fatto un barbecue in giardino. «Bella famiglia» commentò con un vago interesse.

«Tre figli e undici nipoti.» Flores era molto affezionato a quell'immagine.

Vogel rimise a posto la cornice e cominciò a guardarsi intorno. Sulle pareti, oltre alla laurea, agli encomi ricevuti e ai disegni che gli regalavano i nipotini, c'erano i trofei di cui lo psichiatra andava più fiero.

Praticava la pesca sportiva e nell'ambulatorio erano ben in mostra numerosi esemplari di pesci imbalsamati.

«Quando posso, mollo tutto e me ne vado su un lago o su un torrente di montagna» disse Flores. «Così mi rimetto in pace col creato.» In un angolo c'era l'armadio con le canne e una cassetta contenente ami, esche, lenze e tutto l'occorrente. Col tempo la stanza aveva finito per non assomigliare affatto all'ambulatorio di uno psichiatra. Era diventata la sua tana, un posto solo suo, e provava dispiacere al pensiero che di lì a qualche mese sarebbe andato in pensione e avrebbe dovuto sgombrare tutto, portando via le sue cose.

Fra le tante storie che quei muri avrebbero potuto raccontare, adesso c'era anche quella di una visita imprevista una tarda sera d'inverno.

«Ancora non riesco a credere che lei sia qui» ammise lo psichiatra con un po' di imbarazzo. «Io e mia moglie l'abbiamo vista così tante volte in tv. Lei è una celebrità. »

L'altro annuì solamente. Sembrava davvero in uno stato confusionale, o forse era un ottimo attore.

« È sicuro di sentirsi bene? »

« Sto bene » ribadì Vogel con un filo di voce.

Flores si spostò dal calorifero e andò a posizionarsi dietro la scrivania, sulla poltrona che negli anni aveva assimilato le sue forme. « È stato fortunato, lo sa? Poco fa sono passato accanto al luogo dell'incidente: è finito fuori strada dal lato giusto. C'è un fosso bello profondo, ma dall'altra parte c'è un burrone. »

« La nebbia » disse l'ospite.

« Già » convenne Flores. « Nebbia da congelamento, non se ne vede spesso. Ho impiegato venti minuti ad arrivare, quando di solito in auto da casa mia ne bastano appena dieci. » Poi appoggiò entrambi i gomiti sui braccioli della poltrona e si lasciò andare sullo schienale. « Non ci siamo ancora presentati: sono il dottor Auguste Flores. Mi dica, come devo chiamarla? Agente speciale oppure signor Vogel? »

L'uomo sembrò pensarci fugacemente. « Scelga lei. »

« Io penso che un poliziotto non perda mai i propri gradi, anche quando smette di fare il proprio mestiere. Perciò per me lei rimane l'agente speciale Vogel. »

« Se preferisce così... »

Nella mente di Flores si concentravano decine di domande, ma sapeva di dover scegliere quelle giuste per iniziare. « Francamente non mi aspettavo di vederla ancora da queste parti, credevo che fosse rientrato giù in città già da un pezzo dopo quello che è successo. Perché è tornato? »

L'agente speciale Vogel si passò lentamente le mani sui pantaloni, come a voler rimuovere una polvere inesistente. « Non lo so... »

Non aggiunse altro e Flores si limitò ad annuire. « Capisco. È venuto da solo? »

« Sì » rispose Vogel e dalla sua espressione s'intuiva che non capiva bene il senso della domanda. « Sono da solo » ribadì.

« La sua presenza qui c'entra forse qualcosa con la storia della ragazza scomparsa? » azzardò Flores. « Perché mi pare di ricordare che lei non abbia più alcuna autorità sul caso. »

La frase sembrò risvegliare qualcosa nell'uomo che, scosso da quello che a Flores parve un moto d'orgoglio, ribatté seccato: «Si può sapere perché mi state trattenendo? Che vuole da me la polizia? Perché non posso andarmene?»

Flores cercò di ricorrere a tutta la propria proverbiale pazienza. «Agente speciale Vogel, lei stanotte ha avuto un incidente.»

«Lo so anch'io» rispose l'altro, rabbioso.

«E viaggiava da solo, è esatto?»

«Gliel'ho appena detto.»

Intanto Flores aprì un cassetto della scrivania, prese un piccolo specchio e lo piazzò davanti a Vogel, che non sembrò farci caso. «E non ha riportato conseguenze. È illeso.»

«Sto bene, quante volte vuole chiedermelo?»

Lo psichiatra si sporse verso di lui. «Allora mi spieghi una cosa... Se lei è incolume, a chi appartiene il sangue che c'è sui suoi vestiti?»

Vogel improvvisamente non seppe cosa dire. La rabbia evaporò e i suoi occhi si posarono sullo specchio che Flores gli aveva messo davanti.

Solo così le vide.

Piccole macchie rosse sui polsini della camicia bianca. Un paio più larghe sull'addome. Alcune più scure si confondevano con il colore dell'abito e del cappotto, ma dalla consistenza più spessa se ne intuivano gli aloni. E fu come se l'agente speciale le scorgesse per la prima volta. Ma una parte di lui sapeva che erano lì, Flores lo capì subito. Perché Vogel non si stupì più di tanto, né negò subito di conoscere la ragione della loro presenza.

Nei suoi occhi apparve una luce nuova e il suo stato confusionale iniziò a diradarsi come accade alla nebbia. Mentre quella che gravava sul mondo, fuori dalla finestra dell'ufficio, restava immutabile.

La notte in cui tutto cambiò per sempre era iniziata da pochissimo. Vogel guardò Flores dritto nelle pupille, improvvisamente lucido. «Ha ragione» disse. «Credo di dover dare una spiegazione.»

25 dicembre.
Due giorni dopo la scomparsa.

I boschi di abeti calavano lungo le pendici delle montagne come un esercito ordinato che si appresta a invadere la valle. La valle era lunga e stretta come una vecchia cicatrice, e al centro vi scorreva un fiume. Il fiume era di un verde intenso, a volte placido, altre collerico.

Avechot stava proprio lì, nel mezzo di tutto lo scenario.

Un paese alpino, a pochi chilometri dal confine. Case dai tetti spioventi, la chiesa col campanile, il municipio, il posto di polizia, un piccolo ospedale. Un complesso scolastico, qualche bar e lo stadio del ghiaccio.

I boschi, la valle, il fiume, il paese. E un mostruoso impianto di estrazione mineraria come sfregio avveniristico al passato e alla natura di quei luoghi.

C'era una tavola calda poco fuori il centro abitato, lungo la statale.

Dalla vetrata si vedevano la strada e la pompa di benzina. Vi campeggiava una scritta luminosa che augurava « *Buone Feste* » agli automobilisti di passaggio. Dall'interno del locale, però, le lettere erano al contrario e ne risultava una specie di geroglifico incomprensibile.

Nel ristorante, una trentina di tavoli in formica azzurra, alcuni nascosti da séparé addossati alle pareti. Erano tutti apparecchiati, ma soltanto uno era occupato. Il più centrale.

L'agente speciale Vogel consumava da solo una colazione di uova e pancetta affumicata. Indossava un completo grigio piombo, con un gilet verde marcio e una cravatta blu scuro, e non si era tolto il cappotto di cachemire nemmeno per mangiare. La schiena dritta e lo sguardo fisso su un taccuino nero su cui scriveva appunti con un'elegante stilografica d'argento, che a tratti appoggiava sul tavolo per prendere una forchettata di cibo. Alternava i gesti a intervalli precisi, rispettando diligentemente una sorta di ritmo interiore.

L'anziano titolare portava un grembiule macchiato di unto sopra una camicia da boscaiolo a scacchi rossi e neri con le maniche arrotolate fino ai gomiti. Lasciò il bancone per avvicinarsi con un bricco di caffè appena fatto. «Pensi che oggi non volevo neanche aprire. Mi sono detto: chi vuoi che ci venga qui la mattina di Natale? Fino a qualche anno fa invece era pieno di turisti, famiglie con bambini... Ma da quando hanno trovato quella merda fluorescente è cambiato tutto.» L'uomo pronunciò la frase come se rimpiangesse un'epoca felice e lontana che non sarebbe tornata mai più.

Fino a qualche anno prima la vita scorreva serena e tranquilla ad Avechot. La gente viveva di turismo e piccolo artigianato. Ma un giorno qualcuno venuto da fuori aveva predetto che sotto quelle montagne potesse nascondersi un discreto giacimento di fluorite.

In effetti, considerò Vogel, il vecchio aveva ragione: da allora ogni cosa era cambiata. Era arrivata una multinazionale e aveva comprato le concessioni sui terreni sovrastanti il giacimento pagando lautamente i diversi proprietari. Molti erano diventati ricchi dalla sera alla mattina. E chi non aveva avuto la fortuna di possedere uno degli appezzamenti, era improvvisamente impoverito perché i turisti erano spariti.

«Forse dovrei decidermi a vendere questo posto e ritirarmi» continuò l'uomo. Poi, scuotendo il capo contrariato, rabboccò il caffè nella tazza di Vogel anche se non gli era stato richiesto. «Quando l'ho vista entrare, ho pensato che fosse uno di quei venditori che ogni tanto cercano di piazzarmi i loro articoli da quattro soldi. Poi ho capito... È qui per la ragazzina, vero?» Con un gesto quasi impercettibile del capo indicò il volantino attaccato alla parete, accanto all'ingresso.

Vi era stampata la foto sorridente di un'adolescente coi capelli rossi e le lentiggini. Un nome, Anna Lou. E una domanda: «Mi hai visto?» seguita da un numero di telefono e qualche riga di testo.

Vogel si accorse che il vecchio cercava di sbirciare il suo taccuino nero, così lo richiuse. Poi ripose la forchetta sul piatto. «La conosce?»

«Conosco la famiglia. Sono brava gente.» L'uomo tirò a sé una delle sedie del tavolo e si sedette di fronte al poliziotto. «Secondo lei, che le è capitato?»

Vogel congiunse le mani sotto il mento. Quante volte gli avevano fatto quella domanda? Era sempre la stessa storia. Sembravano sinceramente apprensivi, o si sforzavano di sembrarlo, ma alla fine la loro era soltanto curiosità. Morbosa, pelosa, impietosa curiosità. «Ventiquattro» disse. Il ristoratore non sembrò capire il senso della risposta, ma Vogel precedette ogni possibile richiesta di delucidazioni. «Ventiquattro sono le ore che, mediamente, gli adolescenti scappati di casa resistono con il cellulare spento. Poi devono per forza chiamare un amico o controllare se su Internet stanno parlando di loro, così vengono localizzati. La maggioranza torna indietro comunque dopo quarantotto ore... Perciò, se non si fanno brutti incontri e non accade un incidente, si può dire che fino a due giorni dopo la scomparsa esiste una concreta possibilità che alla fine le cose si mettano per il meglio.»

L'uomo per un attimo sembrò spiazzato. «E poi che succede?»

«Poi, di solito, chiamano me.»

L'agente speciale si alzò, infilò una mano in tasca e lasciò cadere sul tavolo una banconota da venti per pagare la colazione. Quindi si allontanò verso l'uscita, ma prima di varcare la soglia si voltò ancora verso il titolare della tavola calda. «Mi dia retta: non venda questo posto. Fra poco sarà di nuovo pieno di gente.»

Fuori la giornata era fredda ma il cielo era terso e ogni cosa era illuminata da un brillante sole invernale. Sulla statale ogni tanto transitava un tir e lo spostamento d'aria smuoveva i lembi del cappotto di Vogel. L'agente speciale se ne stava immobile e con entrambe le mani cacciate in tasca sul piazzale antistante la tavola calda, accanto alla pompa di benzina. Guardava in alto.

Alle sue spalle apparve un giovane sulla trentina. Anche lui indossava un abito, la cravatta e un cappotto scuro, ma non di cachemire. Aveva capelli chiari portati con la riga a un lato e occhi cerulei. Una faccia da bravo ragazzo. «Salve» disse, ma il suo saluto rimase senza una risposta. «Sono l'agente Borghi» proseguì comunque. «Mi hanno detto di venirla a prendere.»

Vogel non lo degnò di attenzione, continuando a fissare il cielo.

«Il briefing inizia fra mezz'ora. Ci sono tutti, come aveva richiesto.»

A quel punto Borghi si sporse in avanti e comprese che il superiore, in realtà, stava osservando qualcosa sulla pensilina del distributore di carburante.

Una telecamera di sicurezza puntata in direzione della statale.

Vogel finalmente si voltò verso di lui. «Questa strada è l'unico accesso alla valle, giusto?»

Borghi non ebbe bisogno di pensarci. «Sì, signore. Non c'è altro modo per arrivare o andarsene: la attraversa interamente.»

«Bene» disse Vogel. «Allora mi porti all'altra estremità.»

L'agente speciale si diresse a passo veloce verso l'anonima berlina scura con cui l'altro era venuto a prenderlo. Borghi ebbe un attimo di esitazione, poi lo seguì.

Pochi minuti dopo si trovavano sopra il ponte che, scavalcando il fiume, immetteva nella valle limitrofa. Il giovane poliziotto attendeva fuori dall'auto parcheggiata sul ciglio della strada mentre Vogel, a qualche metro di distanza, ripeteva la scena di poco prima, stavolta fissando una telecamera per il controllo del traffico appollaiata su un palo al lato della carreggiata, con i veicoli che gli transitavano accanto e i conducenti che suonavano i clacson per protestare. Ma Vogel non si scomponeva e continuava a fare imperterrito ciò che stava facendo. Qualunque cosa fosse, per Borghi la situazione era non solo incomprensibile ma anche paradossale.

Quando ne ebbe abbastanza, l'agente speciale tornò verso la macchina. «Andiamo a trovare i genitori della ragazzina» disse e salì a bordo senza attendere la risposta di Borghi, il quale guardò il proprio orologio e, pazientemente, si rimise alla guida.

«Anna Lou non ha mai dato problemi» affermò Maria Kastner, sicura. La madre della ragazza era una donnina minuta che però sprigionava una forza speciale. Era seduta sul divano accanto al marito, un uomo robusto ma dall'aspetto innocuo, nel soggiorno della villetta a due piani in cui abitavano. I due indossavano ancora pigiami e vestaglia, e si tenevano per mano.

C'era un odore dolciastro, di cibo cucinato e deodorante per ambienti. Vogel non lo sopportava. L'agente speciale era seduto su una poltrona, Borghi su una sedia più in disparte. Fra loro e la coppia di coniugi c'era un tavolino con delle tazzine di caffè che presto sarebbe diventato freddo dato che nessuno sembrava intenzionato a berlo.

Nella stanza c'era un albero addobbato, sotto il quale due gemelli di sette anni giocavano con i regali appena scartati.

Un pacco era ancora integro, con un bel fiocco rosso.

La donna intercettò per un istante lo sguardo di Vogel. «Abbiamo voluto che i bambini potessero festeggiare comunque la nascita di Gesù, anche per distrarli dalla situazione» si giustificò.

La «situazione» era che la loro figlia maggiore di sedici anni, l'unica femmina, era scomparsa da quasi due giorni. Era uscita di casa in un pomeriggio d'inverno, verso le diciassette, per andare a un incontro in chiesa, a poche centinaia di metri.

Non era mai arrivata.

Anna Lou aveva percorso un breve tragitto in un quartiere residenziale con le case tutte uguali – villette monofamiliari con giardino – e dove tutti si conoscevano da sempre.

Ma nessuno aveva visto o sentito nulla.

L'allarme era stato dato verso le diciannove, quando la madre non l'aveva vista rincasare e l'aveva chiamata inutilmente al cellulare che risultava staccato. Due lunghe ore in cui poteva esserle accaduto di tutto. Le ricerche erano andate avanti per tutta la sera, ma il buonsenso aveva consigliato di sospenderle per riprendere quando fosse diventato giorno. Inoltre la polizia locale non aveva i mezzi per un'indagine a tappeto sul territorio.

Al momento non c'erano ipotesi sui motivi della sparizione.

Vogel tornò a osservare in silenzio quei due genitori con le occhiaie scavate da un'insonnia che nelle settimane a venire li avrebbe fatti invecchiare rapidamente, ma che al momento aveva appena iniziato a lasciare il proprio segno su di loro.

«Nostra figlia è sempre stata responsabile, fin da piccola» proseguì la donna. «Non so come dire... ma non ci siamo mai dovuti preoccupare di lei: si è cresciuta da sola. Dà una mano in casa, si occupa dei fratelli. A scuola gli insegnanti sono contenti. Da un po' ha iniziato a fare la catechista nella nostra confraternita.»

Il soggiorno aveva un arredamento modesto. Entrando, Vogel aveva notato subito che l'ambiente era pieno di oggetti che testimoniavano una fede profonda. Sulle pareti c'erano quadri con immagini sacre e scene tratte dalla Bibbia e dai Vangeli. Gesù imperversava, anche in forma di statuine di plastica o di gesso, ma anche la Vergine Maria era abbastanza pre-

sente. E c'era una vasta carrellata di santi. Un crocifisso di legno era stato piazzato sopra il televisore.

In giro per la stanza c'erano anche le cornici con le
foto di famiglia. In molte di esse appariva una ragazza
coi capelli rossi e le lentiggini.

Anna Lou era la versione al femminile di suo padre.

Ed era sempre sorridente. Il giorno della prima co-
munione, in montagna insieme ai fratelli, coi pattini
in spalla allo stadio del ghiaccio mentre mostrava or-
gogliosa una medaglia al termine di una gara.

Vogel sapeva che quella stanza, quelle pareti, quella
casa non sarebbero più state le stesse. Erano piene di
ricordi che presto avrebbero cominciato a fare male.

«Non toglieremo l'albero di Natale finché nostra
figlia non tornerà a casa» annunciò Maria Kastner,
quasi con fierezza. «Resterà acceso in modo che si veda bene dalla finestra.»

Vogel pensò all'assurdità della cosa, specie nei mesi
a venire. Un albero di Natale usato come un faro per
indicare la strada di casa a chi forse non sarebbe più
tornato. Perché il rischio concreto era proprio quello,
solo che i genitori di Anna Lou non se ne rendevano
ancora conto. Quella luce di festa avrebbe segnalato a
tutti là fuori che fra quelle mura si stava consumando
un dramma. Sarebbe diventata una presenza ingom-
brante. La gente, i vicini non avrebbero potuto ignorare l'albero e il suo significato, anzi col tempo ne sarebbero stati infastiditi. Passando davanti a casa loro,
avrebbero cambiato marciapiede proprio per evitare

di vederlo. Quel simbolo avrebbe allontanato tutti dai Kastner, aumentando la loro solitudine. Perché il pedaggio per andare avanti con la propria vita è l'indifferenza, rammentò Vogel.

« Dicono che un atto di ribellione, un colpo di testa è normale a sedici anni » affermò Maria, ma poi scosse il capo con decisione. « Non mia figlia. »

Vogel annuì perché, pur non avendone la prova, era d'accordo con lei. Non stava semplicemente assecondando una madre che cercava di assolvere prima di tutto se stessa e il proprio ruolo genitoriale, giurando sulla incorruttibilità della propria bambina. L'agente speciale era realmente convinto che avesse ragione. Traeva questa certezza dal volto di Anna Lou che lo osservava sorridente da ogni angolo della stanza. L'aspetto semplice, quasi infantile, gli diceva che doveva esserle per forza accaduto qualcosa. E che quel qualcosa era avvenuto contro la sua volontà.

« Abbiamo un legame forte, mi somiglia molto. Questo lo ha fatto per me, me lo ha regalato una settimana fa... » La donna mostrò al poliziotto un braccialetto di perline colorate che portava al polso. « Ultimamente sono la sua passione. Li fa lei e li regala alle persone a cui vuole bene. »

Vogel notò che raccontava quei dettagli, insignificanti ai fini dell'indagine, senza che la voce e lo sguardo tradissero alcuna commozione. Ma non era freddezza. L'agente speciale comprese di cosa si trattava in realtà. La donna era convinta che quella fosse una *prova*, una specie di esame a cui tutti loro erano sottoposti in quel drammatico frangente così da poter dimostrare che la loro fede era salda e intatta. Perciò in fondo accettava ciò che stava accadendo limitandosi a confutarne l'ingiustizia, nella speranza che qualcuno lassù, forse Dio in persona, ponesse presto rimedio.

« Anna Lou si confidava con me, però una mamma mette in conto di non conoscere tutto dei figli. Ieri, mentre rassettavo camera sua, ho trovato questo... » La donna lasciò per qualche istante la mano del marito per porgere a Vogel il diario colorato che teneva accanto a sé.

L'agente speciale si allungò oltre il tavolino per afferrarlo. Sulla copertina c'erano due teneri gattini arruffati. Cominciò a sfogliarlo distrattamente.

« Lì sopra non troverà nulla che faccia presagire qualcosa » disse la donna.

Vogel, invece, richiuse il diario e sfilò dalla tasca interna del cappotto la stilografica e il taccuino nero. « Immagino che siate a conoscenza di tutte le frequentazioni di vostra figlia... »

« Certamente » disse Maria Kastner con una punta di indignazione per la domanda.

« Anna Lou ha conosciuto qualcuno negli ultimi tempi? Un nuovo amico o amica, per esempio. »

« No. »

« Siete assolutamente sicuri di questo? »

« Sì » ribadì la donna. « Me ne avrebbe parlato. »

Poco prima aveva ammesso che una madre non poteva sapere tutto dei propri figli, adesso ostentava sicurezza. Era tipico dei genitori nei casi di scomparsa, rammentò Vogel. Vogliono dare una mano ma sanno anche di essere in parte responsabili, perlomeno di disattenzione nei confronti dei figli. Ma quando provi a paventare la cosa, scatta l'istinto di difendersi, anche a costo di negare l'evidenza. E Maria Kastner stava già cominciando a patteggiare. Ma l'agente speciale doveva saperne di più. « Avete notato qualche comportamento anomalo ultimamente? »

« Che intende con anomalo? »

« Sapete come sono i ragazzi, no? Da piccoli segnali si possono intuire tante cose. Dormiva bene? Mangiava regolarmente? Il suo umore era cambiato? Era chiusa, scontrosa o aveva atteggiamenti che prima non aveva? »

« Era la solita Anna Lou. Conosco mia figlia, agente Vogel, so quando c'è qualcosa che non va. »

La ragazzina possedeva un cellulare. A quanto risultava a Vogel, era un vecchio modello, non uno smartphone. « Vostra figlia navigava su Internet? »

I due genitori si guardarono. « La nostra confraternita sconsiglia di favorire l'uso di certe tecnologie. Internet è pieno di insidie, agente Vogel. Nozioni fuorvianti che possono compromettere l'educazione di un buon cristiano » disse Maria. « Comunque a nostra figlia non abbiamo mai proibito nulla, è stata una sua scelta. »

Certo, come no, si disse Vogel. Su una cosa, però, la donna aveva ragione. Di solito il pericolo veniva dalla rete. Adolescenti sensibili come Anna Lou erano anche facilmente suggestionabili. Su Internet c'erano i cacciatori, che erano abili a manipolare le menti più vulnerabili, a insinuarsi nelle loro vite. Facendo cadere un po' alla volta tutte le difese e, invertendo i rapporti di fiducia, riuscivano a sostituirsi ai parenti più stretti e telecomandavano a distanza il minore fino a fargli fare ciò che volevano. In questo senso, Anna Lou Kastner era una preda perfetta. Forse la ragazzina aveva solo apparentemente assecondato la volontà dei genitori ma andava su Internet magari connettendosi altrove, a scuola o in biblioteca. Avrebbero dovuto controllare. Per il momento, però, aveva altri aspetti da approfondire. «Voi siete fra i fortunati che in paese hanno venduto le concessioni alla compagnia mineraria, è esatto?»

La domanda era rivolta a Bruno Kastner, ma fu ancora una volta la moglie a intervenire. «Mio padre ci ha lasciato un terreno, su a nord. Chi se lo immaginava che valesse tanto... Abbiamo devoluto una parte dei soldi alla confraternita e finito di pagare il mutuo di questa casa. Il resto è vincolato ai nostri figli.»

Doveva trattarsi di una bella sommetta, considerò Vogel. Probabilmente sufficiente a garantire un'esistenza più che decorosa a molte delle generazioni future dei Kastner. Avrebbero potuto permettersi svariati lussi o anche solo scegliere di acquistare una casa più grande, più bella. Invece avevano deciso di non modificare il loro tenore di vita. L'agente speciale proprio non capiva come si potesse rinunciare così facilmente a un benessere inatteso. Comunque ne prese atto e con la testa ancora chinata sul taccuino chiese: «Non vi sono arrivate richieste di denaro, perciò escluderei un sequestro per fini estorsivi. Ma avete subito minacce in passato? C'è qualcuno – anche un parente o un conoscente – che abbia motivi di invidia, risentimento o rancore nei vostri confronti?»

I Kastner sembrarono sorpresi da quelle domande.

«No, nessuno» disse subito la donna. «Frequentiamo solo i membri della nostra confraternita.»

Vogel rifletté sul sottinteso dell'ultima frase: i Kastner erano ingenuamente convinti che nella confraternita non c'era spazio per i conflitti. Del resto, lui non aveva dubbi che sarebbe stata proprio quella la risposta. Prima di mettere un piede nella loro casa, l'aveva messo nella loro vita, informandosi su tutto ciò che c'era da sapere sul loro conto.

L'opinione pubblica di solito si fermava all'apparenza. Perciò, quando accadeva qualcosa di anomalo come la sparizione di una ragazzina semplice e ben educata e quando ciò avveniva in un contesto familiare sano, la tendenza comune era pensare che il male fosse arrivato da fuori. Ma i poliziotti esperti come lui avevano sempre delle remore ad avviare un'indagine esterna, perché in moltissimi casi la spiegazione si celava più banalmente – e atrocemente – fra le mura domestiche. Aveva avuto a che fare con padri che abusavano delle figlie e madri che, invece di proteggerle, avevano trattato le proprie bambine come pericolose rivali. Poi, per il quieto vivere, i genitori arrivavano alla conclusione che la soluzione migliore per salvare il matrimonio fosse sbarazzarsi del sangue del proprio sangue. Una volta gli era persino capitato il caso di una moglie che, dopo aver scoperto le molestie, aveva scelto di coprire il marito, e di evitare la propria vergogna, uccidendo lei stessa la figlia e facendola sparire. Insomma, il campionario di ferocia era sempre più variegato e fantasioso.

I Kastner sembravano a posto.

Lui era un autotrasportatore che, anche dopo l'inaspettato arricchimento, non aveva smesso di spezzarsi la schiena col proprio lavoro. Lei era una modesta casalinga completamente dedita alla famiglia e ai figli. Inoltre i due coltivavano una fede fervida e convinta.

Ma non si poteva mai dire.

Vogel si finse soddisfatto. «Mi sembra che ci siamo detti tutto, per ora.» Poi l'agente speciale si alzò dalla poltrona, imitato prontamente da Borghi che era rimasto in silenzio per tutto il tempo. «Grazie per il caffè... e per questo» disse agitando il diario di Anna Lou. «Sono sicuro che ci sarà di grande aiuto.»

I Kastner accompagnarono i due agenti alla porta. Vogel diede ancora un'occhiata ai bambini che giocavano imperturbabili accanto all'albero di Natale. Chissà che tipo di ricordo di tutto questo sarebbe rimasto impresso nella loro memoria di adulti, considerò. Forse erano in tempo per salvarsi dall'orrore. Ma il pacco col fiocco rosso ancora intonso che attendeva Anna Lou gli diceva che ci sarebbe stato sempre qualcosa a rammentargli la tragedia che si era abbattuta sulla loro famiglia. Perché non c'era niente di peggio di un regalo che non giunge a chi è destinato. La felicità che contiene imputridisce lentamente, appestando ogni cosa intorno.

In quel momento, l'agente speciale si accorse che il silenzio fra loro era durato anche abbastanza, perciò si rivolse a Borghi. «Può aspettarmi in macchina, per favore?»

«Sì, signore» disse il solerte poliziotto.

Rimasto solo con i Kastner, Vogel parlò con un tono nuovo, premuroso, come se avesse davvero a cuore «la situazione». «Voglio essere franco con voi» disse. «I media hanno fiutato la storia, fra poco arriveranno in massa... A volte i giornalisti sono più bravi della polizia a scovare notizie, e non sempre ciò che finisce in tv ha a che fare con l'indagine. Non sapendo dove guardare, guarderanno voi. Perciò, se avete qualcosa da dire, *qualsiasi cosa*... Questo è il momento di farlo.»

Seguì un silenzio che Vogel fece durare più del necessario. Ecco fatto, il patto era stato sancito. Il consiglio in realtà conteneva un avvertimento. So che avete dei segreti, tutti ne hanno. Ma i vostri segreti adesso appartengono a me.

«Bene» disse infine l'agente speciale, rompendo il silenzio per toglierli dall'imbarazzo. «Ho visto che avete fatto stampare dei volantini con la foto di vostra figlia, è stata una buona idea, ma non basta. Fino a ora sono stati i media locali a occuparsi della vicenda, ma adesso sarà necessario qualche altro passo. Per esempio sarebbe utile fare un appello pubblico. Ve la sentite? »

I due coniugi si guardarono, consultandosi solo con lo sguardo. Poi la madre di Anna Lou fece un passo avanti, si sfilò il braccialetto di perline che le aveva fatto la figlia, prese la mano sinistra di Vogel e glielo mise al polso, come in una solenne investitura. « Faremo tutto quello che è necessario per aiutarla, agente Vogel. Ma lei ce la riporti a casa. »

Mentre attendeva a bordo della berlina di servizio, Borghi era intento a parlare al cellulare. « Non so quanto ci vorrà ancora, me l'ha chiesto lui » stava spiegando a uno degli agenti che attendevano da più di un'ora l'inizio del briefing programmato. « Anch'io ho famiglia. Tranquillizzali e assicuragli che nessuno perderà il pranzo di Natale. » In verità temeva di non potersi permettere una simile promessa perché non sapeva cosa avesse in mente Vogel. Conosceva lo stretto necessario e quella mattina si era limitato a fare da autista.

La sera prima, il suo diretto superiore gli aveva comunicato che il mattino dopo si sarebbe dovuto presentare ad Avechot per affiancare l'agente speciale Vogel nell'indagine su una scomparsa di minore. Poi gli aveva consegnato il misero fascicolo del caso e aveva concluso con delle strane raccomandazioni. Presentarsi in abito scuro, giacca e cravatta, alle otto e trenta in punto presso la tavola calda all'uscita del paese alpino.

Ovviamente, Borghi aveva sentito molte voci sul conto di Vogel e delle sue eccentricità. In tv si parlava spesso di lui e dei suoi casi ed era stato ospite di diverse trasmissioni che si occupavano di cronaca. Giornali e telegiornali si contendevano le sue interviste. Vogel era sempre a proprio agio di fronte alle telecamere, come un attore consumato capace di improvvisare sempre la propria performance, sicuro di conseguire il successo.

Poi c'erano le storie che si raccontavano nel corpo di polizia e che lo descrivevano come un tipo puntiglioso, maniaco del controllo, preoccupato solo di come apparire bene in video e tanto egocentrico da oscurare chiunque avesse intorno.

Ultimamente, però, le cose all'agente speciale Vogel erano andate storte. Un caso, in particolare, l'aveva messo in discussione. Qualcuno in polizia se ne compiaceva, ma Borghi, forse troppo ingenuamente, riteneva che ci fosse molto da imparare da uno sbirro come lui. In fondo, era alle prime armi e quell'esperienza non gli avrebbe certo fatto male.

Solo che Vogel si era sempre occupato di crimini eclatanti, delitti efferati e con un forte impatto emotivo. E si diceva che scegliesse sempre con attenzione i propri casi.

Per questo adesso Borghi si domandava cosa avesse visto di così straordinario l'agente speciale nella scomparsa di una ragazzina.

Anche se trovava comprensibili i timori dei genitori di Anna Lou e anche se pensava realmente che potesse esserle accaduto qualcosa di brutto, non ci vedeva il caso mediatico. E di solito erano proprio quelli che interessavano a Vogel.

«Saremo lì a momenti» assicurò all'interlocutore pur di chiudere la telefonata. E in quell'istante si accorse di un furgone nero parcheggiato in fondo alla strada.

A bordo due uomini che fissavano la casa dei Kastner senza scambiarsi una parola.

L'agente avrebbe voluto scendere dall'auto e andare a controllare, ma vide il suo superiore uscire dalla villetta e percorrere il vialetto nella sua direzione. Poi si accorse che Vogel aveva rallentato il passo. Quindi l'agente speciale fece una cosa senza senso.

Cominciò ad applaudire.

Prima piano, poi sempre più forte. E intanto si guardava intorno. Il suono si propagava facilmente nell'eco e dalle finestre delle case vicine iniziarono a spuntare delle facce. Una donna anziana, una coppia di coniugi coi loro bambini, un uomo grasso e una casalinga coi bigodini in testa. Via via, si aggiunsero anche altri sguardi. Assistevano alla scena senza capire.

Vogel allora smise di battere le mani.

Si guardò un'ultima volta attorno, osservato a sua volta, poi riprese a camminare come se nulla fosse e salì in auto. Borghi avrebbe voluto chiedere al superiore le ragioni di quello strano comportamento, invece fu ancora una volta l'altro a parlare. « Cosa ha notato oggi in quella casa, agente Borghi? »

Il giovane poliziotto non ebbe bisogno di pensarci. « Marito e moglie si sono tenuti per mano per tutto il tempo, sembravano molto uniti... Però ha parlato sempre solo lei. »

L'agente speciale annuì, guardando oltre il parabrezza. « Quell'uomo sta morendo dalla voglia di dirci qualcosa. »

Borghi non commentò. Avviò l'auto, dimenticandosi dell'applauso e del furgone nero.

Il posto di polizia era troppo piccolo e angusto per ciò che Vogel aveva in mente. L'agente speciale aveva chiesto un luogo più appropriato all'indagine. Così la palestra scolastica avrebbe fatto le veci di una sala operativa per le ricerche della ragazza.

I materassi e gli attrezzi che servivano per gli esercizi di atletica erano stati accantonati lungo una delle pareti. La grande cesta coi palloni da volley giaceva dimenticata in un angolo. Qualcuno aveva preso alcune cattedre dalle aule per usarle come scrivanie, qualcun altro aveva procurato delle sedie pieghevoli da giardino. C'erano due portatili e un pc messi a disposizione dalla biblioteca, ma un solo telefono collegato a una linea esterna. Una lavagna era stata piazzata sotto uno dei canestri del campo da basket, sul piano nero di ardesia c'era scritto col gesso: « Risultanze del caso ». Sotto erano incollati gli elementi raccolti fino a quel momento: la foto di Anna Lou che appariva anche sui volantini stampati dalla famiglia e una mappa della vallata.

In quel momento nel locale riecheggiava il chiacchiericcio di uno sparuto gruppo di poliziotti di Avechot in borghese, riuniti intorno a una macchina del caffè e a un vassoio di paste. Parlavano con la bocca piena e continuavano a guardare l'ora, spazientiti. L'argomento dei discorsi era indecifrabile in quel brusio, ma dalle loro espressioni si evinceva che si lamentavano tutti della stessa cosa.

Il colpo sordo e improvviso prodotto dall'apertura simultanea di entrambe le ante di una porta tagliafuoco li fece voltare tutti. Vogel irruppe nella palestra, seguito da Borghi, e il vocio si spense. L'uscio si richiuse con uno schiaffo alle spalle dell'agente speciale e nello stanzone si udirono solo i passi netti e un po' cigolanti delle sue scarpe di cuoio.

Senza salutare e senza degnare nessuno di uno sguardo, Vogel giunse nei pressi della lavagna sotto il canestro. Fissò per un istante le «risultanze del caso», come se le stesse studiando attentamente. Poi con un gesto improvviso cancellò con una mano la scritta e strappò via la foto e la piantina.

Quindi col gessetto annotò una data: 23 dicembre.

Si voltò verso la piccola platea. «Sono passati quasi due giorni dalla scomparsa» esordì. «In un caso di scomparsa il tempo è nostro nemico ma può essere anche un alleato, dipende da noi. Dobbiamo sfruttarlo bene, per questo è necessario fare una prima mossa.» Si concesse una pausa. «Voglio posti di blocco sulla statale, a presidio dei due accessi alla valle» disse perentorio. «Non dovete fermare nessuno, ma dobbiamo mandare un segnale.»

I presenti ascoltarono in silenzio. Borghi si era piazzato in disparte e li osservava standosene appoggiato a un muro.

«La telecamera del distributore di benzina e quella per il controllo del traffico: qualcuno ha verificato se sono funzionanti?» chiese Vogel.

Dopo qualche attimo di esitazione, uno dei poliziotti, un tipo con lo stomaco prominente che indossava una camicia a quadretti e una cravatta azzurra, sollevò la tazza di caffè che aveva in mano per prendere la parola. Era impacciato. «Sì, signore: abbiamo acquisito i filmati delle ore intorno a quella della scomparsa.»

«Bene» si compiacque Vogel. «Risalirete ai conducenti di sesso maschile delle auto transitate e verificherete i motivi per cui entravano o uscivano dalla valle. Concentratevi su quelli con un passato violento o che hanno precedenti.»

Dal suo punto privilegiato di osservazione, Borghi poté notare il disappunto degli uomini.

Intervenne un secondo agente, più anziano e perciò sicuro di potersi permettere una critica. «Signore: siamo pochi, non abbiamo risorse e poi non ci sono fondi per gli straordinari.» Ci fu una specie di brusio di approvazione da parte degli altri.

Vogel non si scompose, osservò le scrivanie arrangiate, la penuria di mezzi che li faceva apparire ridicoli. Non poteva biasimare il fatto che quegli uomini fossero scettici e demotivati. Ma non poteva nemmeno permettere che ci fossero alibi. Così ribatté con tono calmo: «Lo so che adesso vorreste essere a casa a festeggiare il Natale con le vostre famiglie, e che vedete me e l'agente Borghi come due estranei venuti qui per dare ordini. Ma quando questa storia sarà finita, noi due, io e Borghi, potremo tornarcene da dove siamo venuti. Voi, invece...» Li guardò rapidamente uno a uno. «Voi dovrete continuare a incontrare per strada i genitori di quella ragazza.»

Seguì un breve silenzio. Poi, il poliziotto più anziano intervenne di nuovo. Stavolta senza spocchia. «Signore, perdoni la mia domanda: perché dobbiamo cercare un uomo se è scomparsa una ragazza? Non dovremmo concentrarci su di lei?»

«Perché qualcuno l'ha presa.»

Come previsto, la frase calò sulla platea con un effetto deflagrante, congelando ogni replica. Vogel scrutò i volti dei presenti. Ogni poliziotto dotato di buonsenso avrebbe liquidato l'affermazione come un'eresia investigativa. Non c'erano prove che supportassero quell'ipotesi, nemmeno un labile indizio. Era un'accusa rivolta al nulla. Ma a Vogel era sufficiente far germogliare nelle loro menti l'idea che fosse *possibile*. Bastava un seme di possibilità per far crescere in breve tempo la certezza. Sapeva bene che, se ce l'avesse fatta a persuadere quegli uomini, allora avrebbe potuto convincere chiunque. Si giocava tutto lì.

Non in una vera sala operativa attrezzata per un'unità di crisi, ma in una palestra scolastica. Non con dei professionisti temprati da anni di esperienza sul campo, ma con degli sbirri locali male equipaggiati e che non avevano idea di come si portasse avanti un'indagine complessa. E in quei pochi minuti, si giocava il destino del caso e forse anche quello di una ragazzina di sedici anni. Per questo Vogel iniziò a sfoderare tutti i trucchi appresi nel tempo, allo scopo di vendere la sua mercanzia.

«È inutile girarci intorno» proseguì l'agente speciale. «Dobbiamo chiamare le cose col loro nome. Perché, come ho già detto, tutto il resto ci fa solo perdere tempo. Ma quel tempo appartiene ad Anna Lou, non a noi...» Poi estrasse dalla tasca del cappotto il taccuino nero, lo aprì con un gesto secco del polso e consultò gli appunti. «Sono circa le diciassette del ventitré dicembre. Anna Lou Kastner esce per recarsi a un incontro in chiesa, che dista più o meno trecento metri da casa sua.» Vogel si voltò per disegnare due punti sulla lavagna, ben distanziati. «Sappiamo che non ci arriverà mai. Però la ragazzina non è tipo da fughe. Ce lo dicono quelli che la conoscono, ma ce lo conferma anche il suo stile di vita: niente Internet in casa, nessun profilo sui social network, e aveva solo cinque numeri nella rubrica del cellulare.» Contò sulle dita: «Mamma, papà, casa, casa dei nonni e parrocchia». Si girò di nuovo verso la lavagna e unì con una linea i due punti disegnati in precedenza. «Le risposte sono tutte in questi trecento metri. Ci abitano

altre undici famiglie: quarantasei persone di cui trentadue in quel momento erano in casa... ma nessuno
ha visto o sentito nulla. Le telecamere dei sistemi di
videosorveglianza sono puntate verso l'interno delle
proprietà, mai sulla strada, perciò sono inutili. Come
si dice? 'Ognuno cura solo il proprio orticello.' » Si
rimise in tasca il taccuino nero. « Il rapitore ha studiato le abitudini del quartiere, sapeva come passare
inosservato. Il fatto che possiamo soltanto *ipotizzare*
la sua esistenza ci dice che ha preparato bene la partita
prima di iniziare a giocare... E che sta vincendo. »

Vogel ripose il gessetto, batté le mani per liberarle
dalla polvere, quindi si mise a scrutare l'uditorio, cercando di capire se il concetto appena espresso avesse
fatto breccia. Sì, ce l'aveva fatta. Aveva insinuato in
loro un dubbio. Ma aveva fatto anche di più: gli aveva
offerto una motivazione per impegnarsi. Da quel momento in poi li avrebbe manovrati facilmente e nessuno avrebbe più messo in discussione una sola parola dei suoi ordini.

« Bene, ricordate: la domanda non è più solo dov'è
Anna Lou adesso. La vera domanda è *con chi è* » concluse l'agente speciale. « Ora diamoci da fare. »

Borghi si rintanò a digiuno nella piccola stanza d'albergo che aveva prenotato nel pomeriggio, insieme a
quella dell'agente speciale Vogel. Era sicuro che non
ci sarebbe stato posto il giorno di Natale. Ma benché
fosse fra le ultime strutture ricettive della valle ancora

in attività, l'hotel Fiori delle Alpi era praticamente vuoto. Gli altri residence e alberghi avevano chiuso i battenti dopo l'avvento della miniera di fluorite. In un primo momento, Borghi si era chiesto come mai non fossero stati convertiti in foresterie per i dipendenti della multinazionale, ma poi il portiere gli aveva spiegato che gli operai erano quasi tutti del paese mentre i manager della compagnia andavano e venivano coi loro elicotteri e non restavano mai troppo a lungo.

Avechot aveva appena tremila abitanti, la metà della forza lavoro maschile era impiegata nel grande impianto estrattivo che dominava la valle.

Per prima cosa, entrando in stanza, l'agente Borghi si sfilò le scarpe di cuoio e la cravatta. Aveva avuto un freddo cane con quei vestiti addosso per tutta la giornata. Di solito metteva l'abito quando doveva andare a deporre in tribunale. Non era abituato a portarlo per così tante ore. Aspettò che la temperatura del suo corpo si armonizzasse con quella della stanza, poi si tolse anche la giacca e la camicia. Doveva lavarla e stenderla nella doccia e poi sperare che si asciugasse per il giorno dopo perché sua moglie si era scordata di mettergliene una di ricambio quando gli aveva preparato la valigia. Caroline era molto distratta ultimamente. Erano sposati da poco più di un anno e lei era incinta al settimo mese.

È dura spiegare a una giovane moglie che attende un bambino perché non puoi trascorrere con lei il giorno di Natale, anche se il motivo è una cosa inderogabile come il tuo lavoro da sbirro.

Borghi la chiamò mentre metteva a mollo la camicia nel lavandino del bagno. Fu una telefonata abbastanza rapida.

«Insomma, cosa sta accadendo ad Avechot?» chiese lei seccata.

«In realtà, ancora non lo sappiamo.»

«Allora potrebbero anche lasciarti la giornata libera.»

Era evidente che Caroline cercava la lite. Era esasperante avere a che fare con lei quando si comportava così. «Te l'ho detto, è importante che io stia qui, per la mia carriera.» Provava a essere conciliante, ma era difficile. Poi fu distratto dalle voci che provenivano dalla tv accesa nella stanza. «Scusa, ora devo andare. Hanno bussato alla porta» mentì. E chiuse la chiamata prima che Caroline riattaccasse col suo piagnisteo. Andò subito a vedere le immagini trasmesse dal telegiornale.

La sera del giorno di Natale, quando la gente aveva finito di festeggiare e si apprestava a concludere una lunga giornata, in tv apparvero i genitori di Anna Lou.

Erano seduti uno accanto all'altra dietro un grande tavolo rettangolare posto su un piccolo pulpito. Indossavano giacconi da neve che all'improvviso erano diventati troppo larghi per loro, come se l'ansia delle ultime ore li avesse consumati dal profondo. Infatti avevano un aspetto dimesso ma si tenevano sempre per mano.

Borghi riconobbe l'appello che un tecnico di una tv locale aveva filmato sotto la supervisione di Vogel quel pomeriggio. Anche lui era presente, ma ritrovare la stessa scena nel piccolo schermo gli procurò una sensazione strana. Borghi non sapeva spiegarla.

Bruno Kastner mostrava all'obiettivo della telecamera una foto incorniciata della figlia, scattata al termine di una funzione religiosa in cui Anna Lou portava una candida tunica bianca e sopra un crocifisso di legno. Sua moglie Maria, con quello stesso crocifisso al collo, leggeva un comunicato. «Anna Lou è alta un metro e sessantasette, ha lunghi capelli rossi e di solito li raccoglie in una coda. Al momento della scomparsa, Anna Lou indossava una tuta da ginnastica grigia, sneakers e un piumino bianco. Aveva anche uno zainetto colorato.» Poi, dopo aver preso fiato, la donna guardò dritto in camera, come se si rivolgesse direttamente a tutti i genitori in ascolto, ma anche, forse, a chi poteva sapere la verità. «Nostra figlia Anna Lou è una ragazza gentile, chi la conosce sa che ha un gran cuore: le piacciono i gatti e ha fiducia nelle persone. Per questo oggi ci rivolgiamo anche a quelli che non l'hanno conosciuta in questi suoi primi sedici anni di vita: se l'avete vista o sapete dove si trova, aiutateci a riportarla a casa.» Infine parlò alla figlia, come se in qualche posto sconosciuto e lontano, potesse davvero ascoltarla. «Anna Lou... mamma, papà e i tuoi fratelli ti vogliono bene. Ovunque tu sia, spero che ti giungano la nostra voce e il nostro amore. E quando tornerai a casa, ti regaleremo il gattino che tanto desideri, Anna Lou, te lo prometto... Il Signore ti protegga, piccola mia.»

Aveva ripetuto più volte il nome della figlia, pensò Borghi. Anche se non era necessario. Forse perché temeva di perdere anche l'ultima cosa che le restava di Anna Lou.

In quel momento una ragazzina semplice e anonima, che mai avrebbe immaginato di apparire un giorno in televisione, ma anche un piccolo paese delle Alpi di nome Avechot iniziavano a diventare tristemente famosi. Finalmente Borghi ebbe chiara la sensazione provata poco prima, quando si era trovato a guardare la scena che aveva già visto come se non la conoscesse.

Era l'effetto della televisione. Era come se lì le parole, i gesti assumessero una nuova consistenza.

Un tempo la tv si limitava a riproporre la realtà, adesso era l'artefice del processo inverso. La rendeva tangibile, consistente.

La creava.

Senza sapere perché, Borghi ripensò anche alle parole pronunciate da Vogel dopo lo strano applauso fuori dalla casa dei Kastner, una volta salito in auto, riferite al padre di Anna Lou.

«Quell'uomo sta morendo dalla voglia di dirci qualcosa.»

Borghi stava per diventare padre di una bambina. Da ormai più di quarantotto ore, l'uomo su cui Vogel aveva fatto cadere un'ombra sinistra non sapeva che fine avesse fatto la propria bambina. L'agente fu colto da un'ansia improvvisa. Fu costretto a domandarsi se davvero il mondo che attendeva sua figlia fosse così crudele.

Prima di mezzanotte, l'abitazione dei Kastner era silenziosa. Ma quel silenzio non aveva nulla a che fare con la pace, perché aveva messo in evidenza il vuoto che da più di quarantotto ore si era creato in quella casa. L'assenza di Anna Lou adesso era palpabile. Suo padre non poteva più ignorarla come aveva fatto per tutto il giorno, evitando di guardare i posti di solito occupati dalla figlia, come la sua sedia a tavola o la poltrona in cui amava rintanarsi la sera per leggere un libro o guardare la tv, oppure la porta della sua stanza. E aveva colmato l'assenza della sua voce con altri suoni. Per esempio, quando gli diventava insopportabile la sofferenza di non sentirla più parlare, ridere o canticchiare, Bruno Kastner spostava un oggetto, così che il rumore riempisse il vuoto lasciato da Anna Lou e lo distraesse da quell'atroce silenzio.

Il dottor Flores aveva prescritto a Maria dei tranquillanti per prendere sonno. Bruno si era assicurato che li prendesse e poi era andato a rimboccare le coperte ai gemelli e si era soffermato sulla soglia della stanzetta per vegliare un poco sul loro sonno agitato. I bambini stavano tenendo duro, ma dai loro sogni si evinceva che anche loro erano turbati. Per tutto il giorno avevano continuato a fare domande in modo quasi disinteressato, accontentandosi di brevi risposte evasive. Ma l'apparente indifferenza nascondeva la paura di conoscere la verità. Una verità a cui a sette anni non si è preparati.

Nemmeno Bruno Kastner sapeva quale fosse, sapeva soltanto che ne era terrorizzato.

L'uomo si sedette al tavolo da pranzo. Indossava ancora una volta pantofole e pigiama. Dopo la visita dei due agenti di polizia si era vestito per uscire, senza sapere esattamente dove andare. Aveva trovato conforto nell'abitudine del proprio lavoro di autotrasportatore, e così aveva trascorso le ore successive a bordo del proprio furgone, girando per le strade di montagna senza meta. Cercava un segno di Anna Lou, qualunque cosa. In realtà, stava anche scappando dalle proprie ansie e da un senso d'impotenza che può provare solo un padre che sa di non aver vigilato sui propri cari come avrebbe dovuto.

Adesso, alla fine di quell'interminabile giornata, nonostante fosse stanchissimo, non era sicuro che sarebbe stato in grado di dormire. Aveva timore dei sogni che lo attendevano. Non poteva prendere un sonnifero perché qualcuno doveva pur continuare a proteggere la casa, la famiglia. Anche se forse era inutile, visto che il male aveva trovato lo stesso un modo per entrare. E poi c'era l'insperata eventualità che Anna Lou tornasse o che giungesse una telefonata a liberarli da quel sortilegio malefico.

Così si recò in soggiorno e prese dal cassetto di un mobile gli album con le foto di famiglia che Maria aveva raccolto con amore in quegli anni. Se li portò appresso, nel tinello. Si sedette al tavolo ma non accese la luce, gli bastava quella che filtrava dalla finestra, proiettata da un lampione stradale. Iniziò a togliere le immagini dai loro scomparti e a disporle sul ripiano, una alla volta, secondo un ordine che conosceva solo lui, come un cartomante che cerca di intuire il futuro dalle figure che ha davanti.

In quelle foto c'era la sua bambina, sin da quando era piccolissima.

Anna Lou cominciò a crescere davanti ai suoi occhi. Il giorno in cui gattonò, quello in cui imparò a camminare, quello in cui lui le insegnò ad andare in bici. C'era una serie di prime volte. Il primo giorno di scuola, quello del primo compleanno. Il primo Natale. E poi tanti altri momenti, sparsi nel tempo. Altri natali, gite in montagna, gare di pattinaggio. Una carrellata di ricordi felici. Perché – sembrava sciocco anche solo pensarci – la gente non scatta foto nei giorni brutti. E se pure lo facesse non le metterebbe certo da parte, considerò l'uomo.

C'erano le immagini dell'ultima vacanza tutti insieme, l'anno prima, quando erano andati al mare. Anna Lou in costume da bagno era buffa e un po' sgraziata, e sapeva di esserlo. Forse per questo se ne stava sempre in disparte in quegli scatti. A differenza di tante sue coetanee, non era ancora sbocciata. Sembrava una bambina, con la sua coda di capelli rossi e le lentiggini. Bruno Kastner avrebbe voluto che Maria le parlasse, che le spiegasse che era normale e che un giorno il suo corpo avrebbe subito un'improvvisa e felice mutazione. Ma per sua moglie, religiosa co-m'era, argomenti come il sesso o la pubertà rappresentavano un tabù. E non poteva certo farlo lui. Gli sarebbe toccato coi gemelli, un giorno. Ma quel discorsetto non era roba che un padre potesse affrontare con l'unica figlia femmina. L'avrebbe messa in un mortale imbarazzo, Anna Lou sarebbe arrossita di colpo e, sapendo di avere le gote in fiamme e di non poterci fare niente, si sarebbe sentita ancora più esposta e vulnerabile.

Sua figlia era come lui, timida e un po' impacciata quando si trattava di interagire col resto del mondo. Inclusa la sua famiglia.

Bruno avrebbe voluto darle di più. Per esempio, avrebbe voluto impiegare parte dei soldi della vendita del terreno alla compagnia mineraria per mandarla in una scuola migliore, fuori dalla valle. Magari in un bel collegio privato. Ma il terreno era di sua moglie e, di conseguenza, pure quel denaro. E Maria, come sempre, aveva deciso per tutti. Lui non era affatto contrario a fare una cospicua donazione alla confraternita, ma avrebbe voluto che i loro figli potessero disporre della loro parte adesso e non in un ipotetico avvenire.

Perché Bruno Kastner non sapeva mica se, per esempio, Anna Lou avrebbe avuto un futuro.

Scacciò con fastidio quel pensiero. Avrebbe voluto dare un pugno al tavolo. Era abbastanza forte da spezzarlo in due. Ma si trattenne. Era da tutta una vita che si tratteneva.

Si stropicciò gli occhi e quando li riaprì si soffermò su una foto in particolare. Uno scatto piuttosto recente. La figlia sorrideva accanto a un'altra ragazza. Il confronto metteva in evidenza in maniera impietosa che Anna Lou, con la tuta e le scarpe da ginnastica e i capelli rossi raccolti nella solita coda, sembrava una bambina. L'amica invece era truccata, vestita alla moda ma, soprattutto, sembrava una donna fatta. Guardandole bene, Bruno Kastner avrebbe voluto piangere, ma non gli riusciva.

Ciò che era successo era colpa sua, solo sua.

Era un uomo di fede, anche se non così solida come quella di Maria, perciò sapeva di essere in grave difetto. Ma se avesse avuto la forza di imporsi con sua moglie, adesso Anna Lou sarebbe stata al sicuro nella stanza di un collegio o magari altrove. Se avesse avuto il coraggio di dire realmente a Maria come la pensava e di far valere le proprie opinioni, sua figlia non sarebbe scomparsa.

Invece aveva taciuto. Perché è questo che fanno i peccatori: tacciono e, tacendo, mentono.

Bruno Kastner emise da solo la sentenza. Rimise a posto quasi tutte le fotografie, richiuse gli album e si apprestò ad affrontare la sua terza notte insonne.

C'era una sola foto sul tavolo, ora. Quella di Anna Lou con l'amica.

Se la mise in tasca.

26 dicembre.
Tre giorni dopo la scomparsa.

Il tempo era cambiato, la temperatura si era fatta più rigida e il sole brillante di Natale era stato rimpiazzato da una spessa coltre di nubi grigie.

Avechot sonnecchiava ancora pigramente dopo i bagordi delle feste. Vogel e Borghi, invece, si erano svegliati di buonora per rendere proficua la giornata. Si aggiravano sulla berlina scura per le strade del paese. L'agente speciale sembrava in piena forma ed era vestito come se dovesse recarsi a un incontro ufficiale. Scarpe tirate a lucido, completo in principe di Galles, camicia bianca e una cravatta di lana rosa. Borghi indossava gli stessi abiti del giorno prima e non aveva potuto stirare la camicia che aveva lavato in albergo. Si sentiva inadeguato accanto al superiore. Mentre lui era intento alla guida, Vogel si guardava intorno.

Sui muri delle case apparivano slogan a tema religioso. « *Io sto con Gesù!* » « *Cristo è la via.* » « *Chi cammina accanto a me sarà salvo.* » Dalla manifattura delle scritte, tutte realizzate con vernice bianca, si evinceva che non erano opera di qualche anonimo invasato. Erano stati gli stessi proprietari delle abitazioni a tracciarle, come plateale testimonianza della propria fede. Inoltre c'erano crocifissi un po' ovunque. Sulle facciate degli edifici pubblici o che svettavano al centro di un'aiuola, perfino sulle vetrine dei negozi.

Sembrava che il paese fosse stato attraversato da un'ondata di fanatismo religioso.

« Mi parli della confraternita a cui appartengono i Kastner. »

La richiesta di Vogel non colse impreparato Borghi che aveva svolto delle ricerche sull'argomento. « A quanto pare, circa vent'anni fa ad Avechot c'è stato uno scandalo: il prete locale è scappato con una delle parrocchiane, moglie devota e madre di tre figli. »

« Non mi interessano i pettegolezzi » lo incalzò acidamente Vogel.

« Be', signore, è proprio da lì che è iniziato tutto. In un altro contesto la cosa si sarebbe risolta esattamente con un po' di pettegolezzi e qualche maldicenza, ma ad Avechot l'hanno presa piuttosto seriamente. Il sacerdote era giovane e carismatico, dicono. Aveva conquistato tutti con i suoi sermoni ed era molto amato. »

In una società ristretta, che vive al chiuso delle montagne, ci vuole proprio carisma per fare breccia nel cuore della gente... o approfittare della credulità popolare, pensò Vogel.

« Fatto sta che il prete ha avuto modo di crearsi un nutrito seguito. La comunità è sempre stata abbastanza osservante perciò, dopo quello che è successo, devono essersi sentiti in qualche modo traditi dalla loro guida spirituale. A quel punto si è ripristinata in pieno la diffidenza della gente di qui, i fedeli hanno iniziato a respingere tutti i rimpiazzi inviati dalla curia.

Così, dopo un paio d'anni, alcuni membri hanno assunto il ruolo di diaconi e da allora la comunità si autogestisce. »

« Come una setta religiosa? » domandò Vogel, improvvisamente incuriosito.

« Una specie. Da queste parti si viveva di turismo, ma gli estranei non sono mai stati veramente benvoluti. Erano molesti e avevano abitudini che non si addicevano – diciamo così – alla 'cultura locale'. Con la scoperta del giacimento di fluorite, finalmente questa gente poteva sbarazzarsi di loro e tagliare quasi del tutto i ponti col resto del mondo. »

« Maria e Bruno Kastner devono essere fra i fedeli più ferventi, visto quanto denaro hanno devoluto alla causa religiosa. »

« Ha fatto caso che parlano della loro confraternita come fosse una cerchia esclusiva, elitaria? Una specie di 'noi e gli altri', non so se rendo bene l'idea. »

« La rende bene. »

« I membri della comunità sono stati i primi ad attivarsi nelle ricerche di Anna Lou. Mi risulta che in questi giorni sono stati parecchio vicini alla famiglia e da questa mattina alcuni di loro si sono addirittura trasferiti a casa dei Kastner per accudirli e non lasciarli mai soli. »

Giunsero nei pressi della chiesa di Avechot. Accanto alla canonica era stata edificata una struttura più moderna.

« Ecco, quella è la sala delle assemblee. La usano molto più della chiesa vera e propria, specie per compiere riti di preghiera collettiva. Pare che la comunità sia molto influente nella valle, capace di orientare perfino le decisioni della compagnia mineraria, che infatti la tiene in gran conto. Il sindaco, i consiglieri e tutti i funzionari pubblici sono espressi dalla confraternita. Il risultato è che hanno imposto una serie di divieti, come quello di fumare in pubblico o di servire alcolici la domenica e nei giorni di festa, oltre che la sera dopo le diciotto. La comunità, inoltre, è contro l'aborto, l'omosessualità e non vede di buon occhio nemmeno le coppie di conviventi. »

Esaltati del cazzo, pensò Vogel che però si era già fatto un'idea precisa della cosa. Ma una parte di lui era estremamente soddisfatta.

Il contesto della scomparsa di Anna Lou era perfetto. La misteriosa sparizione di una ragazzina, il male che si insinua in una comunità rigidamente devota a Dio e ai suoi precetti, un'intera cittadina costretta a interrogarsi su ciò che stava accadendo.

O era già accaduto.

Vogel aveva chiesto di incontrare il sindaco e un guardaboschi. Borghi si era attivato subito ma l'aveva spiazzato la richiesta dell'agente speciale di darsi appuntamento sul greto del fiume che attraversava la valle.

Quando arrivarono, Borghi parcheggiò l'auto in un ampio piazzale ghiaioso dove c'era un chiosco di legno in disuso ma che, secondo un vecchio cartello, un tempo vendeva esche vive e noleggiava canne da pesca. Il sindaco e il guardaboschi erano già lì, giunti con un fuoristrada con le insegne cittadine che apparteneva al municipio.

Il politico era un uomo robusto, con uno stomaco esagerato sorretto a stento dalla cintura dei pantaloni. Indossava un giaccone da montagna aperto sul davanti, una camicia azzurra di cotone e una cravatta con degli orrendi rombi rossi. Il fermacravatte era d'oro e terminava con una piccola croce di ametista. Vogel non fece trasparire quanto disprezzava il suo abbigliamento o il ridicolo riporto sulla testa a pera o i baffetti che sovrastavano un labbro troppo grosso. Pensò che il sindaco fosse uno di quegli individui che hanno sempre caldo, anche d'inverno. Le gote perennemente rosse ne erano la prova. Quando quello gli andò incontro col suo sorriso più cordiale, Vogel accettò un'energica stretta di mano ma non ricambiò l'entusiasmo.

«Agente speciale, conosco i Kastner da una vita, non sa quanto mi addolora ciò che stanno passando in questi momenti» disse il sindaco mutando il sorriso in un'espressione costernata. «Siamo felici che sia lei a occuparsi della nostra Anna Lou. Vista la sua fama, la nostra bambina è in ottime mani.»

Anna Lou era diventata improvvisamente la figlia di tutti, considerò Vogel. Ma in fondo accadeva sempre così, almeno a parole. Quando però si richiudevano alle spalle la porta di casa, erano tutti grati che quella sorte fosse toccata al figlio di qualcun altro. «La vostra bambina avrà un trattamento preferenziale » rispose Vogel di rimando, ma l'altro non colse la nota di sarcasmo nella sua voce. « Adesso possiamo vedere il fiume? »

Vogel lo superò girando intorno alla sua stazza e si diresse verso il greto. Il sindaco rimase spiazzato per un lungo momento, poi gli andò appresso. Lo stesso fecero il guardaboschi e Borghi. L'agente si domandò fino a che punto del piazzale volesse spingersi Vogel per avvicinarsi al corso d'acqua. Invece, con sua grande sorpresa, lo vide superare il confine di ghiaia, immergere i piedi nel fango che delimitava il margine e avanzare incurante di sporcarsi il bell'abito e le scarpe costose.

A quel punto, gli altri furono costretti a imitarlo.

Il guardaboschi era il solo a indossare degli stivali, gli altri avevano la melma che gli arrivava alle ginocchia. Borghi si appuntò che quella sera in albergo avrebbe dovuto fare un nuovo bucato e forse non sarebbe bastato a salvargli l'unico completo che possedeva.

« Il corso d'acqua ha una larghezza media di otto, dieci metri e una corrente abbastanza sostenuta. Questo è il punto in cui rallenta maggiormente » disse il guardaboschi.

Vogel l'aveva già interrogato su una serie di dettagli. Il guardaboschi non capiva perché gli interessassero tanto. « Che profondità raggiunge? » chiese l'agente speciale.

« Un metro e mezzo, di media, ma in alcuni punti anche due è mezzo. Tanto che la corrente non ce la fa a pulire il fondale dai detriti che si accumulano. »

« Così intervenite voi? »

« Mediamente una volta ogni due o tre anni. In autunno, prima che inizi a piovere, s'impianta una diga artificiale e le draghe portano a termine il lavoro in una settimana. »

Borghi si voltò verso il ponte che attraversava il corso d'acqua. Distava un centinaio di metri e sulla campata sostava il furgone nero che aveva già notato fuori dalla casa dei Kastner il giorno prima. Suppose che a bordo ci fossero sempre i due uomini che aveva visto. Forse avrebbe dovuto accennarne a Vogel.

« Da quando la miniera ha rallentato il corso per drenare parte dell'acqua, sul fondo si ammassano detriti, rifiuti di ogni genere e carcasse di animali. Dio solo sa cosa c'è là sotto » disse ancora il guardaboschi, e poi concluse: « Il fiume è malato ».

L'ultima frase fece scattare il sindaco che si affrettò a correggere il dipendente. « Il municipio ha convinto la compagnia a finanziare un programma di salvaguardia ambientale. Vengono spese ingenti somme per le bonifiche. »

Vogel ignorò il commento e si rivolse a Borghi distraendolo dalla visione del furgone. « Dovremo parlare con quelli della compagnia, chiedere gli elenchi dei loro fornitori esterni e i nomi degli operai pendolari. »

Il sindaco apparve visibilmente preoccupato. « Su, andiamo, perché scomodarli per quella che potrebbe rivelarsi solo una ragazzata? »

Vogel si voltò a fissarlo, serio. « Una ragazzata? »

L'altro cercò di correggere il tiro. « Non mi fraintenda, sono un padre anch'io e so come si sentono quei genitori... Ma non le sembra un po' affrettato quest'allarmismo? La compagnia dà lavoro a un sacco di gente qui nella valle e non apprezza questo tipo di pubblicità. »

Il sindaco usava la sincerità per accattivarsi la solidarietà di Vogel, notò Borghi. Ma il pragmatismo politico non sarebbe servito con l'agente speciale.

« Voglio dirle una cosa... » Vogel si accostò all'uomo, parlando a voce più bassa come se gli stesse facendo una confidenza. « Ho imparato che esistono due frangenti di tempo in cui fare le cose. L'adesso e il dopo. Rimandare può sembrare saggio, a volte c'è bisogno di ponderare bene le situazioni e le possibili conseguenze. Ma, purtroppo, in certe circostanze riflettere troppo può essere scambiato per esitazione o, peggio ancora, per debolezza. Tardare significa aggravare le cose. E non c'è peggiore pubblicità, mi creda. »

Quando terminò la lezioncina, Vogel si voltò verso il piazzale da dove erano arrivati. A distrarlo, una voce che cercava di sovrastare il rumore della corrente. Immediatamente, anche gli altri lo imitarono.

Sul confine del greto, prima che iniziasse la parte melmosa, c'era una donna bionda con un tailleur blu e un cappottino scuro che agitava le braccia nella loro direzione.

Quando la raggiunsero, Borghi intuì dalle scarpe sporche che la donna aveva provato a addentrarsi nel fango ma i tacchi gliel'avevano impedito.

«Sono la procuratrice Mayer» si presentò. Era giovane, sulla trentina. Non era molto alta ma risultava graziosa. Non portava trucco e aveva un aspetto sobrio. Chiese subito di conferire in disparte con i due agenti e sembrava alquanto contrariata. «Ho saputo che ieri c'è stato un briefing. Perché non sono stata informata?»

«Non volevo distoglierla dalla sua famiglia proprio il giorno di Natale» rispose Vogel, sornione. «E poi credevo che i procuratori non partecipassero alle attività preliminari dell'indagine.»

La Mayer, però, non si faceva scavalcare facilmente. «Ha per caso parlato di un rapitore ieri, agente speciale Vogel?»

«Al momento non possiamo scartare alcuna ipotesi.»

«Capisco, ma esiste forse una prova in tal senso? Una voce, una testimonianza, un indizio?»

«In effetti, no.» Vogel era seccato, ma non voleva darlo a vedere.

«Allora devo dedurre che si tratta di puro intuito investigativo» lo incalzò la Mayer con una punta di sarcasmo.

«Se vuole metterla così» finse di assecondarla l'altro.

Borghi assisteva in silenzio al serrato scambio di battute.

«Ci sono varie piste al vaglio» proseguì l'agente speciale. «Per esperienza, so che è meglio cominciare da subito con gli scenari peggiori, per questo ho parlato di un possibile rapitore.»

« Mi sono presa la briga di raccogliere informazioni su Anna Lou Kastner ben prima che lei arrivasse qui. Una ragazzina tranquilla che conduceva una vita semplice, fra braccialetti, gattini e parrocchia. Forse anche un po' troppo bambina rispetto alle ragazzine della stessa età, lo ammetto. Ma questo non fa certo di lei una vittima predestinata. »

Vogel era divertito dal profilo tracciato dalla procuratrice. « Che conclusioni ne ha tratto? »

« Una famiglia in cui vige un'educazione rigida, una madre troppo presente. Ad Anna Lou, per esempio, non era concesso frequentare coetanei che non facessero parte della confraternita, anche a scuola. Non le era permesso di uscire con gli amici o di svolgere attività al di fuori di quelle ritenute 'lecite' secondo un'interpretazione molto restrittiva dei canoni religiosi. In altre parole, non le era permesso di decidere niente, nemmeno di fare i suoi sbagli. E a sedici anni è quasi un diritto commettere degli errori. Perciò può capitare che a un certo punto ci si ribelli alle regole. »

Vogel annuì, pensieroso. « Lei crede a una fuga volontaria, dunque. »

« Quante volte succede? Lo sa anche lei che le statistiche sono a favore di questa ipotesi. Tanto più che Anna Lou è uscita di casa con uno zainetto colorato e nessuno fra i suoi parenti è in grado di dire cosa contenesse. »

Mentre l'agente speciale fingeva di ponderare quelle conclusioni, Borghi ripensò al diario che la madre di Anna Lou aveva consegnato a Vogel il giorno prima, quando erano andati a farle visita. Nel libriccino non c'era traccia della volontà di scappare.

«La sua tesi è molto affascinante» convenne Vogel.

La Mayer, però, non era tipo da lasciarsi comprare con le blandizie e ripartì all'attacco. «Conosco i suoi metodi, Vogel, so che le piacciono le luci della ribalta, ma qui ad Avechot non troverà alcun mostro per il suo show.»

Vogel provò a sviare l'argomento. «La sala operativa è una palestra scolastica, il mio ufficio è in uno spogliatoio. Gli uomini che ho a disposizione non hanno competenze in materia e sono male equipaggiati. Vorrei una squadra scientifica per analizzare palmo a palmo il tratto di strada in cui la ragazza è scomparsa, magari confermeremo la sua ipotesi e ci toglieremo per sempre il pensiero.»

La Mayer si lasciò scappare un risolino divertito, poi tornò seria. «Ha idea di cosa accadrebbe se trapelasse la notizia che la polizia sospetta che ci sia un rapitore?»

«Non ci sarà alcuna fuga di notizie» le assicurò Vogel.

«Con quale coraggio lei viene a chiedermi una squadra scientifica se non ha in mano nulla?»

«Non ci sarà alcuna fuga di notizie» ribadì l'agente speciale con più fermezza.

Borghi vide apparire una vena più scura sulla fronte di Vogel. Fino a quel momento, non l'aveva mai visto perdere la calma.

La Mayer sembrò placarsi. Poi, prima di allontanarsi, li fissò entrambi. «Questo è ancora un caso di scomparsa, non dimenticatelo.»

Mentre tornavano alla palestra, nell'auto c'era un silenzio assoluto. Borghi avrebbe voluto dire qualcosa, ma temeva che se avesse parlato avrebbe scatenato l'ira che Vogel stava trattenendo da prima.

In quel momento, l'agente alla guida spostò gli occhi sul retrovisore e notò di nuovo il furgone nero. Li stava seguendo.

Il gesto non sfuggì a Vogel che abbassò l'aletta parasole e si servì del piccolo specchio di cortesia per controllare la strada alle loro spalle. Poi la richiuse con un gesto secco.

«È da ieri che ci stanno appresso. Vuole che li fermi?» domandò Borghi.

«Sono sciacalli» sentenziò Vogel. «Vanno a caccia di notizie.»

Borghi sulle prime non capì. «Vuol dire che sono giornalisti?»

«No» rispose subito Vogel senza guardarlo. «Sono cameraman freelance. Quando fiutano la possibilità di una storia torbida, si precipitano con le telecamere sperando di raccattare qualche immagine da rivendere ai network. I giornalisti non sprecano tempo per le ragazzine scomparse, a meno che non ci sia la probabilità che sia scorso del sangue.»

Borghi si sentì stupido perché si rese improvvisamente conto che il suo superiore aveva notato il furgone quella mattina e anche il giorno prima, fuori dalla casa dei Kastner. « E cosa cercano questi sciacalli allora? »

« Aspettano che spunti un mostro. »

Borghi cominciava a capire. « Per questo la gita al fiume di stamattina... Lei voleva che pensassero che ci stiamo preparando a cercare un corpo. »

Vogel tacque.

Il silenzio spiazzò il giovane poliziotto. « Ma poco fa alla procuratrice ha detto che non ci sarebbero state fughe di notizie... »

« A nessuno piace sfigurare davanti all'opinione pubblica, agente Borghi » lo liquidò Vogel. « Neanche alla nostra signorina Mayer, mi creda. » Poi si voltò a guardarlo. « Per ritrovare Anna Lou ho bisogno di mezzi. E l'appello dei genitori da solo non basta. »

Con l'ultima frase l'agente speciale mise anche un punto fermo alla discussione. Non toccarono più l'argomento finché non giunsero alla sala operativa. Però nel tragitto Borghi si era fatto un'idea precisa delle intenzioni di Vogel. All'inizio gli era sembrato cinico quel comportamento, ma adesso ne comprendeva la logica. Se i media non si fossero interessati al caso, se l'opinione pubblica non avesse deciso di « adottare » Anna Lou, i loro superiori non avrebbero accordato le risorse necessarie a svolgere al meglio l'indagine.

Mentre Vogel si ritirava nel proprio ufficio nello spogliatoio, Borghi uscì di nuovo per recarsi in un piccolo negozio di ferramenta poco distante. Quando tornò nella palestra, convocò intorno a un tavolo gli agenti presenti, poi distribuì dei pacchi di cellofan che contenevano delle tute da imbianchino.

« Cosa dobbiamo dipingere? » chiese uno di loro in tono scherzoso.

Borghi lo ignorò. « Dovete metterle e andare sul posto. »

« Per fare cosa? » domandò l'altro, stupito.

« Ne parleremo quando sarete lì » fu la risposta evasiva dell'agente.

Quella sera aveva iniziato a nevicare. Non una precipitazione abbondante, bensì quasi un pulviscolo leggero che svaniva a contatto con le superfici, come un miraggio.

La temperatura era scesa di parecchi gradi ma all'interno della tavola calda sulla statale c'era un confortevole tepore. Come al solito, i clienti scarseggiavano. C'erano un paio di camionisti che occupavano due diversi tavoli e mangiavano in silenzio. In sottofondo si udivano soltanto la voce del vecchio proprietario che dava ordini in cucina, il rintocco delle palle del biliardo e i suoni ovattati della tv accesa sopra il bancone su cui scorrevano le immagini di una partita di calcio che nessuno stava guardando.

Il terzo cliente del ristorante era Borghi, che consumava una zuppa di verdure seduto in uno dei séparé. Staccava piccoli pezzetti da una fetta di pane e li faceva cadere nel piatto, per poi raccoglierli con il cucchiaio. Intanto osservava con insistenza l'ora.

« Tutto bene? » gli domandò la cameriera col tono di chi deve per forza essere gentile. Indossava una sciarpa rossa e una piccola croce di ametista sopra la divisa del locale. Borghi l'aveva già notata sul fermacravatte del sindaco. Immaginò che fosse il simbolo della confraternita.

« La zuppa è molto buona » rispose Borghi, abbozzando un sorriso.

« Vuole che le porti dell'altro? »

« Sto bene così. »

« Allora vuole che le prepari il conto? »

« Aspetto ancora un po', grazie. » Mancava poco al suo appuntamento.

La donna si allontanò senza insistere, tornandosene mestamente verso il bancone. Ancora una volta una serata fiacca per le mance. Borghi provò compassione per lei, quasi sicuramente una madre di famiglia. Riconobbe sul suo volto i segni evidenti della fatica. Magari quello non era nemmeno il suo unico lavoro. Ma c'era qualcos'altro. La donna continuava a sistemarsi la sciarpa rossa che portava al collo. Chissà che ne pensavano quelli della confraternita dei mariti o dei fidanzati che picchiavano le proprie mogli, pensò l'agente.

Avrebbe dovuto chiamare Caroline. Quel giorno si erano scambiati solo sms. Era coi suoi genitori adesso e Borghi era abbastanza tranquillo, ma lei continuava lo stesso a domandargli quando sarebbe tornato a casa. La verità era che lui non lo sapeva. E non credeva di averne neanche troppa voglia. C'erano troppe cose da fare, c'era tutta una vita da riorganizzare in vista dell'arrivo della bambina. Negli ultimi mesi Borghi aveva dovuto prendere una serie di decisioni tutte di fila, quasi in apnea. Affittare un appartamento più grande, ristrutturarlo, metterci dei mobili. Aveva cambiato auto, scegliendo un modello di seconda mano che potesse trasportare in maniera confortevole la nuova famiglia. Aveva sostenuto diverse spese e a volte veniva colto da un'ansia improvvisa, visto che Caroline non aveva più un impiego ed era tutto sulle sue spalle. E poi non era capace di contrariarla e, quando lei si lamentava perché lui lavorava troppo, non riusciva mai a ribattere che con una figlia in arrivo e un solo stipendio non aveva alternative. Così Borghi prese il cellulare ma rimandò ancora la telefonata alla giovane moglie e controllò per l'ennesima volta l'orario. Voleva essere sicuro che la sua idea avesse portato dei frutti.

Erano le venti esatte. Il suo appuntamento.

Dopo un po', l'atmosfera indolente del locale si rianimò. Accadde quando il proprietario cambiò canale e alzò il volume. I giocatori di biliardo interruppero la partita e i due camionisti si voltarono verso lo schermo. Sotto si formò un piccolo capannello che comprendeva anche il personale della cucina.

Il tg nazionale stava trasmettendo un servizio in esterna. Borghi riconobbe il greto del fiume che attraversava la valle di Avechot. Le riprese erano state effettuate dal ponte che lo scavalcava. Vide i suoi uomi-

ni con indosso le tute da imbianchino che si aggiravano nella melma a ridosso del corso d'acqua. Guardavano per terra e fingevano di raccogliere reperti e di
riporli in buste di plastica che poi sigillavano, rispettando alla lettera le istruzioni che lui stesso aveva impartito.

« Il caso della giovane Anna Lou oggi ha registrato
una svolta imprevista » spiegava la voce del cronista in
sottofondo. « La polizia ufficialmente continua a indagare su una scomparsa, ma questo pomeriggio alcuni tecnici della squadra scientifica hanno compiuto
un sopralluogo lungo un corso d'acqua. »

Anche se nessuno guardava nella sua direzione,
Borghi cercò di non far trasparire la propria soddisfazione. Il trucco aveva funzionato.

« Non è dato sapere cosa stessero cercando » proseguì lo speaker. « Ciò che sappiamo è che hanno portato via alcuni reperti che l'agente speciale Vogel, noto per aver risolto clamorosi casi di cronaca, ha defi-
nito 'interessanti' senza aggiungere altro. »

A quel punto, Borghi si alzò dal tavolo per recarsi
alla cassa a pagare il conto. Nonostante il suo misero
stipendio da sbirro, avrebbe lasciato una lauta mancia
alla cameriera.

27 dicembre.
Quattro giorni dopo la scomparsa.

Il furgone conteneva una vera e propria sala regia ed era parcheggiato nel piazzale antistante il municipio. All'esterno, un tecnico con una massa di dreadlock raccolti in una coda stava riavvolgendo dei cavi. Tutt'intorno, casse di materiali. E una sedia pieghevole sul cui schienale spiccava il nome «Stella Honer».

Bionda, elegante, di una bellezza aggressiva, con un filo di trucco che faceva risaltare grandi occhi scuri, Stella stava comodamente seduta a contemplare con svagata curiosità il lavoro del tecnico. A sorreggerle i piedi una telecamera con il logo del network per cui lavorava. Le splendide gambe distese e le caviglie incrociate, valorizzate da scarpe col tacco vertiginoso. E dire che al liceo del piccolo paese in cui era cresciuta era fra le meno considerate dai ragazzi. Le stavano stranamente alla larga, anche se era più carina della media delle studentesse. Per anni si era chiesta il perché. L'aveva scoperto molto tempo dopo, quando aveva capito che, in realtà, i maschi erano spaventati da lei. Per questo cercava di apparire un po' svampita, a volte. Ma non per conquistarli. Di solito, li faceva avvicinare e poi li azzannava alla gola.

C'era soltanto un uomo che non era mai riuscita a ingannare.

Lo vide avvicinarsi lentamente nella bruma del mattino, con le mani infilate nelle tasche del cappotto di cachemire e uno strano sorriso stampato sul volto.

« Ecco colui che ci rivelerà cosa ci facciamo qui! » disse con tono trionfale, rivolta al tecnico rasta. « Questo posto non s'intona con le mie scarpe. »

« Mi dispiace che tu abbia dovuto fare tanta strada, Stella » la salutò Vogel con tono canzonatorio. « Avevi sicuramente qualcosa di più importante di cui occuparti. Ultimamente mi sembra di aver visto un tuo servizio su un tale che ha ucciso la moglie... O era la fidanzata? Non ricordo... Si somigliano tutti questi omicidi. »

Stella sorrise con l'aria di chi sa incassare il sarcasmo e restituirlo al mittente. Attese che Vogel arrivasse proprio di fronte a lei per lanciare un'occhiata oltre la sua spalla e si rivolse nuovamente al cameraman. « Sai, Frank, quest'uomo è già riuscito a convincere tutti che esiste un mostro anche senza avere uno straccio di prova. »

Vogel ascoltava con un'espressione divertita sul viso, poi si voltò anche lui verso il cameraman. « Lo vedi, Frank? È questo che fanno i giornalisti: manipolano la verità per farti apparire più cattivo di loro. Ma Stella Honer è la regina degli inviati: nei collegamenti in esterna non la batte nessuno! » Poi tornando a guardare la giornalista: « Questa stagione non è un po' freddina per stare all'aperto? »

« Appunto: una ragazzina scomparsa? Andiamo! Se devo gelarmi il culo, voglio farlo per una storia vera. Ma qui non vedo alcuna storia: io me ne torno a casa. »

Il tecnico, che non aveva proferito parola e non era nemmeno interessato ai loro discorsi, se ne tornò nel furgone lasciandoli soli.

Stella smise di essere caustica e partì all'attacco. « Dov'è il tuo ladro di bambini, Vogel? Perché, francamente, a me non sembra proprio che ci sia. »

L'agente speciale non si scompose. Sapeva che non sarebbe stato semplice convincere la Honer, ma si era preparato bene. « Una sola strada per entrare e uscire dalla valle. Da un lato una telecamera per il controllo del traffico, dall'altro quelle di un distributore di benzina: stiamo ispezionando i veicoli di chi è transitato, passando al setaccio la vita di ognuno... Ma so già che sarà tutto inutile. »

Stella Honer sembrò perplessa. « Perché tanta fatica allora? »

Vogel si giocò il primo colpo di scena. « Per dimostrare la mia teoria: cioè che la ragazzina non si è mai mossa da qui. »

Stella tacque per un istante di troppo, segno che la cosa cominciava a interessarle. « Va' avanti... »

Vogel sapeva di dover essere grato a Borghi se la giornalista si era scomodata per andare fin lassù. L'idea delle tute da imbianchino era stata premiata. Il ragazzo ci sapeva fare. Ma adesso toccava al maestro fare la propria parte. Riattaccò a parlare con un tono enfatico. « Una valle sperduta. Ma un giorno si scopre che sotto quelle montagne c'è addirittura un minerale raro come la fluorite. Così gente normale diventa improvvisamente ricca. Un posto in cui tutti conoscono tutti, dove non succede mai niente. Oppure sì, ma nessuno ne parla, nessuno dice nulla. Perché l'usanza qui è nascondere tutto, perfino la ricchezza... Sai come si dice, no? 'Piccola comunità, grandi segreti.' » Sembrava il preludio di una storia perfetta, ma per dare forza al suo racconto l'agente speciale estrasse dalla tasca del cappotto il diario di Anna Lou che la madre della ragazzina gli aveva affidato. Lo lanciò alla giornalista che lo prese al volo.

Stella prima lo osservò un momento e poi iniziò a sfogliarlo.

« *Venticinque marzo* » lesse ad alta voce. « *Oggi ho accompagnato la mia amica Priscilla dal veterinario per far visitare la sua gatta. Il dottore le ha fatto il vaccino annuale e ha detto che deve metterla a dieta...* » Passò a un'altra pagina. « *Tredici giugno: con i ragazzi della confraternita stiamo preparando un recital sull'infanzia di Gesù...* » Lo sfogliò ancora. « *Sei novembre: ho imparato a fare i braccialetti di perline...* » Stella richiuse il libriccino con un colpo secco e osservò Vogel pensosa. « Gattini e braccialetti? »

« Ti aspettavi qualcosa di diverso? » chiese Vogel divertito.

« Queste sono le cose che avrei scritto io se mia madre avesse avuto l'abitudine di leggere di nascosto il mio diario... »

« E quindi? »

« Non prendermi per il culo. Dov'è il vero diario? »

Vogel appariva soddisfatto. «Lo vedi? Avevo ragione: famiglia religiosa e ragazza integerrima... Scavando, però, qualcosa viene sempre fuori. »

«Pensi che Anna Lou Kastner avesse qualcosa da nascondere? Forse una relazione con qualcuno di più grande, magari proprio un adulto. »

«Corri troppo, Stella» affermò Vogel, ridendo.

La giornalista lo osservò sospettosa. «Però hai voluto che lo leggessi perché lo pensassi... Non hai paura che possa mettere in giro la voce che c'è qualcosa di torbido nella vita della ragazzina? Al pubblico piacerebbe. »

«Non lo faresti mai» replicò l'agente speciale, sicuro. «Prima regola del nostro mestiere: 'santificare la vittima'. I mostri non sono poi tanto mostruosi se la gente inizia a pensare: *'ehi, quella se l'è cercata!'*, non ti pare? »

Stella Honer ci pensò su un po', ponderando bene la situazione. «Credevo ce l'avessi ancora con me per il caso del mutilatore. »

Sì, era così: ce l'aveva con lei per la faccenda per cui aveva perso gran parte del proprio prestigio e della propria credibilità. Il caso del «mutilatore» era stato un disastro in termini di strategia. Anche se alla fine Vogel aveva delle ragioni per comportarsi come aveva fatto, erano troppo complicate da spiegare. E il pubblico non aveva capito. «Non sono il tipo che serba rancore» assicurò invece. «Allora: pace fatta? »

Stella, però, sapeva qual era il fine reale dell'armistizio. «Mi vuoi qui perché sai che poi gli altri network mi seguiranno.» Finse di pensarci ancora, anche se aveva già preso la decisione. «Però mi darai l'esclusiva su ogni sviluppo dell'indagine.»

Vogel sapeva che avrebbe cercato di trattare. Prima scosse il capo, poi rispose: «Ti concedo un vantaggio di venticinque minuti sulla concorrenza». Lo disse con il tono di chi fa un'offerta irrevocabile.

Stella Honer si finse indignata. «Venticinque minuti sono niente.»

«Sono un'eternità, invece, e lo sai.» Vogel guardò l'orologio al polso e poi aggiunse: «Per esempio, hai venticinque minuti per *quello*, prima che lo archivi fra le prove del caso». Indicò il diario.

Stella fece per protestare, ma nella sua mente il conto alla rovescia era già iniziato. Prese il cellulare e iniziò a fotografare le pagine del diario di Anna Lou Kastner.

Verso le undici, la Honer aveva già confezionato il primo servizio da Avechot per le edizioni dei telegiornali del mattino. A pochi passi dalla casa di Anna Lou, era stata allestita una postazione permanente da cui l'inviata avrebbe raccontato agli spettatori l'evoluzione delle indagini. A metà giornata, i principali programmi di approfondimento giornalistico del network si collegarono con Stella per essere aggiornati in tempo reale sugli sviluppi del caso.

Quel pomeriggio, Vogel riunì i poliziotti della squadra nella palestra scolastica per un nuovo briefing.

« Da adesso cambiano le cose » annunciò a un'attentissima platea. « Ciò che accadrà d'ora in avanti sarà determinante per la soluzione del mistero della scomparsa di Anna Lou Kastner. »

Borghi notò che l'agente speciale sapeva come caricare i propri uomini.

« Ormai questo non è più solo un caso locale. Ormai tutta la nazione ha gli occhi puntati su Avechot e su di noi. Non possiamo deluderli. » Lo disse con enfasi, rimarcando l'ultima parte e insistendo sul fatto che se non avessero trovato un colpevole sarebbe stata solo colpa loro. « Molti fra voi si staranno chiedendo in che modo l'eco creata dai notiziari e dalla stampa potrebbe giovarci. Be', l'esca è stata piazzata, ora speriamo che qualcuno cada nella trappola. »

Dal modo in cui tutti ascoltavano le sue parole, Borghi si accorse che le cose erano davvero cambiate. Fino a tre giorni prima lo percepivano come un intruso piombato lì a dire come dovevano fare il loro lavoro e a ficcare il naso nelle loro cose. Uno sbirro vanitoso e accentratore, in cerca di fama sulla loro pelle. Adesso invece lo vedevano come una guida, l'uomo capace di far cessare l'incubo e, soprattutto, disposto a condividere la gloria con loro.

Prima di spiegare il piano, Vogel fece una piccola premessa. « A tutti piace essere famosi, anche a quelli che non lo ammettono. Succede una cosa strana: all'inizio ritieni di non averne bisogno, di poter fare senza e di vivere comunque un'esistenza appagante. E hai ragione a pensarla così. » Fece una pausa.

«Ma appena i riflettori sono puntati su di te, scatta qualcosa. Improvvisamente scopri che ti piace non essere più l'anonimo individuo che credevi di essere. Prima non lo sospettavi neanche, ma adesso ci prendi perfino gusto. Ti senti diverso dagli altri, 'speciale', e vuoi che questa sensazione non finisca, che duri a lungo, anche per sempre.» Vogel congiunse le braccia e fece un passo verso la lavagna su cui era ancora scritta in bell'evidenza la data del ventitré dicembre. La osservò, poi si mise a camminare avanti e indietro davanti all'uditorio. «In queste ore tutti raccontano la storia di Anna Lou, una giovane ragazza coi capelli rossi e le lentiggini scomparsa nel nulla, ma il rapitore sa che in realtà stanno parlando di lui, di ciò che ha fatto. La sua è un'opera riuscita, visto che non siamo ancora in grado di individuarlo. Ha compiuto un buon lavoro, e ne va fiero. Ma, appunto, finora è un 'buon' lavoro e niente più. Cosa gli manca perché sia un *capolavoro*? Un palcoscenico. Quindi statene certi, non rimarrà nell'ombra a guardare in silenzio mentre qualcuno gli ruba la ribalta. Vorrà la sua parte di fama: in fondo, è lui il vero protagonista dello show... Noi siamo qui perché lui l'ha deciso, perché lui l'ha voluto. Perché ha corso il rischio di essere catturato, di perdere ogni cosa. Per questo adesso pretenderà il tributo che gli spetta.» Vogel si arrestò, fissò tutti. «Il nostro uomo là fuori sta assaggiando il dolce sapore della celebrità. Ma non gli basta, ne vuole ancora... Ed è così che lo porteremo allo scoperto.»

Con quel nuovo ordine del giorno, la ricerca della

ragazzina passava ufficialmente in secondo piano, notò Borghi. C'era un'altra priorità sul tavolo da gioco.

Stanare il mostro.

A quel punto Vogel illustrò ciò che aveva escogitato. Per prima cosa spedì un paio dei suoi ad acquistare candele e lumicini, e una dozzina di gatti di peluche. Poi mandò alcuni agenti in borghese a posare
quegli oggetti accanto a un muretto davanti alla casa
dei Kastner.

Adesso, si trattava solo di aspettare.

Verso le ventidue le principali testate giornalistiche
del Paese erano collegate con i propri inviati davanti
alla villetta della famiglia di Anna Lou. Era l'effetto
Stella Honer, ma non solo.

Quando all'ora di cena i tg avevano dato la notizia
che sul muretto dell'abitazione dei Kastner mani ano-
nime e compassionevoli avevano deposto dei segni
della propria solidarietà, molte altre avevano deciso
di seguirne l'esempio. Così era iniziato un pellegrinaggio spontaneo di cittadini di Avechot, ma anche
di gente arrivata dalle valli confinanti. Qualcuno
era giunto da molto lontano, perfino dalle città, per
partecipare a quella manifestazione di sostegno.

La madre di Anna Lou, nell'accorato appello per il
ritrovamento della figlia, le aveva promesso che quando fosse tornata a casa avrebbe finalmente ricevuto il
gatto che tanto desiderava. Vogel aveva fatto affida-
mento proprio su quella frase e ora una distesa di gat-

tini di ogni foggia – di peluche, ma anche di ceram_
o di stoffa – faceva da corona alla villetta, occupando interamente il muro di cinta e gran parte della strada antistante. In mezzo a essi, candele e lumicini producevano un bagliore rossastro e, nel freddo pungente della sera d'inverno, trasmettevano un potente senso di calore. Molti dei doni erano accompagnati da un biglietto. C'era chi scriveva direttamente ad Anna Lou, chi si rivolgeva ai genitori o chi semplicemente aveva lasciato una preghiera.

L'andirivieni di gente era pressoché costante. Il sindaco era stato costretto a disporre la chiusura delle strade limitrofe per impedire un'invasione di automobili. Ciononostante, il quartiere era assediato. Ma tutto avveniva ordinatamente. I pellegrini stazionavano davanti alla casa, si raccoglievano per qualche minuto in silenzio e andavano via.

Vogel aveva mandato i propri uomini a confondersi fra la folla. Erano in borghese, portavano un auricolare ben nascosto e avevano un microfono celato nel colletto dei giacconi. Sapendo che i cronisti avevano il vizio di ascoltare le comunicazioni della polizia, l'agente speciale aveva fatto arrivare delle sofisticate trasmittenti impossibili da intercettare.

«Non dimenticate che ci interessano i sospetti di sesso maschile. Soprattutto quelli che sono qui da soli» disse l'agente Borghi alla radio. Accanto a lui, Vogel controllava attentamente la scena che aveva davanti. Si tenevano volutamente ai margini della folla.

L'appostamento durava ormai da un paio d'ore.

Davano per scontato che il rapitore fosse un uomo perché nei manuali risultavano rarissimi casi di sottrazione di minorenni adolescenti a opera di donne adulte. Non erano solo le statistiche a dirlo, ma anche il buonsenso.

Si poteva perfino ipotizzare un profilo del soggetto. A differenza di ciò che di solito pensava la gente, quasi mai si trattava di balordi o sbandati. Di solito erano individui comuni, con un'istruzione media, capaci di interagire con gli altri e, perciò, in grado di mistificare il proprio comportamento per passare inosservati. La loro vera natura era un segreto che sapevano custodire gelosamente. Erano abili e previdenti. Per questi motivi, era sempre difficile identificarli.

Uno dei poliziotti parlò alla radio. «Dalla mia parte è tutto tranquillo, passo.» Ognuno aveva ricevuto l'ordine di relazionare ogni dieci minuti.

Vogel sentì il bisogno di intervenire con un discorsetto, per far sì che la tensione non si allentasse. «Se davvero il rapitore verrà qui stasera, ha previsto la nostra presenza, ma vuole lo stesso provare la sensazione di passeggiare indisturbato in mezzo a quelli che gli danno la caccia.» Però c'era un modo efficace per individuarlo. «Non dimenticate che è qui perché vuole godersi lo spettacolo. Se siamo fortunati, non gli basterà: vorrà prelevare un souvenir.»

La raccomandazione era di concentrarsi non su quelli che recavano un dono, bensì su coloro che di nascosto cercavano di portarsi via qualcosa.

In quel momento, Vogel e Borghi si accorsero di uno strano movimento della folla. Era stato come se qualcuno avesse impartito un comando silenzioso e tutti i presenti si erano girati nella stessa direzione. I due agenti lo fecero a loro volta e si accorsero che ad attirare l'attenzione era stata l'improvvisa apparizione dei genitori di Anna Lou sulla soglia della villetta.

Il marito cingeva le spalle della moglie. Intorno a loro, i membri della confraternita. Indossavano tutti una piccola croce di ametista e si erano disposti in semicerchio, in uno schieramento protettivo. Subito, anche le telecamere puntarono l'obiettivo verso l'ingresso della casa.

Anche se era molto provata, fu ancora una volta Maria Kastner a parlare, rivolgendosi alla piccola folla. «Io e mio marito volevamo ringraziarvi. È un momento difficile della nostra vita, ma il vostro affetto e la nostra fede nel Signore sono un grande conforto.» Poi indicò col braccio la distesa di gattini e candele. «Anna Lou sarebbe felice di tutto questo.»

Dai membri della confraternita si levò un unisono: «Amen».

Dalla folla partì un applauso.

Sembravano tutti commossi, ma Vogel non credeva nella compassione. Anzi, era convinto che molti fossero lì perché convocati dai media, mossi da pura e semplice curiosità. Dove eravate quando, il giorno di Natale, questa famiglia aveva bisogno di conforto?

Borghi stava pensando la stessa cosa. Anche se con meno cinismo di Vogel, non poté fare a meno di considerare quante cose fossero cambiate in quei pochi giorni. La mattina in cui erano andati a far visita ai Kastner, fuori di casa non c'era nessuno a parte il furgone degli sciacalli. L'agente rammentava ancora l'applauso di Vogel che era risuonato nel silenzio del piccolo quartiere di villette. Borghi non aveva ancora compreso il senso di quel gesto, né perché, salendo in macchina subito dopo, l'agente speciale avesse avvertito il bisogno di metterlo in guardia su Bruno Kastner.

« Quell'uomo sta morendo dalla voglia di dirci qualcosa. »

Mentre i genitori di Anna Lou ricevevano il saluto di alcuni dei presenti, sempre sorvegliati dallo sguardo attento dei membri della confraternita, una voce irruppe alla radio. « Alla vostra destra, agente Vogel, verso la fine della strada: il ragazzo con la felpa nera ha appena rubato qualcosa. »

Vogel e Borghi si voltarono contemporaneamente nella direzione indicata dal poliziotto. Ci misero un po' a scorgerlo tra la folla.

L'adolescente portava un giubbetto jeans e aveva il cappuccio della felpa calato sul capo per celare il volto. Probabilmente aveva approfittato di quel momento di distrazione generale per appropriarsi di qualcosa che ora nascondeva sotto i vestiti mentre si allontanava in tutta fretta.

« Ha preso un gattino rosa di peluche, l'ho visto bene » assicurò l'agente.

Borghi fece un cenno a un altro poliziotto che era

più vicino alla direzione presa dal ragazzo. Quello estrasse dal giaccone un cellulare con cui scattò una serie di foto.

« Ce l'ho » disse per radio. « Ho il suo volto. Lo fermo. »

« No » intervenne Vogel perentorio. « Non voglio che si insospettisca. »

Il ragazzo nel frattempo era montato su uno skate e se ne stava andando indisturbato.

Borghi era incredulo riguardo alla decisione del superiore. « Perché non lo seguiamo almeno? »

Vogel gli rispose senza perdere di vista il sospettato. « Pensi a cosa accadrebbe se uno dei cronisti che sono qui notasse la scena... »

Aveva ragione, Borghi non l'aveva considerato.

Poi Vogel si voltò per tranquillizzarlo. « È un ragazzo su uno skate, dove può scappare? Abbiamo la sua faccia, lo ritroveremo. »

30 dicembre.
Sette giorni dopo la scomparsa.

La tavola calda sulla statale era stracolma di gente.

Sulla vetrata che dava sulla pompa di benzina campeggiava ancora la scritta *Buone Feste*. Il proprietario faceva la spola fra la cucina e i tavoli, per controllare che tutti fossero serviti e soddisfatti. Aveva dovuto assumere altro personale per far fronte all'improvvisa invasione di clienti. Erano giornalisti, tecnici tv, fotoreporter ma anche semplici cittadini giunti ad Avechot per poter vedere di persona i luoghi della storia che tanto stava appassionando il Paese.

Vogel li definiva i «turisti dell'orrore».

Molti affrontavano un lungo viaggio insieme alla famiglia. C'erano parecchi bambini e nella sala si avvertiva un clima euforico, da gita fuoriporta. Alla fine della giornata, avrebbero riportato a casa delle foto ricordo e l'impressione di aver fatto parte, anche se marginalmente, di un evento mediatico che stava appassionando milioni di persone. Incuranti del fatto che, a poche centinaia di metri da lì, unità cinofile e di sommozzatori, nonché squadre di ricerca e la polizia scientifica, erano all'opera per trovare una traccia o anche solo un indizio sulla sorte di una ragazzina di sedici anni. Vogel l'aveva previsto, e così era stato: alla fine, il clamore mediatico aveva convinto i suoi su-

periori a ignorare le restrizioni di budget e conceder-
gli le risorse di cui c'era bisogno. Avrebbero fatto di
tutto pur di non sfigurare davanti all'opinione pubblica.

Al momento, l'agente speciale era seduto allo stesso tavolo che aveva occupato il giorno di Natale,
quando era il solo cliente del ristorante. Come sempre, mangiava e prendeva anche appunti sul suo taccuino nero con la solita stilografica d'argento. Lo faceva in maniera minuziosa.

Quel mattino indossava un completo di tweed sui
toni grigio verdi, con una cravatta scura. La sua ele-
ganza stonava con il resto dei clienti in quella sala.
Ma era così che doveva essere. Gli serviva a marcare
la differenza fra lui e l'umanità chiassosa e indecente
che lo circondava. Più li osservava e più si rendeva
conto di un aspetto importante.

Avevano già dimenticato Anna Lou.

L'eroina silenziosa della storia era ormai sullo sfondo della scena. E il suo tacere era un pretesto per le
chiacchiere altrui, per poter dire qualunque cosa di
lei e della sua breve esistenza. Lo facevano i media,
ma lo faceva anche la gente comune – per strada, al
supermercato o nei bar. Senza pudore. Vogel aveva
pronosticato anche questo. Quando accadeva, s'inne-
scava uno strano meccanismo. Era così che vicende
reali diventavano una sorta di saga a puntate.

Avveniva un crimine ogni sette secondi.

Tuttavia, solo a un'infinitesima parte di essi venivano dedicati articoli di giornali, servizi nei notiziari,

intere e seguitissime puntate di talk show. Per questa minoranza di casi sarebbero stati interpellati esperti criminologi e psichiatri, scomodati psicologi e perfino filosofi. Sarebbero stati versati fiumi d'inchiostro e riservate ore e ore dei palinsesti televisivi. Il tutto avrebbe potuto protrarsi per settimane, a volte per mesi. Se si era fortunati, per anni.

Ma, soprattutto, ciò che nessuno diceva era che un crimine poteva dar vita a un vero e proprio *indotto*.

Un delitto ben raccontato generava ottimi risultati in termini di audience e poteva fruttare a un network milioni in sponsor e pubblicità, il tutto con un impiego minimo di mezzi.

Un inviato, una telecamera e un cameraman.

Se un fatto criminale eclatante – come un omicidio efferato o una scomparsa inspiegabile – avveniva in una piccola comunità, nei mesi di sovraesposizione mediatica quella comunità avrebbe visto crescere la presenza di visitatori e, di conseguenza, la propria ricchezza.

Nessuno era in grado di spiegare perché un crimine diventava improvvisamente più popolare di altri. Ma erano tutti concordi che esistesse un elemento imponderabile.

Vogel aveva un intuito particolare per questo, una specie di fiuto, a cui doveva la propria fama.

Tranne che nel caso del mutilatore.

Non avrebbe dovuto dimenticare la lezione subita. Ma considerando il successo che stava riscuotendo la scomparsa di Anna Lou, si era finalmente presentata la grande occasione del riscatto.

Ovviamente, non poteva aspettarsi che tutto filasse secondo il copione che aveva in testa. Nei giorni successivi al pellegrinaggio spontaneo davanti alla casa dei Kastner, erano accaduti diversi episodi spiacevoli.

La cittadinanza di Avechot, che in principio aveva partecipato con trasporto, all'improvviso aveva iniziato a prendere le distanze. Era un effetto naturale della sovraesposizione. I giornalisti avevano cominciato a invadere l'esistenza di ognuno. E, siccome non c'erano ancora delle risposte, avevano insinuato nell'opinione pubblica l'idea che la soluzione del mistero si celasse proprio fra quelle case, fra quelle persone.

Non era ancora un'accusa precisa, ma le somigliava parecchio.

Ad Avechot erano stati sempre molto sospettosi nei confronti degli estranei, e diventare oggetto di una velata opera di diffamazione aveva acuito il sentimento di diffidenza. La confraternita, in particolare, aveva dato segno di non gradire per niente le attenzioni dei media.

Dapprima gli abitanti avevano evitato gli obiettivi delle telecamere. Poi avevano iniziato a rispondere in maniera brusca, a volte rabbiosa alle domande dei cronisti. In quel clima incandescente, di collera pronta a esplodere, era inevitabile che qualcuno ne facesse le spese.

Era toccato a un giovane forestiero venuto in città per cercare lavoro. La sua unica colpa, o leggerezza, era stata avvicinare una ragazzina del posto per chiedere un'informazione. Il tutto, purtroppo per lui, era avvenuto davanti allo sguardo di alcuni avventori di un bar che prima lo avevano minacciato, quindi erano passati alle vie di fatto, malmenandolo.

Dopo pranzo, mentre approfittava di una nuova giornata di sole invernale per tornare a piedi alla sala operativa, Vogel notò che ad attenderlo nel piazzale antistante la palestra c'era la procuratrice Mayer.

Dalla sua espressione non c'era da aspettarsi nulla di buono.

La donna avanzò verso di lui con piglio deciso, facendo risuonare i tacchi sull'asfalto. «Non può venire qui a seminare sospetti in testa a questa gente e credere che non succederà nulla» lo accusò.

«Hanno fatto tutto da soli» ribatté Vogel. Quando aveva messo piede nella valle, si era trovato davanti una comunità ancora più confusa che spaventata. In mezzo alle montagne credevano di essere al sicuro dalle brutture del mondo. Non erano preparati a convivere con l'incertezza. E anche adesso, erano convinti che il male fosse arrivato da fuori. Ma in fondo al proprio cuore nutrivano il sospetto che fosse sempre stato in mezzo a loro, covato in silenzio, protetto. E Vogel sapeva che questo li atterriva più di ogni altra cosa.

«È accaduto esattamente ciò che temevo» affermò la Mayer. «Lei ha messo in piedi uno spettacolo.»

«Conosce anche un solo caso di allontanamento volontario di minore che non si sia risolto nel giro di qualche giorno?» La domanda dell'agente speciale suonava come una sfida. «Lo sa anche lei che ormai dobbiamo escludere questa eventualità e concentrarci su altro. Qui non si tratta più di una ragazzina scappata di casa, lo capisce?»

Per espressa volontà di Vogel, la Mayer non era stata messa al corrente della pista del ragazzo con lo skate che avevano individuato qualche sera prima fuori dalla casa dei Kastner.

«Ammettendo pure che ci sia un responsabile dietro tutto questo, ciò non le dà il diritto di coinvolgere la gente di Avechot portando qui troupe e fotografi. Perché li ha attirati lei, non lo neghi.»

Vogel non aveva voglia di stare a sentire le sue lamentele. La giornata era stata positiva e la passeggiata dal ristorante gli aveva fornito nuova energia. Così le voltò le spalle per andarsene, salvo poi ripensarci e tornare sui propri passi. «Nessun urlo» disse.

La Mayer, sorpresa, lo guardò senza capire.

«Anna Lou non ha gridato mentre la portavano via. Se l'avesse fatto, i vicini l'avrebbero sentita. A me è bastato battere le mani per attirare l'attenzione. Un semplice applauso fuori da casa sua e si sono affacciati tutti.»

«Sta insinuando che la ragazzina ha seguito volontariamente qualcuno?»

Vogel tacque lasciando che l'idea germogliasse da sola nella testa della procuratrice.

« Si è fidata e l'ha visto in faccia » disse la Mayer. « E se l'ha visto in faccia... »

Vogel completò la frase per lei. « Se l'ha visto in faccia, allora Anna Lou è già morta. » Poi lasciò che seguisse una lunga pausa.

Intanto, l'espressione della donna era mutata. La collera era stata rimpiazzata da qualcos'altro. Sgomento.

« Possiamo starcene in attesa degli eventi o impedire che accada di nuovo » concluse Vogel. « Lei cosa preferisce? »

Stavolta l'agente speciale si allontanò sul serio. La procuratrice rimase immobile per qualche istante, poi un colpo di tosse la costrinse a voltarsi.

Dietro l'angolo dell'edificio c'era Stella Honer. Stava fumando di nascosto una sigaretta e, ovviamente, aveva visto e sentito tutto. « Se il pubblico conoscesse i miei peccatucci sarebbe la fine » disse con tono divertito, gettando per terra il mozzicone e schiacciandolo con la punta della décolleté. « È già dura per una donna farsi strada, non trova? » Poi si fece seria. « È uno stronzo, ma sa il fatto suo... E occasioni come questa capitano di rado nella carriera di una procuratrice. »

La Mayer la osservò mentre le sfilava davanti, ma non replicò.

La palestra adibita a sala operativa era in fermento. Il numero dei poliziotti era quintuplicato. Al posto delle cattedre scolastiche c'erano vere scrivanie, con computer e telefoni che non cessavano di squillare. La vecchia lavagna di ardesia era stata rimpiazzata da un videoproiettore e un grande schermo bianco. Un'enorme bacheca era stata riempita con rapporti, fotografie e risultanze scientifiche. Al centro della sala era stato piazzato un plastico della vallata su cui venivano indicate, di volta in volta, le zone setacciate dalle squadre di ricerca che erano all'opera ventiquattr'ore su ventiquattro, grazie a speciali attrezzature per la visione notturna.

« Signore, quelli del soccorso alpino hanno appena terminato di controllare i crepacci a nord. » Un poliziotto in maniche di camicia e cravatta stava aggiornando Borghi, che sovraintendeva l'attività investigativa.

« Bene, ora si devono spostare sul versante est » ordinò il giovane agente. Poi si rivolse a un altro seduto a una scrivania e impegnato in una vivace telefonata. « Che fine ha fatto l'elicottero che abbiamo richiesto? »

« Dicono che sarà qui a metà giornata » rispose quello spostando per un attimo la cornetta.

« L'hanno detto anche ieri: attaccati a quel telefono e non li mollare finché non ti danno un orario preciso. »

« Sissignore. »

L'elicottero era importante, Vogel si era raccomandato parecchio. Faceva scena molto più di un gruppo di cani impegnati a fiutare in giro. E poi sarebbe stato visibile da ogni punto della valle. I cameraman sarebbero impazziti tutto il giorno per stargli dietro. Borghi ormai aveva sposato in pieno la filosofia dell'agente speciale. Ma, mentre si dirigeva verso il plastico per aggiornare la posizione delle unità sul terreno, nella sua testa dovette ammettere che la strategia e gli sforzi si stavano rivelando vani. A parte il ragazzo sullo skate, non avevano ancora una pista concreta. E di Anna Lou Kastner non vi era alcuna traccia.

L'agente giunse vicino al simulacro della valle, ma si bloccò. Aveva notato qualcosa. Fermò uno degli uomini mentre gli passava accanto. Poi indicò con discrezione la porta tagliafuoco. «Da quanto tempo è lì?»

Il poliziotto si voltò e notò anche lui Bruno Kastner in piedi accanto al muro, con quella che sembrava una lettera fra le mani. Si guardava intorno con aria spaesata e dimessa, come in attesa che qualcuno si accorgesse di lui.

«Non so» rispose il poliziotto. «Forse un'oretta.»

Borghi allora lasciò perdere il resto e andò da lui. «Buongiorno, signor Kastner.»

L'altro ricambiò il saluto con un cenno del capo.

«Cosa posso fare per lei?»

L'uomo grande e grosso sembrava disorientato. Non riusciva a trovare le parole. Borghi decise di aiutarlo: gli si avvicinò e gli poggiò una mano sulla spalla per tranquillizzarlo. «È accaduto qualcosa?»

«È che... Vorrei parlare con l'agente speciale Vogel, per favore.»

Borghi intuì che non era una semplice richiesta. Assomigliava a una specie d'invocazione d'aiuto. Nella testa del poliziotto riecheggiò la profezia di Vogel riguardo al fatto che quell'uomo morisse dalla voglia di rivelargli qualcosa. «Certamente» disse. «Venga, l'accompagno.»

Nello spogliatoio dove era stato allestito il suo ufficio, Vogel era seduto coi piedi sollevati e appoggiati sul ripiano della scrivania. Era intento a leggere dei fogli, e lo faceva con grande attenzione. Un accenno di sorriso gli aleggiava sulle labbra.

Non si trattava di rapporti di polizia, bensì di dati d'ascolto televisivi.

Ogni giorno riceveva un report che lo informava sull'indice di gradimento dei talk show e dei tg che stavano seguendo la vicenda di Anna Lou Kastner, nonché un resoconto di ciò che avveniva su Internet. Avevano guadagnato due punti di share. Bene, si disse, la notizia della scomparsa sarebbe stata ancora l'apertura delle maggiori testate. Inoltre il caso era sempre in cima alla lista dei *trending topic* dei social network e ripreso e commentato da tutti i blog.

Stando ai numeri, il pubblico non si era ancora stancato di loro. Ma Vogel sapeva che se non fosse riuscito a dare in pasto ai media qualcos'altro in breve tempo, presto l'attenzione sarebbe scemata, spostandosi verso fatti di cronaca più succulenti.

Il pubblico era una bestia feroce. E famelica.

Quando sentì bussare alla porta dello spogliatoio, Vogel tolse i piedi dal tavolo e fece sparire i fogli in un cassetto. «Avanti» disse. Vide spuntare sulla soglia l'agente Borghi.

«Qui fuori c'è il padre della ragazzina. Ha un momento?»

Vogel gli indicò di farlo entrare. Poco dopo, Bruno Kastner entrò nella stanza insieme al giovane agente, stringendo sempre fra le mani la busta.

«Prego, signor Kastner» lo accolse Vogel andandogli incontro. Poi lo fece accomodare su una delle panche davanti agli armadietti e si sedette accanto a lui. Borghi rimase vicino alla porta, in piedi e con le braccia incrociate.

«Non voglio disturbarla» disse l'uomo.

«Non mi disturba affatto.»

«Il pomeriggio in cui è scomparsa, io non c'ero. Ero lontano, da un cliente. E continuo a pensare che se fossi stato a casa forse tutto questo si poteva evitare. Quando mia moglie mi ha telefonato per dirmi che Anna Lou non era rientrata a casa, una parte di me aveva già capito tutto.»

«Sono rimorsi inutili» provò a rincuorarlo Vogel. Non gli rivelò che avevano verificato anche il suo alibi e che era uscito dalla lista dei sospettati.

«Abbiamo sentito quello che dicono in tv...» continuò l'uomo. «La storia che qualcuno ha preso la mia Anna Lou è vera? Lei ci crede?»

Vogel abbozzò, riservandogli uno sguardo falsamente compassionevole che poi scivolò in maniera fugace sulla busta da lettera. «Non deve credere a tutto ciò che affermano i giornalisti.»

«Ma state cercando qualcuno, vero? Questo può dirmelo?»

Anche stavolta, Vogel fu vago. «Per esperienza, è meglio se i parenti non conoscono gli sviluppi di un'indagine. Anche perché seguiamo sempre più piste, senza tralasciarne nessuna, e questo può confondere le idee.» O creare false speranze, avrebbe voluto aggiungere.

Bruno Kastner non insistette. Cominciò a trafficare con la busta. Ci mise un po' ad aprirla e a estrarne il contenuto. Intanto, Vogel scambiò uno sguardo interrogativo con Borghi.

Nella busta c'era una foto. Era quella in cui la figlia posava sorridente accanto all'amica del cuore.

L'uomo gliela porse. Vogel la prese e la guardò, senza capire.

«Sono giorni che mi torturo...» affermò Bruno Kastner congiungendo le grosse mani e stringendole fino a far diventare bianca la pelle sulle nocche. «Perché lei? Insomma, Anna Lou non è... bella.»

L'affermazione gli era costata un'enorme fatica, pensò Borghi. Quale padre arriva a dire una cosa del genere della propria principessina? Quell'uomo doveva essere proprio alla disperata ricerca di una spiegazione.

In effetti, notò Vogel, la differenza fra le due era evidente. Una sembrava una donna, l'altra una bambina. L'ha scelta proprio per questo, avrebbe dovuto dirgli. La ragazzina invisibile, quella che puoi osservare a distanza senza destare sospetti. Quella che puoi portare via in una sera d'inverno, a pochi passi da casa sua, senza che nessuno si accorga di nulla. Ma poi Vogel si rese conto che c'era dell'altro, perché le possenti spalle dell'uomo crollarono in un gesto di resa.

« Ho fatto una cosa di cui mi vergogno » disse Bruno Kastner con un filo di voce. Sembrava tanto l'inizio di una confessione. « L'altra ragazza nella foto si chiama Priscilla... Un giorno ho cercato il suo numero sul cellulare di Anna Lou... e ho iniziato a chiamarla. Appena rispondeva, riattaccavo. Non credo che lei sappia che ero io. Non so perché lo facevo. »

Vogel e Borghi tornarono a guardarsi, preoccupati. Sul volto di Bruno Kastner, indurito dalla fatica degli ultimi giorni, apparve una minuscola lacrima che scivolò rapida fin sotto al mento. Con un gesto quasi infantile, l'uomo tirò su col naso e ci passò sopra il dorso della mano.

Allora l'agente speciale lo afferrò per un braccio, per aiutarlo a rialzarsi. « Perché adesso non se ne torna a casa e dimentichiamo tutti questa storia? Mi creda, è meglio così. » Vogel fece un cenno a Borghi perché prendesse in consegna l'uomo.

L'agente si avvicinò, ma Bruno Kastner non aveva ancora finito. « Mia moglie ha la fede, la confraternita... È difficile essere un padre e un marito perfetto con accanto un simile esempio di rettitudine. A volte la invidio, sa? Maria non vacilla mai, non ha mai dubbi, mai. Neanche adesso che ci è capitato questo.

Anzi, lei crede che faccia parte di un disegno, che Dio abbia pensato che fosse meglio per noi confrontarci col dolore. Ma che tipo di dolore è questo? Dovremmo piangere, ma per cosa? Se qualcuno ci dicesse che Anna Lou è morta, almeno potremmo rassegnarci. Invece così... E io sono stato un padre indegno, perché avrei dovuto occuparmi di lei, proteggerla e invece... sono stato debole. Sono caduto in tentazione.»

«Sono sicuro che lei sia un buon genitore» provò a rincuorarlo Vogel, ma solo per convincerlo a smetterla con quella faccenda. Se i media avessero annusato la cosa, l'avrebbero crocifisso. Anche se la sua colpa era quasi insignificante, Bruno Kastner sarebbe diventato per tutti il padre molestatore di ragazzine. Un mostro. E questo non avrebbe fatto bene all'immagine di perfezione che Vogel aveva cucito intorno alla famiglia. E distoglieva l'attenzione dal vero colpevole, chiunque esso fosse.

«C'era un ragazzo» disse quasi di getto l'uomo mentre si incamminava verso l'uscita.

Vogel parve subito interessato. «Che ragazzo?»

Bruno Kastner teneva gli occhi bassi mentre parlava. «Comunque sua madre non le avrebbe mai permesso di frequentarlo, non fa parte della confraternita. Ma forse ad Anna Lou piaceva.»

«Che ragazzo?» si trovò a insistere Vogel.

«Non so chi è, ma lo vedevo aggirarsi fuori da casa nostra. Felpa nera col cappuccio, e uno skate.»

Borghi era allarmato dall'improvvisa rivelazione.

Vogel invece era solo adirato. « Perché me lo dice soltanto adesso? »

Finalmente l'uomo sollevò lo sguardo su di lui. « Perché è difficile puntare il dito contro qualcuno quando pensi che Dio abbia voluto punirti per i tuoi peccati. »

31 dicembre.
Otto giorni dopo la scomparsa.

Il ragazzo con lo skate si chiamava Mattia.

La polizia l'aveva identificato già da qualche giorno, ben prima che Bruno Kastner si presentasse da Vogel a scaricarsi la coscienza.

Esattamente, era avvenuto ad appena dodici ore dalla notte del pellegrinaggio davanti alla casa di Anna Lou, quando il ragazzo aveva portato via uno dei peluche che la gente aveva depositato spontaneamente di fronte alla villetta. Un gattino rosa.

Ma Vogel aveva blindato quel filone di indagine. Il nome dell'adolescente e ciò che era accaduto quella sera non dovevano assolutamente trapelare ai cronisti. Il rischio era compromettere irrimediabilmente il risultato conseguito.

L'agente speciale, però, era consapevole che i giornalisti cercavano sempre di comprare informazioni e temeva che uno di quei poliziotti di montagna si facesse allettare dalla prospettiva di una gratifica natalizia che integrasse il misero stipendio. Ma era stato abile a prevenire qualsiasi iniziativa in tal senso, incutendo nei propri uomini il terrore di essere scoperti. Era bastato dire loro che ogni fuga di notizie sarebbe stata punita col licenziamento.

Mattia aveva sedici anni, come Anna Lou. La sua storia era piuttosto problematica.

« Ho parlato con lo psichiatra che l'ha in cura. » Borghi lo aggiornò sugli ultimi sviluppi. « Il medico si chiama Flores, lo sta seguendo da quando Mattia e la madre si sono trasferiti ad Avechot, nove mesi fa. Pare che la famiglia abbia peregrinato parecchio negli ultimi anni. Il motivo è sempre lo stesso: i disturbi caratteriali di cui soffre il ragazzo. »

« Mi spieghi meglio » disse Vogel che sembrava molto interessato.

Borghi aveva preso appunti. « Mattia è di indole solitaria ed è incapace di integrarsi e di comunicare. Inoltre il ragazzo ha improvvisi impulsi aggressivi. Nei posti in cui ha vissuto con la madre, ha sempre combinato qualcosa. L'aggressione ai danni di un altro adolescente o un incontrollabile attacco d'ira. È accaduto anche in pubblico, in un negozio ha fatto a pezzi ogni cosa senza ragione. E ogni volta, la madre si è sentita costretta ad abbandonare tutto e a trasferirsi. »

Probabilmente secondo la donna era quella la migliore medicina per il figlio, si disse Vogel. Pensava che il cambiamento radicale di luogo e abitudini avrebbe sistemato le cose. In realtà, le aveva peggiorate. Forse perché la madre si vergognava o forse perché si sentiva in colpa nei confronti del figlio, che era cresciuto con l'assenza di una figura paterna, fatto sta che fuggire e ricominciare erano una costante nella loro vita.

« Mattia è stato in cura presso un istituto in passato » continuò il giovane agente. « Questo Flores mi ha detto che attualmente assume dei farmaci per il controllo della rabbia. »

Venuto a conoscenza del tormentato passato di Mattia, Vogel pensò subito che probabilmente il mistero legato alla scomparsa di Anna Lou Kastner era sul punto di essere svelato.

Fino a quel momento non avevano raccolto molte notizie sul conto del ragazzo. Sapevano soltanto che la madre si arrangiava con lavori umili e malpagati, che era stata assunta in una ditta di pulizie, e in più la sera lavava i piatti in uno dei pochi ristoranti rimasti aperti ad Avechot. Madre e figlio abitavano in una casa modesta, situata in periferia. Vogel l'aveva fatta già mettere sotto sorveglianza, in maniera discreta.

Mattia, però, non si era più visto.

Era svanito nel nulla, facendo perdere le proprie tracce proprio come Anna Lou Kastner. Ma le circostanze della sua improvvisa sparizione erano diverse.

La madre continuava con la vita di sempre. Andava al lavoro e tornava a casa ogni sera, come se niente fosse. E non aveva avvertito la necessità di denunciare la scomparsa del figlio. Segno che il ragazzo si stava nascondendo e lei lo proteggeva. Era un indizio che fosse al corrente che Mattia aveva combinato qualcosa. Ma non la solita scazzottata con un compagno di scuola. Qualcosa di grave.

Che il ragazzo non fosse in casa era provato dal fatto che i microfoni direzionali piazzati intorno all'abitazione non avevano captato alcun rumore sospetto in assenza della madre. Vogel non aveva ancora ordinato una perquisizione, perché avrebbe messo in allerta la donna. Invece, la faceva seguire sperando che li conducesse fino al figlio.

Ma non era avvenuto.

Sembrava che i contatti fra i due fossero improvvisamente cessati. Inoltre il telefonino in possesso del ragazzo risultava costantemente spento.

Ovunque fosse, Mattia non poteva nascondersi ancora a lungo, senza cibo e con la polizia che setacciava palmo a palmo il territorio cercando Anna Lou. Vogel lo sapeva, per questo preferiva aspettare che fosse lui a fare un passo fuori dall'ombra.

I sommozzatori stavano ispezionando un pozzo per le acque reflue nei pressi della miniera. Secondo le mappe che Borghi aveva preso in municipio, ce n'erano almeno una trentina identici, alcuni funzionanti e altri ormai in disuso. Senza calcolare quelli non censiti. In più, la valle era attraversata da un nugolo di cunicoli sotterranei che formavano una maledetta ragnatela.

Erano perfetti per nascondere un corpo. E ci sarebbe voluta un'eternità per setacciarli tutti.

Il cielo era un unico blocco di ghisa racchiuso fra le montagne. L'effetto era simile a una morsa che calava lentamente su ogni cosa per schiacciarla. Borghi sostava in auto a pochi metri dal luogo in cui erano all'opera i sommozzatori. Li osservava da dietro il velo di condensa che ricopriva il parabrezza. Il silenzio all'interno dell'abitacolo e il sottile diaframma di vapore attribuivano alla scena un sapore irreale. Come in una fiaba. Una fiaba malefica, dove l'unico finale possibile è un finale triste.

L'agente sovrintendeva alla perlustrazione senza grandi aspettative: i sub si calavano a turno nell'acqua melmosa per poi riemergere dopo quindici minuti scuotendo il capo. Ormai quel gesto, quella coreografia, si ripeteva incessantemente.

La berlina era parcheggiata in mezzo a un campo brullo. Il freddo del mattino era pungente. Borghi congiunse le mani a conca e ci alitò in mezzo, sperando di scaldarle. Il sollievo fu momentaneo. Per la prima volta dall'inizio dell'indagine, provava un senso di frustrazione. Una parte di lui gli diceva che non ne sarebbero mai venuti a capo, che di Anna Lou Kastner sarebbe rimasto solo un nome in un elenco di persone svanite senza un motivo.

Dopo un po', era come se non fossero mai esistite.

Ma c'era un'altra ragione per cui era turbato, qualcosa che gli dava fastidio. Continuava a pensare a una cosa che Vogel aveva riferito durante il primo briefing, quasi di sfuggita. Cioè che Anna Lou aveva solo cinque numeri nella rubrica del cellulare.

Mamma, papà, casa, casa dei nonni e parrocchia.

Il suo superiore aveva citato il dato per sottolineare come il comportamento abituale della ragazzina fosse al di sopra di ogni sospetto. Quel breve elenco di nomi e luoghi era anche la misura della sua vita, del suo mondo. Qualcosa di semplice e di comprensibile, senza sotterfugi, senza segreti. Alla luce del sole.

Mamma, papà, casa, casa dei nonni e parrocchia.

Tutto l'universo di Anna Lou era concentrato in quei posti, fra quelle persone. Poi c'era la scuola, ovviamente, e anche la pista di pattinaggio. Ma le cose che contavano davvero erano rinchiuse in quella specie di classifica. Erano i numeri che lei chiamava abitualmente, ed era lì che avrebbe cercato aiuto o conforto in caso di bisogno.

Ma la visita di Bruno Kastner del giorno prima aveva insinuato in lui un dubbio. Un sospetto nato quando aveva visto la foto che l'uomo aveva portato con sé.

Anna Lou accanto alla sua migliore amica, Priscilla.

In tutto quel tempo, le loro indagini si erano concentrate altrove. Avevano escogitato trucchi per coinvolgere i media e ricevere più fondi. Poi avevano impiegato le risorse per intensificare le ricerche. Erano riusciti perfino a individuare il ragazzo con lo skate e adesso gli davano la caccia in segreto. Però a nessuno, nemmeno ai media, era venuto in mente di andare a parlare con quella ragazza, Priscilla, per verificare se sapeva qualcosa che potesse aiutarli. Il motivo era semplice. Non si trattava solo di una distrazione.

Mamma, papà, casa, casa dei nonni e parrocchia.

Se Priscilla, a detta di Bruno Kastner, era la migliore amica di Anna Lou, perché il suo numero non risultava nella rubrica del telefono?

Borghi avvicinò la manica del cappotto al parabrezza e la usò per pulire il vetro dalla condensa. Poi mise in moto. Era venuto il momento di andare a scoprire la risposta.

Avechot si preparava ad accogliere l'anno nuovo in modo sobrio. La gente avrebbe celebrato il passaggio in casa perché il sindaco aveva annullato tutti gli eventi pubblici previsti.

«Non ci può essere gioia se una componente della comunità non può festeggiare con noi» aveva dichiarato ai giornalisti, lasciando che un silenzio carico di commozione seguisse le accorate parole.

Negli ultimi giorni, il primo cittadino era stato molto attivo e cercava di fornire ai media un'immagine positiva degli abitanti della valle. Per mettere a tacere le calunnie, aveva perfino reclutato volontari per i gruppi di ricerca. Battevano palmo a palmo i boschi, affiancando le forze dell'ordine.

Quella mattina, sul tardi, l'uomo aveva presenziato alla funzione che si era tenuta presso la sala delle assemblee della confraternita. L'incontro di preghiera era dedicato ancora una volta al ritorno di Anna Lou. Vi avevano partecipato anche i Kastner.

Borghi, a bordo dell'auto, li vide lasciare il tempio e incamminarsi verso casa, sempre scortati da un gruppetto di confratelli e consorelle che li proteggevano dall'insistenza di cronisti e fotografi che cercavano di rubare una battuta o un'immagine del loro dolore. L'agente, però, era interessato ad altro.

La vide uscire fra gli ultimi. Priscilla, con un parka verde e gli anfibi militari, aveva i capelli raccolti e indossava occhiali da sole anche se il cielo era coperto. L'abbigliamento non era appariscente, ma era carina lo stesso. Era in compagnia di una donna adulta. La somiglianza fra le due era spiccata, presumibilmente si trattava della madre. Le due si avviarono ignorando obiettivi e microfoni che intanto si erano rivolti anche verso i membri della comunità religiosa. Mentre la madre si intratteneva con gli altri confratelli, alle sue spalle Priscilla si attardava, come se volesse mettere una distanza. Intanto si guardava intorno, controllando la situazione. A un certo punto, approfittò della ressa per sganciarsi dal gruppetto e allontanarsi in un'altra direzione.

Borghi la vide voltare un angolo e salire su un'auto sportiva che partì rapidamente. Alla guida c'era un ragazzo.

Poco dopo, li raggiunse in uno spiazzo alle spalle del piccolo cimitero del paese. L'agente si fermò a un centinaio di metri di distanza dalla macchina dei ragazzi. Da quella posizione poteva scorgere i due mentre si liberavano dei vestiti e intanto si baciavano con tanta foga da non accorgersi nemmeno che qualcuno li stava osservando. Quando Borghi decise che ne aveva abbastanza, aprì il finestrino e piazzò sul tetto della berlina il lampeggiante. Quindi lo accese facendo risuonare brevemente la sirena.

I due ragazzi si bloccarono all'istante, spaventati.

L'agente avanzò lentamente, dando loro il tempo di rivestirsi. Quando fu di fronte all'auto sportiva, Borghi fermò la macchina. Poi scese e gli andò incontro. Si accostò al finestrino del lato guidatore. « Salve, ragazzi. » Il suo sorriso era volutamente minaccioso.

« Buongiorno, agente, ci sono problemi? » Il ragazzo provava a mostrarsi tranquillo. Nonostante la spavalderia, si vedeva che se la faceva sotto.

« Immagino che tu abbia preso in prestito l'auto di tuo padre senza permesso, ragazzo. Non credo che tu abbia l'età per guidare, o sbaglio? » Era una tipica frase da sbirro. In realtà voleva rimarcare il fatto che lui avesse già la patente e la sua passeggera fosse ancora minorenne.

« Senta, noi non abbiamo fatto niente di male » provò a replicare quello, stoltamente. Ma la voce gli tremava.

« Vuoi fare il duro con me, ragazzo? » Il tono di Borghi adesso era quello dello sbirro che sta per perdere la pazienza.

Per impedire a quell'idiota di dire ancora qualcosa che potesse aggravare la situazione, Priscilla si sporse verso il finestrino. « La prego, agente, non dica niente a mia madre. »

Borghi la fissò e lasciò trascorrere alcuni secondi, come se ci stesse pensando. « D'accordo, ma ti riaccompagno io a casa. »

Mentre erano in macchina per le strade del paese, Borghi ne approfittò per osservarla meglio. Era piccola di statura, ma gli anfibi la aiutavano a sembrare più alta. Aveva tre buchi a un orecchio con delle borchie colorate, un leggero segno di matita scura le contornava gli occhi. I tratti del viso erano delicati. Sotto il parka verde portava un dolcevita nero che lasciava intuire un seno piccolo e sodo. Indossava un paio di pantacollant a fiori, con uno strappo all'altezza di una coscia. Un deodorante alla fragola troppo dolce si mischiava a un vago odore di sudore, fumo di sigaretta e gomma da masticare alla menta. L'insieme era tipicamente adolescenziale.

Borghi voleva carpirle qualche informazione. Prima l'aveva spaventata a dovere e lei adesso era vulnerabile. Sapeva che Priscilla sarebbe stata sincera per non aggravare la propria posizione. « Che mi dici di Anna Lou? »

« Che vuole sapere? »

« Sei la sua migliore amica, giusto? »

« Be', era un tipo a posto secondo me. » La ragazza guardava la strada e intanto si mangiava lo smalto rosa sulle unghie della mano destra.

« Che vuoi dire? »

« Che i ragazzi della nostra scuola chiacchierano parecchio. Qualcuno adesso sostiene che aveva dei segreti. Lei invece era buona con tutti e non si arrabbiava mai. »

« Che tipo di segreti? »

« Che aveva delle storie in giro, che se la faceva con quelli più grandi. Tutte stronzate. »

« Uscivate insieme? Cosa le piaceva fare? »

« Sua madre le permetteva di uscire solo con me, ma non è che ad Avechot ci sia molto da fare la sera. E poi lei aveva il permesso di vedermi solo nel pomeriggio, quando veniva a casa mia per fare i compiti. »

« Ma non eravate nella stessa classe » le fece notare Borghi.

« No, infatti. Ma ci vedevamo lo stesso perché Anna Lou è molto brava in matematica e mi dà una mano. »

« Che tu sappia, aveva un fidanzato? »

A Priscilla scappò una risatina. « Fidanzato? No, proprio no. »

« Le piaceva qualcuno? »

« Sì, la mia gatta. » Rise di nuovo. Ma il suo spirito non era apprezzato, così tornò seria. « Anna Lou era diversa, a lei non interessavano cose come piacere ai ragazzi o fare casino con gli amici. »

« Allora vedeva solo te, oltre ovviamente ai suoi compagni di scuola. »

« Esatto. » Priscilla ci teneva a passare per la persona con cui Anna Lou era maggiormente in confidenza. Forse per sviare i sospetti da sé, pensò Borghi. « Secondo te, che le è successo? »

Priscilla fece una pausa. « Non lo so. Se ne dicono tante, per esempio che è scappata. Io non ci credo. »

« Magari è successo qualcosa e non te ne ha parlato. »

« Impossibile: se ci fosse stato qualcosa, lei me l'avrebbe detto. »

Mentiva, Borghi ne era sicuro. « E questo anche dopo che avete litigato? »

L'affermazione colpì la ragazza. Priscilla si voltò a fissarlo. « Lei come fa a saperlo? »

Borghi non le disse che l'aveva capito perché Anna Lou aveva cancellato il suo numero dalla rubrica del cellulare. Rallentò e accostò accanto al marciapiede. Quindi spense il motore perché voleva guardarla bene in faccia. « La storia rimarrà qui, ma voglio la verità. »

Priscilla riprese a mangiarsi lo smalto delle unghie. « Non l'ho detto a nessuno perché ho già abbastanza casini con mia madre » si difese. « Da quando il mio ultimo patrigno se ne è andato, è fissata con la confraternita. È il sesto o il settimo bastardo che la molla. Di solito si tratta di miserabili con il culo nella merda. Lei li raccatta tutti, come certi fanno coi cani randagi. Li rimette in sesto e poi loro se ne vanno senza nemmeno dirle grazie. Adesso racconta a tutti che la confraternita l'ha salvata, e ora lei vuole salvare pure me. Dice che Gesù la ama, ma per me è solo un altro della lista. Io la accompagno alle riunioni per farla contenta, ma non mi interessa la religione. »

« Anna Lou era la tua copertura, vero? Fin quando continuavi a frequentarla, tua madre non aveva modo di romperti le palle sulle tue amicizie. Così non le hai detto niente della lite, se no ti avrebbe fatto storie. »

Priscilla ebbe un moto d'orgoglio. « Non sono una stronza, io voglio davvero bene ad Anna Lou. Ma, è vero, quando è sparita non ci parlavamo da almeno due settimane. »

Borghi la fissò. «Perché?»

«Non si faccia idee strane» ribatté la ragazzina, decisa. «Non è niente di che. Le ho solo aperto gli occhi su una cosa che stava succedendo.»

«Cosa?» la incalzò.

«Lo sfigato che la seguiva.»

Mattia, pensò subito Borghi. «Sai chi è?»

«Certo, viene nella mia classe, si chiama Mattia e non parla con nessuno, nessuno vuole averci a che fare.»

«Perché seguiva Anna Lou?»

«Non lo so. Forse perché gli piaceva o forse perché lei era l'unica che gli rivolgesse la parola. Ma così lo incoraggiava, io gliel'ho detto che stava sbagliando. Anna Lou non sarebbe mai diventata la sua ragazza, ma lo sfigato secondo me si è illuso, perché le stava sempre appresso.»

Borghi iniziava a capire, ma Priscilla ancora una volta non gli stava dicendo tutto. «Così tu l'hai messa in guardia ma lei non ti ha ascoltata: non mi sembra un motivo valido per rompere addirittura un'amicizia.»

Lo scetticismo dell'agente convinse la ragazza a raccontare il resto. «Va bene: è successa anche una cosa. Il tipo un giorno ci stava appresso come al solito, cercava di non farsi notare ma era un imbranato. Allora non ci ho visto più: mi sono avvicinata e gliene ho dette quattro. Mi aspettavo che reagisse, che si mettesse a litigare. Invece quello mi guarda come un cucciolo impaurito e non dice una parola. E poi si piscia sotto.»

« Si piscia sotto? » chiese l'agente.

« Le dico di sì. Vedo la macchia scura che comincia a formarsi sui suoi pantaloni, all'altezza delle mutande. E poi il piscio forma una specie di pozzanghera sotto le sue scarpe da ginnastica. Roba da non credere, che sfigato. »

Borghi sospirò e scosse il capo. Adolescenti, pensò. Che casino. « Così Anna Lou ha dato la colpa a te. »

« Che potevo fare? Lei gli aveva perfino fatto uno dei suoi braccialetti di perline, glielo voleva regalare. Così dopo se l'è presa con me, ha detto che l'ho umiliato e non ha voluto più parlarmi. »

Borghi si rese conto di aver sottovalutato Anna Lou. Credeva che fosse un tipo debole e remissivo. Invece era decisa e, nel caso, sapeva essere giusta. Aveva punito Priscilla per la sua inutile crudeltà. L'agente non poteva chiedere alla ragazzina se credeva che Mattia c'entrasse qualcosa con la scomparsa. Era evidente che Priscilla non sospettava di lui, anche perché non poteva sapere che il ragazzo che davanti a lei se l'era fatta nei pantaloni, in passato aveva avuto problemi con il controllo della rabbia. Allora domandò: « Perché secondo te Mattia doveva costituire un pericolo per Anna Lou? Va bene, la seguiva, ma non capisco... »

« Quello la seguiva con una videocamera. »

Alle venti sui tg si rincorrevano i servizi sui festeggiamenti per la fine dell'anno nelle varie città del Paese. Ma sarebbe arrivato anche il momento della cronaca e gli inviati avrebbero mostrato una villetta buia, situata in un quartiere residenziale di un paesino di montagna, dove due genitori erano ancora in ansia per la sorte della loro figlia maggiore.

Mischiare il dolce con l'amaro era una caratteristica vincente dei media. Vogel la conosceva bene.

La tv della stanza d'albergo era accesa ma nessuno la stava guardando. L'audio, però, raggiungeva l'agente speciale fino in bagno. Vogel era in accappatoio davanti allo specchio e con un pennellino si ripassava le sopracciglia con della tintura scura. Delicatamente, lentamente. Mentre compiva l'operazione, teneva le labbra dischiuse. Era un gesto involontario, che però non coglieva nel riflesso del proprio volto e lo faceva sembrare ridicolo.

L'armadio accanto al letto era spalancato e si poteva intravedere la sfilata di abiti eleganti che Vogel si era portato appresso, come se dovesse trattenersi ad Avechot per mesi. Ognuno era sistemato sulla propria gruccia di legno e aveva accanto un sacchetto di tela con fiori secchi di lavanda, per tenere lontane le tarme e mantenere fresco il tessuto. Fissata a una delle ante c'era un'asticella su cui erano allineate le cravatte, di seta o lana o cachemire. Avevano fantasie diverse ma la mano attenta di Vogel le aveva sistemate in una scala ordinata di colori. Infine, in basso c'erano le scarpe – almeno cinque paia. Tutte stringate, inglesi e italiane, rifinite a mano e lucidate alla perfezione. L'una accanto all'altra, come i soldati di un plotone di esecuzione.

Il guardaroba era solo una parte di quello che Vogel conservava a casa. Era frutto di anni di ricerche e di passione. Ogni abito, poi, era abbinato a un'acqua di colonia, rigorosamente spruzzata solo sul fazzoletto da taschino. L'agente speciale era maniacale in questo. La sua collezione di camicie e di gemelli rasentava l'ossessione.

Disprezzava i colleghi che se ne andavano in giro trasandati. Non era solo questione di apparenza o di volgare vanità. Per lui quei vestiti erano come l'armatura di un cavaliere. Esprimevano forza, disciplina e sicurezza di sé.

Ma quella sera gli abiti sarebbero rimasti nell'armadio, perché Vogel non aveva alcuna intenzione di uscire. Fuori minacciava un temporale e lui se ne sarebbe rimasto rintanato nella stanza ad attendere da solo il capodanno, come faceva sempre. Aveva ordinato una cena leggera e avrebbe aperto una bottiglia di cabernet proveniente dalla sua cantina, che aveva infilato in valigia prima di partire.

Mentre in bagno già pregustava la seratina che lo attendeva, davanti allo specchio ricapitolò le risultanze del caso.

Anna Lou conosceva il rapitore. Per questo l'aveva seguito senza opporre resistenza.

Quasi certamente è morta. La gestione di un ostaggio era alquanto complicata, specie per un rapitore solitario. Quasi certamente l'aveva uccisa dopo il sequestro. Forse era sopravvissuta poche ore.

La ragazzina avvertiva l'esigenza di tenere un diario

falso per sua madre. Ma che fine aveva fatto quello vero? E quale inconfessabile segreto custodiva?

Il cellulare iniziò a squillare. Vogel sbuffò, ma visto che l'odioso apparecchio non voleva smettere, lasciò perdere l'operazione di tintura delle sopracciglia e andò a rispondere.

«Mattia faceva dei video ad Anna Lou» disse Borghi senza nemmeno far precedere la frase da un saluto.

«Cosa?» chiese Vogel, stupito.

«La seguiva ovunque e la riprendeva.»

«Come lo ha saputo?»

«Me l'ha detto la migliore amica della ragazza, ma nel pomeriggio ho cercato altre conferme. Pare che una pattuglia, tempo fa, l'abbia sorpreso a filmare le coppiette che si appartano dietro il cimitero.»

Era un'ottima notizia, considerò l'agente speciale. A quanto pareva, non era il solo ad avere delle ossessioni. Ma quella di Mattia era molto più inquietante della sua innocua passione per la ricercatezza nel vestire. Considerò il nuovo scenario che si presentava e, alla luce di quell'importante novità, prese una decisione. «I nostri stanno sempre sorvegliando la casa del ragazzo?»

«Un paio di agenti alla volta, con turni di quattro ore. Ma ancora non hanno riscontrato nulla di anomalo.»

«Dica agli uomini di ritirarsi.»

Dall'altra parte, Borghi tacque per un secondo. «Ne è sicuro, signore? Pensavo che stanotte è l'ultimo dell'anno e Mattia potrebbe pensare di approfittare della confusione che ci sarà in giro per tornare a casa e fare provviste. »

« Non lo farà, non è così stupido » disse subito Vogel. « Sono convinto che cercherà di mettersi in contatto con la madre che anche stasera lavora come lavapiatti. »

Borghi, però, non sembrava persuaso. « Signore, scusi ma non capisco: qual è il piano? »

Ma Vogel non aveva intenzione di condividere con lui la strategia. « Faccia come le ho detto, agente » rispose con calma. Poi aggiunse: « Si fidi di me ».

Borghi non fece altre domande. « Va bene » disse solo, con poca convinzione.

Cosa cazzo vuoi saperne del mio piano, pensò Vogel infastidito mentre riattaccava.

1° gennaio.
Nove giorni dopo la scomparsa.

Era passata da poco la mezzanotte dell'ultimo dell'anno, quando Vogel attraversò il paese a bordo di un'auto di servizio.

In giro c'era solo qualche ritardatario che si affrettava a raggiungere una festa privata. L'agente speciale li poteva scorgere dalle finestre illuminate delle case, mentre celebravano abbracciandosi e sorridendo la fine dell'anno vecchio e l'arrivo di quello nuovo. Ridicole superstizioni. Lui non ne aveva bisogno. Sbarazzarsi del passato era solo un modo per non dover ammettere il proprio fallimento. E il futuro che fra poco tutti avrebbero accolto con tanta gioia, tempo dodici mesi sarebbe diventato vita inutile da dimenticare.

Vogel, invece, ragionava come i media. Contava soltanto il presente, nient'altro. Alcuni ne erano artefici. Altri, semplicemente, lo subivano. Lui si sentiva parte della prima categoria, perché sapeva trarre successo da ogni situazione. La seconda era composta da chi, come Anna Lou, era predestinato a un ruolo di vittima e pagava il prezzo della gloria altrui.

Per questo, al momento Vogel non era interessato al capodanno. Aveva cose più importanti di cui occuparsi. E, mentre guidava diretto alla propria meta, prese il cellulare e compose un numero che conosceva a memoria.

Stella Honer impiegò meno di due squilli a rispondere. «Sono qui» disse soltanto.

«Venticinque minuti prima di tutti gli altri, ricordi?»

E Stella capì che quella notte sarebbe successo qualcosa.

Arrivato a un centinaio di metri dalla casa in cui abitavano Mattia e sua madre, Vogel fermò l'auto. Il piccolo chalet era in cima a una collinetta circondata da un prato incolto e brullo e da una staccionata che richiedeva un'urgente manutenzione. Era buio, tranne un bagliore rossastro dietro una delle finestre.

L'agente speciale era consapevole che far ritirare gli uomini non era sufficiente, perché il perimetro intorno alla casa era disseminato di microfoni ambientali pronti a intercettare ogni suono all'interno. Perciò doveva fare tutto con estrema cautela: nessuno avrebbe dovuto sapere che era stato lì. Ma aveva una soluzione anche per questo.

Guardò l'ora e gli bastò attendere pochi minuti. Poi, come predetto dal servizio meteo, iniziò a piovere. Erano scrosci intermittenti che percuotevano violentemente il terreno e le case, coprendo quindi ogni altro suono.

Vogel scese dall'auto e s'incamminò velocemente lungo il sentiero sterrato. Giunto al riparo del portico dell'abitazione, si scrollò l'acqua dal cappotto e salì con cautela un paio di gradini. Davanti alla porta d'ingresso, prese dalla tasca un paio di guanti di lattice per non lasciare impronte e un cacciavite. Lo usò per scardinare la serratura. Non fu difficile. L'uscio si aprì e, dopo essersi assicurato che non ci fosse nessuno nei dintorni, l'agente speciale s'introdusse rapidamente nella casa.

La prima impressione fu quella di una decorosa povertà. Odore di cavolo e di umidità. Vecchi mobili e polvere. Panni messi ad asciugare fra due sedie e piatti sporchi. Freddo. In quel disordine però c'era anche l'amore di una donna per un figlio sbagliato. Lo sbirro poteva avvertire la paura della madre di Mattia. Il terrore di non farcela, di fallire, di vedere tutto crollare da un momento all'altro. Perché lei sapeva che il ragazzo che aveva messo al mondo era pericoloso per sé e per gli altri. E sapeva pure che i farmaci e gli psichiatri non avrebbero mai potuto farci niente.

Le assi del vecchio pavimento di legno scricchiolavano sotto il peso dei passi di Vogel, ma la pioggia picchiava sul tetto attutendo i rumori. Così iniziò ad aggirarsi fra i pochi ambienti.

C'era una stufa in un angolo della cucina che fungeva anche da soggiorno. Da lì proveniva il bagliore rossastro che aveva intravisto attraverso la finestra. Ma il calore emesso era debole e non ce la faceva nemmeno a riscaldare quella stanza. Superò un divano sfondato e proseguì verso un'altra camera. C'era un letto matrimoniale su cui campeggiava un piccolo crocifisso di legno e alcuni pensili che fungevano da armadio a vista, per il resto le pareti erano spoglie. Su una sedia erano ammassati degli asciugamani e c'erano delle pantofole consumate accanto a un comodino.

La terza stanza era un bagno. Mattonelle sbeccate, giornali accatastati. Lo sciacquone emetteva una specie di singhiozzo sommesso, evidentemente aveva bisogno di una riparazione. La vasca da bagno era piccola e incrostata di calcare.

Visto che la casa era tutta lì, Vogel si domandò dove dormisse Mattia. Forse sul divano che aveva visto in soggiorno oppure nello stesso letto della madre, ma non ne era convinto. Quando stava per tornare sui propri passi per controllare meglio, scorse un rettangolo su una parete del corridoio. In quella specie di boiserie di legno, si notava appena.

Una porta.

Vogel si avvicinò e la spinse con il palmo della mano. Si spalancò su una scala di mattoni nudi che scendeva lungo due pareti di roccia e conduceva presumibilmente alla cantina.

Laggiù, però, era buio.

Vogel prese il cellulare e accese lo schermo per farsi luce, quindi iniziò a scendere, cauto. Gli scalini erano ripidi e consumati sul bordo. Si avvertiva un lieve odore stantio, ma l'ambiente era privo di umidità. Giunto ai piedi della scala, l'agente speciale ruotò la luce tutt'intorno per capire dove si trovava.

Non era una cantina ma un seminterrato. Dal modo in cui era arredato, desunse che fosse la camera di Mattia. O meglio, la sua tana.

Non c'erano finestre né prese d'aria. Là sotto il rumore della pioggia era un unico suono cupo, lontano. Come un lamento.

Sulla destra c'era una branda addossata al muro. Il letto era disfatto e sopra era ammassata una montagna di coperte. In quell'ambiente faceva molto più freddo che nel resto della casa, considerò l'agente speciale. Ma forse un adolescente si adattava bene, pur di avere un po' di indipendenza.

Davanti a sé, Vogel vide che c'era un tavolo. E sulla parete sopra al tavolo erano attaccate delle foto. Erano frammenti ingranditi, ricavati da filmati.

In tutti appariva Anna Lou.

Vogel si avvicinò per guardarli meglio. Una trentina di primi piani. La ragazza era stata colta in vari momenti e aveva sempre un'espressione spontanea. Non sorrideva quasi mai in quelle immagini. Però rivelava una bellezza nascosta, pensò Vogel. Qualcosa che a occhio nudo di solito non si nota. Era come se Mattia, nel suo delirante progetto fotografico, avesse saputo cogliere qualcosa che nessun altro era mai stato in grado di vedere. Neanche Bruno Kastner, che infatti non riteneva la figlia abbastanza carina da poter interessare a un rapitore.

Sopra il ripiano del tavolo c'era un non più modernissimo pc. Accanto, una videocamera.

Vogel la prese, la sollevò per guardarla meglio. A

quanto pareva, nella fretta di fuggire, Mattia aveva lasciato a casa l'oggetto da cui non si separava mai. Poi lo sguardo di Vogel colse qualcos'altro.

Su una mensola c'era un gattino rosa di peluche, probabilmente quello che il ragazzo aveva portato via dalla strada davanti a casa dei Kastner la notte in cui l'avevano individuato. Vogel lo prese, lo osservò rigirandoselo fra le mani. Il ragazzo aveva portato via un souvenir, gli bastava questo per inchiodarlo coi media. Nel momento esatto in cui l'agente speciale veniva attraversato da un brivido, udì anche un rumore alle proprie spalle. Non era stata solo un'impressione, era reale.

Sul letto si era mosso qualcosa.

Vogel posò il gattino di peluche e si voltò lentamente. Vide la massa di coperte che si animava. Da sotto apparve una figura. Mattia aveva il cappuccio della felpa tirato sul capo, e l'ombra impediva di scorgerne il volto.

Vogel lo vide alzarsi lentamente; era molto più alto e possente di come lo ricordava. Improvvisamente, il poliziotto capì molte cose. Per esempio che il ragazzo non era affatto fuggito e che per nascondersi gli era bastato rinchiudersi in casa. I microfoni ambientali piazzati all'esterno non avrebbero mai potuto percepire la sua presenza là sotto, protetto com'era da chissà quanti metri di terra e roccia.

Vogel aveva entrambe le mani occupate, dalla videocamera e dal telefonino con cui si faceva luce. Non avrebbe potuto prendere la pistola nella propria fondina, anche perché il ragazzo era molto vicino e avrebbe potuto saltargli addosso e disarmarlo. Così provò a usare un altro tipo di arma, con cui di solito era bravo a destreggiarsi. «Allora è questo che ti piace fare?» Indicò col capo la videocamera, aveva un sorriso complice. «Scommetto che sei bravo.»

Il ragazzo non rispose.

Vogel poteva avvertire l'intensità dello sguardo sotto il cappuccio della felpa. «Posso farti diventare famoso, sai? I tuoi video potrebbero finire in tv, avresti tutta l'attenzione che meriti. Ho molti amici giornalisti, le loro testate pagherebbero un sacco per questa roba. Parlerebbero tutti di te.» Poi rincarò la dose di promesse. «Pensa a tua madre: non dovrà più lavorare. Potrà avere una casa vera e tutto ciò che adesso non può permettersi. E saresti tu a darle queste cose... Ottenerle è semplice, Mattia. Dobbiamo solo uscire di qui. Poi mi porterai dove si trova Anna Lou. Anzi, ci andremo con le troupe dei telegiornali. E poi sarai tu il protagonista, nessuno riderà di te, avranno tutti rispetto...»

Non sapeva se Mattia in effetti ci stesse pensando. Trascorsero dei lunghissimi secondi in cui non accadde nulla. Vogel sperò che le parole avessero attecchito. Poi il ragazzo si mosse, facendo un piccolo passo nella sua direzione. Istintivamente, il poliziotto indietreggiò. Mattia si arrestò. Quindi compì un secondo passo. Vogel urtò il fianco contro lo spigolo del tavolo. Anche stavolta il ragazzo si fermò.

L'agente speciale allora capì. Il ragazzo non voleva

spaventarlo, né aggredirlo. Gli stava solo chiedendo il permesso di avanzare.

No, non verso di me, si disse Vogel. Verso il computer.

Si scostò per permettere a Mattia di raggiungere il tavolo. Il ragazzo si avvicinò e accese il pc. Ci vollero alcuni minuti perché il sistema si avviasse. Poi, quando fu operativo, Mattia aprì una cartella denominata semplicemente «Lei». Sullo schermo apparvero le icone di vari video. «Lei» era Anna Lou.

Il ragazzo andò in cerca con il mouse di quello che lo interessava e con un clic fece partire il filmato.

Vogel alle sue spalle fissava lo schermo, chiedendosi cosa avrebbe visto.

Il filmato partì. Si vedeva Anna Lou in giro per strada, con lo stesso zainetto colorato con cui era scomparsa e una borsa con i pattini da ghiaccio. Camminava da sola in una giornata di sole, senza accorgersi di essere ripresa, passò accanto a un vecchio fuoristrada bianco. Poi l'immagine cambiò, e Vogel capì che era un montaggio fatto da Mattia. Stavolta Anna Lou era in compagnia di Priscilla, la sua amica. Chiacchieravano fuori da scuola. Un altro cambio: la ragazzina era impegnata insieme ad altri confratelli in una vendita di dolci per beneficenza nella piccola piazza antistante la sala delle assemblee. Mentre si chiedeva quale fosse il senso di quel montaggio, Vogel notò ancora una volta il fuoristrada bianco visto nella prima scena. Probabilmente era presente anche nella seconda, ma lui non se n'era accorto.

Le sequenze successive confermarono i suoi sospetti.

Anna Lou con i genitori in un picnic in montagna – il fuoristrada bianco sostava nel parcheggio accanto ad altre auto. Anna Lou che usciva di casa insieme con i fratellini – il fuoristrada bianco era visibile a qualche metro di distanza, accanto al marciapiede.

Le immagini continuavano a scorrere. Vogel si voltò a osservare Mattia, concentrato sullo schermo che gli illuminava il viso. Seguendo Anna Lou, il ragazzo aveva notato qualcosa.

Che non era il solo a seguirla.

La distanza delle riprese era tale da non permettere un riconoscimento del volto del conducente o la lettura del numero di targa. Certamente con un software adeguato era possibile ingrandire i fotogrammi. Ma Vogel era convinto che non ce ne sarebbe stato bisogno. «Tu sai chi è, non è vero?» chiese al ragazzo.

Mattia si girò in direzione della mensola su cui era appoggiato il gattino rosa di peluche. Lo indicò con lo sguardo, poi annuì debolmente.

Lo conosceva.

23 febbraio.
Sessantadue giorni dopo la scomparsa.

Nella notte in cui tutto cambiò per sempre, fuori dalla finestra la nebbia continuava a incombere col suo finto candore, che però non riusciva a ingannare il buio della notte.

Il calorifero della stanza di Flores emetteva una specie di gorgoglio. Un suono gutturale, quasi vivo – sembrava una voce umana. Una voce nascosta in un'altra dimensione, che cercava invano di comunicare un messaggio.

Vogel aveva interrotto il proprio racconto e adesso era concentrato su un punto imprecisato della parete, in mezzo alle foto e agli encomi incorniciati.

Flores si accorse che l'attenzione del poliziotto era attratta da un esemplare di pesce imbalsamato, di colore argenteo e con una fascia rosa che attraversava il dorso. « *Oncorhynchus mykiss* » citò a memoria. « Conosciuta anche come trota iridea o trota arcobaleno. È originaria dell'America settentrionale ma anche di alcuni Paesi asiatici del Pacifico. Molti anni fa è stata introdotta in Europa, la si trova in alcuni laghetti di montagna. Per sopravvivere ha bisogno di acque fredde e ossigenate. » Lo psichiatra aveva volutamente divagato. Non voleva forzare l'altro a proseguire, doveva essere prima di tutto un mediatore, porsi come tramite fra il soggetto e il proprio conflitto. E l'istinto gli diceva che il poliziotto aveva rimosso o stava cercando disperatamente di nascondere a se stesso ciò che era accaduto prima dell'incidente stradale, il motivo per cui i suoi abiti erano sporchi del sangue di qualcun altro.

Poi Vogel si disinteressò al pesce e riprese a parlare. «I media stabiliscono i ruoli» disse di punto in bianco. «Il mostro, la vittima. La seconda va salvaguardata da ogni possibile attacco o sospetto: deve essere 'pura'. Altrimenti c'è il rischio di fornire un alibi morale a chi le ha fatto del male. A volte però – ed è inutile negarlo – certe vittime hanno avuto un ruolo in ciò che gli è accaduto. Sono colpe macroscopiche, provocazioni belle e buone, oppure inezie che protratte nel tempo innescano una reazione. Ricordo il caso di un capufficio che sul posto di lavoro storpiava di proposito il nome di un impiegato. Lo faceva davanti a tutti, ma come uno scherzo. Una mattina l'impiegato si è presentato puntuale come sempre, ma con una pistola automatica.»

«È stato così anche per Anna Lou Kastner?» domandò Flores.

«No» disse Vogel, mestamente.

«Agente speciale, perché non proviamo a dimenticarci per un po' di questa storia e ci concentriamo invece su ciò che è accaduto questa sera?»

«I miei vestiti sporchi di sangue. Già...» rammentò l'altro.

Flores non poteva chiedere direttamente di chi fos-

128

se quel sangue, doveva arrivarci per gradi. «Sarebbe importante sapere dove è stato prima dell'incidente stradale o dove stava andando dopo.»

Vogel fece uno sforzo. «Stavo andando a casa dei Kastner... Sì, andavo a casa loro a restituire un pegno.» Abbassò gli occhi sul braccialetto che aveva al polso.

«E perché a un'ora così tarda?»

Vogel ci pensò ancora. «Dovevo parlargli, dirgli una cosa...» Ma poi il ricordo sembrò spegnersi nella sua testa.

«Una cosa?»

«Sì, ma...»

Flores attese che la memoria si sbloccasse. Non era del tutto sicuro che Vogel fingesse, secondo lui c'era una specie di ostacolo che impediva all'agente speciale di tirar fuori ciò che aveva dentro. Cosa doveva riferire ai Kastner di tanto importante? Lo psichiatra ebbe l'impressione che, qualunque cosa fosse, doveva passare attraverso il racconto di ciò che era accaduto mesi prima. Perciò, cercò di farlo ripartire da lì. «Avete realmente cercato Anna Lou, oppure il fatto di crederla già morta vi induceva a cercare solo un corpo che servisse come prova per inchiodare un eventuale assassino?»

Vogel sorrise debolmente. Era una chiara ammissione.

«Perché non dirlo subito allora? Perché alimentare la speranza?»

Vogel parve prendersi una pausa per riflettere. «Alla domanda di un recente sondaggio su quale deve essere lo scopo di un'indagine di polizia, la maggioranza degli interpellati ha risposto 'la cattura del colpevole'. Solo una percentuale molto bassa ha affermato che lo scopo di un'indagine di polizia dovrebbe essere 'accertare la verità'. » Vogel si sporse dalla poltroncina su cui era seduto. « Ha capito bene cosa ho detto? Nessuno vuole la verità. »

« Perché, secondo lei? »

Il poliziotto ci pensò un momento. « Perché la cattura del colpevole ci fa illudere di essere al sicuro, e in fondo questo ci basta. Ma c'è una risposta migliore: perché la verità ci coinvolge, ci rende complici. » Poi Vogel spiegò meglio: « Ha notato che i media e l'opinione pubblica, insomma noi tutti pensiamo al colpevole di un crimine come se non fosse umano? Come se appartenesse a una razza aliena, dotata di un potere speciale: fare del male. Non ce ne accorgiamo, ma lo rendiamo... un eroe ». Pronunciò l'ultima parola con maggiore enfasi. « Invece di solito il colpevole è un uomo banale, privo di slanci creativi, incapace di distinguersi nella massa. Ma se lo accettiamo così, allora dobbiamo ammettere che, in fondo, un po' ci somiglia. »

Vogel aveva ragione. L'occhio di Flores cadde per un istante sull'angolo stropicciato di un vecchio giornale in mezzo alla confusione della scrivania. Lo psichiatra sapeva esattamente da quanto tempo il quotidiano era lì e ricordava perfettamente il motivo per cui non l'aveva gettato.

Nel titolo di testa c'era un nome.

Il nome del mostro del caso Kastner.

Nel corso dei giorni e poi delle settimane e dei mesi, su quel giornale poggiato sul tavolo si erano ammassate altre carte, fascicoli. Era il destino delle notizie essere sepolte vive. In fondo, vogliamo tutti dimenticare, si disse lo psichiatra. Lui in particolare non avrebbe voluto rammentare il pianto straziante di Maria Kastner che, col passare del tempo, era diventato un lamento sommesso, quasi impercettibile. Flores aveva seguito personalmente la famiglia nel percorso iniziale di accettazione del dolore. Aveva combattuto con i silenzi e le chiusure di Bruno Kastner, aveva cercato d'impedire che Maria si sgretolasse poco a poco. Aveva svolto il proprio lavoro al meglio, finché la confraternita gliel'aveva consentito. Poi, lentamente, era stato allontanato dalla famiglia.

«Agente speciale Vogel, poco fa lei ha detto che stasera si stava recando dai Kastner per dar loro una notizia, ma non ricorda quale.»

«È esatto.»

«Però non ricorda nemmeno che in quella casa non abita più nessuno ormai.»

La notizia sembrò colpire Vogel come un cazzotto in pieno volto.

«Non poteva non saperlo» proseguì lo psichiatra. «Allora come è successo, l'ha dimenticato?»

Vogel tacque per un po', poi pronunciò alcune frasi sottovoce, come un monito. «C'è qualcosa di maligno qui...»

Flores provò un brivido mentre l'altro lo fissava negli occhi.

«Qualcosa di malefico si è insinuato nelle vostre vite» proseguì lo sbirro. «Anna Lou era solo una porta, un modo per entrare. Una ragazza pura, inconsapevole: la perfetta vittima sacrificale... Ma il disegno che c'è dietro la scomparsa è molto più perverso.» Vogel scosse il capo. «È troppo tardi per la salvezza. Quel qualcosa ormai è qui e non se ne vuole andare.»

In quell'istante, un colpo violento e improvviso li costrinse entrambi a voltarsi verso la finestra. Ma ciò che li atterrì veramente fu che fuori non si vedeva nulla. Era come se i loro discorsi avessero risvegliato uno spettro nella nebbia, che incollerito era intervenuto per metterli a tacere.

Flores si alzò dalla poltrona e andò a verificare aprendo entrambe le ante. Si guardò intorno, senza capire, mentre la bruma gelida gli accarezzava la faccia. Poi intravide una macchia scura accanto alla grondaia.

Era un corvo.

Si era risvegliato nel cuore della notte e aveva scambiato la luce dei lampioni riflessa dalla nebbia per quella del giorno, e si era levato in volo. Poi doveva aver perso l'orientamento, fino ad andarsi a schiantare contro i vetri della finestra.

I corvi erano le prime vittime delle notti di nebbia, se ne trovavano a decine il mattino dopo, nei campi o per le strade.

Flores vide che l'uccello si muoveva ancora, il becco tremava debolmente. Era come se volesse parlare. Poi smise per sempre.

Lo psichiatra richiuse la finestra e tornò a voltarsi verso Vogel. Per qualche secondo nessuno dei due disse più nulla. «Come le ho già detto, dopo quanto è successo credevo che non l'avremmo mai più rivista quassù» affermò Flores.

«Lo credevo anch'io.»

«L'indagine è stata un disastro, vero?»

«È vero» ammise Vogel. «Ma a volte capita.»

Se voleva sapere cosa lo sbirro era venuto a fare ad Avechot in una sera di freddo e nebbia, Flores doveva costringerlo a confrontarsi coi propri fantasmi. «Ritiene di non avere colpe per il fallimento dell'indagine?»

«Ho fatto solo il mio lavoro.»

«E quale sarebbe?» lo provocò lo psichiatra.

«Ovvio: rendere felice il pubblico» disse l'agente speciale Vogel con un sorriso volutamente falso. Poi tornò serio. «Abbiamo tutti bisogno di un mostro, dottore. Abbiamo tutti bisogno di sentirci migliori di qualcuno.» L'uomo del fuoristrada bianco, rammentò. «Io gli ho dato solo ciò che volevano.»

22 dicembre.
Il giorno prima della scomparsa.

«La prima regola di ogni grande romanziere è *copiare*. Nessuno lo ammette, ma tutti si ispirano a un'opera precedente o a un altro autore.» Loris Martini fissò la classe, cercando di capire se almeno la maggioranza degli alunni prestava attenzione. Alcuni ridevano o parlottavano e, appena si voltava, un paio si lanciavano palline di carta convinti che lui non se ne accorgesse. Il professore, però, preferiva sempre fare lezione in piedi, passeggiando fra i banchi. Secondo lui stimolava la concentrazione.

In generale, però, l'atmosfera quel mattino era annoiata. Accadeva sempre, l'ultimo giorno prima della pausa natalizia. La scuola avrebbe chiuso i battenti per un paio di settimane e gli studenti si sentivano già in vacanza. Doveva escogitare qualcosa per incoraggiare la partecipazione. «Un'altra cosa» disse allora. «Non sono gli eroi che determinano il successo di un'opera. Dimenticate per un attimo la letteratura e pensate ai vostri videogame... Cosa vi piace fare in un videogame?»

La domanda risvegliò l'interesse della classe. Fu proprio uno di quelli che lanciava palline di carta a intervenire. «Distruggere le cose!» affermò, entusiasta. Tutti risero alla battuta.

«Bene» lo incoraggiò subito Martini. «E cos'altro?»

«Uccidere» aggiunse un secondo studente.

«Ottima risposta. Ma perché ci piace uccidere in modo virtuale?»

Priscilla, la più carina della classe, alzò la mano per farsi scegliere. Martini la indicò per autorizzarla a rispondere.

«Perché nella realtà uccidere è proibito.»

«Brava Priscilla» la gratificò l'insegnante. La ragazzina abbassò gli occhi e sorrise, come se le avessero fatto un grande complimento. Un compagno mimò la sua reazione smielata per prenderla in giro. Priscilla replicò mostrandogli il dito medio.

Martini poteva dirsi soddisfatto, li aveva fatti giungere al punto che sperava. «Vedete, il male è il vero motore di ogni racconto. Un romanzo o un film o un videogame in cui tutto va bene non sarebbe interessante... Ricordate: è il cattivo che fa la storia.»

«I buoni non piacciono a nessuno» intervenne Lucas, che a scuola era noto per i voti bassi, specie in condotta, e per il tatuaggio di un teschio che faceva capolino da dietro un orecchio. Forse si sentiva chiamato in causa e, visto che i buoni non piacevano a nessuno, aveva trovato finalmente un'occasione di riscatto.

Il professore provava una sensazione strana ogniqualvolta raggiungeva un piccolo risultato con la classe. Era appagato. Ed era difficile spiegare cosa significava arrivare a un traguardo che a chiunque sarebbe apparso modesto. Ma per un insegnante non lo era, per Loris Martini non lo era. In quel momento era perfettamente consapevole di aver seminato nelle loro teste un'idea. E che quell'idea forse non sarebbe più svanita. Le nozioni, quelle sì potevano essere dimenticate, ma la formazione spontanea del pensiero seguiva un percorso differente. L'idea li avrebbe seguiti per il resto della loro vita, magari rimanendosene acquattata in un angolo del cervello per poi apparire all'improvviso quando ne avrebbero avuto bisogno.

Sono i cattivi che fanno la storia.

Non era solo letteratura. Era la vita.

Quando i colleghi parlavano della classe usavano espressioni come «materiale umano» per indicare gli studenti, oppure erano propensi a lamentarsi o a imporre una ferrea disciplina che di solito veniva elusa con estrema facilità. Il primo giorno di scuola parecchi di loro l'avevano messo in guardia, dicendogli chiaramente che era inutile crearsi molte aspettative perché il livello medio era piuttosto scadente. Martini doveva ammettere che, all'inizio dell'anno scolastico, non nutriva grandi speranze sul rendimento del suo «materiale umano». Ma col passare delle settimane aveva trovato un modo per fare breccia nella loro diffidenza e, poco a poco, aveva iniziato a conquistarsi la loro fiducia.

Ad Avechot c'erano due tipi di valore. La fede e il denaro. Anche se molte delle loro famiglie facevano parte della confraternita, gli studenti irridevano la prima e veneravano il secondo.

I soldi erano un costante argomento di discussione fra loro. Gli adulti che in paese si erano arricchiti grazie alla compagnia mineraria sfoggiavano il proprio benessere guidando auto di grossa cilindrata o indossando orologi costosi. Erano oggetto di ammirazione e di rispetto da parte dei più giovani, che invece avevano la tendenza a compatire chi non poteva permettersi certi lussi, fossero anche i loro genitori.

Il posto in cui si notava di più la differenza fra le due categorie sociali che dividevano Avechot era proprio la scuola. I figli dei più abbienti erano vestiti sempre alla moda ed esibivano gadget invidiabili, a partire dall'ultimissimo modello di smartphone. Molto spesso, tutto ciò era fonte di tensione. C'erano state anche delle risse in cortile per via dell'abitudine di disprezzare chi non riusciva a permettersi certi privilegi. Persino qualche caso di furto.

Perciò, quando Martini si era presentato alla classe con le sue giacche di velluto a coste consumate sui gomiti, i pantaloni di fustagno e le vecchie Clarks sformate, aveva scatenato l'ilarità degli studenti. Aveva capito che non godeva del loro rispetto. E, doveva ammetterlo, per un istante si era sentito inadeguato. Come se la sua vita, a quarantatré anni, fosse stata spesa invano all'inseguimento dell'obiettivo sbagliato.

«Non vi assegnerò compiti per le vacanze natalizie.» Dalla classe si levarono urla di giubilo. «Anche perché so che non li fareste» aggiunse scatenando una risata. «Ma voglio che, nei ritagli di tempo mentre sfasciate vetrine o rapinate banche, leggiate almeno un libro di questa lista.» Prese un foglio dalla cattedra per mostrarlo. Il malcontento fu generale.

Solo uno degli alunni non disse una parola.

Era rimasto per tutto il tempo della lezione con la testa china sul banco in fondo alla classe, a scrivere o scarabocchiare qualcosa sul grande quaderno che si portava sempre dietro insieme a una videocamera. Chiuso nel suo mondo, quello in cui nessuno poteva entrare, nemmeno i suoi compagni, che infatti lo isolavano. Martini ogni tanto ci provava, ma veniva respinto.

«Mattia, per te va bene leggere almeno un libro nelle prossime due settimane?» provò a spronarlo.

Quello sollevò un attimo lo sguardo dal foglio, poi tornò a immergersi in se stesso senza rispondere.

In quel momento, suonò la campanella che annunciava la fine delle lezioni.

Mattia recuperò rapidamente uno zainetto e lo skate che teneva sotto il banco e fu il primo a uscire dalla classe.

Martini si rivolse un'ultima volta agli studenti, prima che se ne andassero. «Passate un buon Natale... e cercate di non fare troppi danni in giro.»

Nei corridoi della scuola c'era un frenetico viavai di studenti che si apprestavano a uscire dall'edificio. Alcuni correvano scansando Martini che invece procedeva con un passo normale, con la borsa verde di cordura a tracolla e l'aria svagata che aveva di solito. Si sentì chiamare.

« Professor Martini! Professore! »

Si voltò e vide che Priscilla gli andava incontro con un gran sorriso. Per quanto si conciasse come un ragazzaccio, con quel parka verde che le stava troppo grande e gli anfibi per sembrare più alta, Martini pensava che fosse molto graziosa. Rallentò il passo per aspettarla.

Priscilla lo raggiunse. « Volevo dirle che ho già scelto il romanzo che leggerò nelle vacanze » affermò con un po' troppo entusiasmo.

« Ah sì? E quale sarebbe? »

« *Lolita*. »

« Perché la tua scelta è caduta proprio su questo? » Martini si aspettava che dicesse che, in fondo, la protagonista le somigliava.

« Perché so che mia madre non l'approverebbe » disse invece la ragazzina.

Martini sorrise per la motivazione. In fondo, i libri erano ribellione. « Allora buona lettura. » Provò ad andar via, anche perché da tempo si era accorto della cotta che Priscilla si era presa per lui, l'avevano notato anche i compagni. Perciò cercava sempre di evitare di trattenersi troppo con lei in pubblico, non voleva che qualcuno pensasse che la incoraggiava.

« Aspetti, professore, c'è un'altra cosa. » La ragazza sembrava in imbarazzo. « Lo sa che domani sarò in televisione? Estraggo i numeri della tombola di beneficenza della confraternita... È solo una tv locale ma da qualche parte si deve cominciare, no? »

Priscilla aveva espresso più volte il desiderio di diventare famosa. Un giorno voleva partecipare a un reality, quello seguente fare la cantante. Ultimamente si era messa in testa di diventare attrice. Non aveva le idee chiare su come raggiungere il successo, ma forse la sua era solo una richiesta d'aiuto, un modo per dire a tutti che avrebbe voluto scappare da Avechot quando, invece, probabilmente, di lì a qualche anno avrebbe trovato un ragazzo sbagliato quanto lei che l'avrebbe messa incinta costringendola a trascorrere lì il resto della vita. In fondo, era capitata la stessa cosa alla madre. Martini le aveva parlato solo una volta, in un incontro fra i docenti e i genitori. Era identica alla figlia, solo più vecchia. Anche se avevano una quindicina d'anni di differenza, la madre di Priscilla aveva rughe profonde intorno agli occhi e nello sguardo una tristezza ineluttabile. Martini ricordava di aver pensato a una reginetta del ballo che rimane a danzare nella sala con il diadema e lo scettro quando ormai le luci della festa sono spente e tutti se ne sono tornati a casa. Priscilla le somigliava parecchio. Per quanto ne sapeva, la ragazzina era fra le più corteggiate della scuola. Ma era anche molto chiacchierata. Aveva letto le frasi che erano state dedicate a lei e alla madre sui muri del bagno dei maschi.

« Hai parlato con qualcun altro del tuo desiderio di recitare? »

Priscilla storse il muso. « Mia madre non sarebbe

d'accordo, perché quelli della confraternita le hanno messo in testa che le attrici sono delle poco di buono. Però lei da giovane ha provato a fare la modella. Non è giusto che mi impedisca di inseguire il mio sogno solo perché non è riuscita a realizzare il suo. »

Già, era assolutamente ingiusto. « Dovresti studiare recitazione, forse così la convinceresti. »

« Perché, secondo lei non sono abbastanza bella per sfondare? »

Martini scosse bonariamente il capo in segno di biasimo. « Ho fatto dei corsi di teatro all'università. »

« Allora potrebbe darmi delle lezioni! La prego, la prego, la prego! »

Gli occhi della ragazza brillavano di eccitazione. Era impossibile dirle di no. « Va bene » acconsentì Martini. « Però dovrai metterci il massimo impegno, altrimenti è solo tempo sprecato. »

Priscilla allora si sfilò lo zaino e lo appoggiò per terra. « Non se ne pentirà » disse mentre strappava un lembo da un foglio di quaderno e ci scriveva qualcosa. « Qui c'è il numero del mio cellulare. Mi chiamerà? »

Martini annuì e le sorrise. Poi la vide allontanarsi felice come una farfalla.

« Buon Natale, prof! »

Il professore osservò il numero sul foglietto, scritto con una penna dall'inchiostro rosa. Priscilla aveva aggiunto anche un cuoricino. Se lo mise in tasca e proseguì verso l'uscita.

Sul piazzale antistante la scuola, studenti che si soffermavano a ridere e scherzare e un nugolo di scooter che si rincorrevano. Alla guida di uno di questi c'era Lucas, l'allievo ribelle. Mentre Martini cercava le chiavi dell'auto nella borsa, il ragazzo gli passò accanto, sfiorandolo per dispetto. Quindi si voltò. «Quand'è che lo cambia quel catorcio, prof?»

I suoi amici risero. Loris Martini, però, aveva imparato a non dare retta alle provocazioni di Lucas. Avevano avuto uno screzio in passato e l'allievo gliel'aveva giurata. «Appena vinco la lotteria» rispose il professore di rimando per assecondare la battuta.

Poi finalmente trovò le chiavi in fondo alla borsa di cordura e sbloccò le portiere del suo vecchio fuoristrada bianco.

Il ventidue di dicembre era uno dei giorni più corti dell'anno solare. Quando Martini arrivò a casa, la luce stava già cominciando a digradare.

Varcò la soglia e la vide, distesa su una poltrona di vimini accanto alla finestra. Aveva un plaid appoggiato sulle gambe e si era addormentata con un libro in mano.

Clea era talmente bella, nei barlumi del tramonto, che gli si strinse il cuore.

I capelli castani si tingevano di fuoco. Un'ombra, invece, cadeva proprio su una metà del volto, come in un dipinto. Lui avrebbe voluto avvicinarsi e baciarle le labbra socchiuse. Ma sua moglie sembrava così serena, che non ebbe il coraggio di svegliarla.

Appoggiò la borsa sul pavimento di legno e si sedette sul primo gradino delle scale che conducevano al piano di sopra. Con le mani congiunte sotto il mento, si mise a contemplarla. Stavano insieme da vent'anni almeno, si erano conosciuti ai tempi dell'università. Lei studiava legge, lui lettere.

« I futuri giudici o avvocati di solito non si mescolano con quelli che considerano la letteratura l'unica maniera per raccontare il mondo » gli aveva detto al primo incontro. Inforcava occhiali da vista con la montatura nera e spessa, forse troppo grandi per il suo bel viso, aveva pensato lui. Salopette di jeans, una t-shirt rossa su cui si intravedeva il logo della facoltà e un paio di scarpe da tennis bianche rovinate dall'uso. Teneva dei libri di diritto abbracciati contro il seno, un ciuffo ribelle le ricadeva con insistenza sulla fronte e Clea lo respingeva risoffiandolo in su. Si trovavano nel parco che circondava il campus universitario, era una radiosa giornata primaverile. Loris indossava una vecchia tuta grigia, aveva appena terminato l'allenamento di basket del giovedì mattina ed era tutto sudato. L'aveva intercettata da lontano mentre tornava in camera sua e si era messo a correre verso di lei prima che entrasse nel dormitorio femminile. Aveva i capelli in disordine ed era appoggiato con una mano al muro di mattoni dell'edificio. Nonostante fosse più alto, Clea non pareva minimamente intimidita. Lo fissava come se non avesse timore di dirgli in faccia come la pensava. Ed era seria.

I futuri giudici o avvocati di solito non si mescolano

con quelli che considerano la letteratura l'unica maniera per raccontare il mondo... All'inizio gli era sembrata una battuta, una sorta di schermaglia amorosa. «Certo, ma ciò non impedisce ai futuri giudici o avvocati di nutrirsi regolarmente» aveva ribattuto con un sorriso.

A quel punto, lei lo aveva squadrato con sospetto. Nel suo sguardo c'era un avvertimento. Davvero questo qui crede che sia così facile portarmi a letto? Loris aveva sentito i sinistri scricchiolii del proprio ego che stava per crollare.

«Grazie, ma mi nutro regolarmente da sola» aveva risposto lei voltandogli le spalle, poi aveva salito rapidamente le scale che conducevano all'ingresso.

Era rimasto paralizzato dalla sorpresa – e dalla delusione. Ma chi credeva di essere quella spocchiosa? Si erano conosciuti qualche sera prima a una festicciola a base di alcol e tramezzini stantii organizzata da quelli del dipartimento di Scienze naturali. L'aveva notata subito col suo maglione nero e i capelli raccolti sulla nuca. Aveva cercato per tutto il tempo un pretesto per avvicinarla. L'occasione si era presentata quando l'aveva vista parlare con un tipo che conosceva a malapena e di cui non ricordava neanche il nome – Max o Alex, non importava. Si era avvicinato con la scusa di salutarlo, nella speranza che li presentasse. Il tipo ci aveva messo un po', forse anche lui aveva delle mire. Alla fine, l'aveva fatto solo per togliere lei dall'imbarazzo di assistere in silenzio al loro dialogo.

« Sono Loris » aveva detto subito lui, porgendole la mano, come se potesse sfuggirgli da un momento all'altro.

« Clea » aveva risposto, aggrottando le sopracciglia – un gesto che negli anni gli sarebbe diventato familiare: curiosità mista a scetticismo. Era così che probabilmente si sentivano osservati i primati allo zoo, ma in quel momento Loris l'aveva trovato adorabile.

Lui non aveva perso tempo e si erano scambiati le informazioni basilari per iniziare una conversazione. Che facoltà frequenti, da dove vieni, cosa farai dopo l'università. Poi aveva cercato un interesse comune, un filo sottile da cui cominciare la trama di un rapporto. Aveva fatto un po' di considerazioni su di lei: di una bellezza spontanea ma abbastanza fiera da non servirsene, intelligente ma senza voler per forza umiliare gli altri, progressista e tollerante e, infine, orgogliosamente indipendente.

Aveva concluso che, per tali ragioni, ciò che avevano in comune era sicuramente il basket.

Loris aveva iniziato con naturalezza a dissertare di schemi e giocatori, Clea conosceva statistiche e punteggi delle partite. Il campionato dei campus universitari non aveva segreti per lei.

Così avevano parlato tutta la sera ed era persino riuscito a farla ridere un paio di volte. Era sicuro che invitarla a uscire insieme non sarebbe stato un problema, ma non aveva voluto affondare subito il colpo. La prossima volta, si era detto. Perché con una ragazza così non bisognava avere fretta.

Ma l'epilogo della mattina davanti al dormitorio femminile era del tutto inaspettato. Lei lo aveva liquidato con freddezza, quasi con fastidio. Anzi, sicuramente con fastidio. E Loris non ci aveva pensato più di tanto a mandarla a quel paese dentro di sé.

Il rifiuto, però, si era rivelato difficile da digerire. Nei giorni successivi ci aveva ripensato, a volte scuotendo il capo in maniera divertita per l'assurdità della scena, spesso però con rabbia. Senza accorgersene, un piccolo tarlo si era introdotto nella sua mente e scavava un vuoto che richiedeva di essere colmato.

Non riusciva a dimenticarla.

Allora prese la decisione più folle della sua vita. Comprò un completo blu e una camicia bianca in un grande magazzino, e un improponibile cravattino rosso. Pettinò all'indietro la chioma ribelle e, dopo aver investito in un mazzo di rose rosse una cifra spropositata per le sue finanze, si presentò alle nove del mattino fuori dall'aula in cui si tenevano i corsi di diritto privato comparato. E attese. Quando al termine della lezione la massa di studenti irruppe nel corridoio come la piena di un fiume, Loris non si fece travolgere. Rimase stoicamente fermo in mezzo alla corrente, in attesa di incrociare uno sguardo preciso. Quando accadde, Clea si rese immediatamente conto che lui era lì per lei. Gli si avvicinò senza esitare.

Loris le porse i fiori, serio. «Mi permetti di invitarti a cena?»

Lei osservò il dono, poi scrutò lui aggrottando la fronte. Rispetto alla prima volta, quando gliel'aveva chiesto in tuta, sudato dopo una partita di basket e con l'aria di chi dà per scontata una risposta affermativa, stavolta Loris si era messo d'impegno per dimostrarle quanto la rispettava e quanto ci teneva a uscire con lei, a costo di rischiare di sfiorare il ridicolo. Il viso di Clea si illuminò di un sorriso. «Certamente» disse.

Mentre ricordava quell'episodio guardandola dormire col sole invernale che tramontava come una carezza sul suo volto, Loris Martini considerò che ormai era tanto tempo che non rivedeva più un sorriso come quello sulle sue labbra. E quel pensiero gli fece male.

Erano arrivati nella valle sei mesi prima. Era stata lei a proporre di trasferirsi. Lui aveva trovato un posto libero ad Avechot e avevano traslocato senza ragionarci troppo. Non era sicuro che un piccolo paese di montagna fosse il posto giusto in cui ricominciare, ma tant'è. Clea era stata determinata e determinante nella scelta di partire, ma adesso Martini temeva che la moglie non fosse felice. Per questo la studiava a distanza, cercando di cogliere i segni di qualcosa che non andava. Forse era accaduto tutto troppo in fretta. Forse alla fine erano solo scappati da qualcosa.

La cosa, si disse. Sì, è tutta colpa della *cosa*.

Clea cominciò a svegliarsi. Prima aprì leggermente gli occhi, poi lasciò andare il libro che teneva in grembo e allargò le braccia per stirarsi. A metà del gesto si bloccò, accorgendosi di lui. «Ehi» lo salutò con un lieve accenno di sorriso.

«Ehi» le rispose lui, rimanendo seduto sulle scale. «Da quanto tempo sei lì?»

«Sono appena arrivato» mentì. «Non volevo disturbarti.»

Clea scostò il plaid e guardò l'ora. «Uh, devo aver dormito un sacco.» Poi si strinse le braccia al seno con un brivido. «Non fa un po' freddo qui?»

«Forse il riscaldamento non è ancora partito.» In realtà, quella mattina aveva spostato in avanti il timer di un paio d'ore. L'ultima bolletta era stata piuttosto salata. «Ci penso subito, e accendo anche il camino» disse alzandosi dal gradino. «Monica non si è vista?»

«Credo che sia su in camera sua» rispose Clea, con un'espressione preoccupata. «Alla sua età non è un bene isolarsi come fa lei.»

«Tu com'eri alla sua età?» domandò lui per cercare di sdrammatizzare.

«Avevo degli amici» rispose lei piccata.

«Io, invece, ero una maschera di brufoli e passavo tutto il tempo a strimpellare una chitarra. Pensa, credevo che imparare a suonarla sarebbe servito a farmi accettare dagli altri.»

Clea, però, non se la bevve. Era davvero in ansia per la figlia. Non è sano per Monica, si disse, pensierosa. «Secondo te ci nasconde qualcosa?»

«Sì, ma non penso sia un problema» affermò Martini. «A sedici anni è normale avere dei segreti.»

23 dicembre.
Il giorno della scomparsa.

Alle sei del mattino era ancora buio.

Martini si era svegliato presto. Mentre la moglie e la figlia dormivano, si era preparato un caffè e l'aveva bevuto in piedi, appoggiato a un mobile della cucina, godendosi il tepore della bevanda nell'atmosfera giallognola generata dal lampadario appeso sopra il tavolo da pranzo. Lentamente, e con lo sguardo perso nei propri pensieri. Indossava abbigliamento tecnico e scarpe da trekking, la sera prima aveva annunciato a Clea che sarebbe andato a fare un'escursione in alta montagna.

Uscì di casa verso le sette. Fuori era freddo, ma piacevole. L'aria frizzava e i profumi del bosco erano scivolati fino a valle, scalzando per un poco gli sgradevoli effluvi che provenivano dall'impianto estrattivo. Caricò lo zaino sul fuoristrada e si sentì chiamare.

«Ehi, Martini!»

Dall'altro lato della strada, il suo vicino gli faceva segno con un braccio alzato. Loris rispose al saluto. Gli Odevis erano stati subito cordiali con lui e Clea. Marito e moglie avevano la loro stessa età, anche se i figli della coppia erano molto più piccoli di Monica. Per quanto aveva capito Martini, lui aveva interessi nel ramo dell'edilizia, ma aveva sentito dire che i capitali erano arrivati dalla vendita di un terreno alla miniera. Se la passavano bene. Lui era un po' supponente ma fondamentalmente innocuo. La moglie era una donna impalpabile e perfettina, sembrava uscita da una réclame per casalinghe degli anni Cinquanta.

«Dove te ne vai di bello?» chiese Odevis.

«Salgo al passo, poi proseguo per il versante est. Non l'ho mai esplorato.»

«Accidenti, la prossima volta magari vengo con te. Avrei bisogno di smaltire qualche chilo.» Rise e si diede una pacca sullo stomaco prominente. «Io, invece, oggi porto un po' a spasso la cucciola» disse indicando il garage con l'anta spalancata e la Porsche blu che vi era parcheggiata. Era solo l'ultimo costoso giocattolo acquistato, perché Odevis amava spendere il proprio danaro ed esibirlo.

«Magari la prossima volta vengo io insieme a te» gli rispose Martini.

L'uomo rise di nuovo. «Allora tutto confermato per Natale?»

«Certo.»

«Ci teniamo davvero ad avervi con noi» si raccomandò.

Clea aveva accettato l'invito senza consultarlo, ma Martini non le aveva rimproverato niente. La moglie trascorreva le giornate in casa ed era comprensibile che volesse socializzare un po'. Inoltre gli era sembrato che anche gli Odevis fossero in cerca di nuovi amici, forse perché a causa del loro nuovo tenore di vita i rapporti con le vecchie conoscenze si erano un po' raffreddati.

«Be', allora buona scarpinata» disse l'uomo avviandosi verso la Porsche.

Il professore ripeté il proprio saluto e si apprestò a salire sul vecchio fuoristrada bianco che ormai aveva accumulato troppi chilometri e cominciava a mandare inequivocabili segnali di stanchezza, sotto forma di rumorose vibrazioni e di fumo di scarico troppo denso. Mise in moto e si allontanò verso le montagne, mentre il buio della notte iniziava a diradarsi.

Quando rientrò era di nuovo buio. Aprì la porta d'ingresso e fu investito da un odore inconfondibile di zuppa e di arrosto. Erano quasi le venti e quel profumino era il preludio di un premio meritato dopo una faticosa giornata.

«Sono io» annunciò, ma nessuno rispose. Nel corridoio c'era solo la luce che proveniva dalla cucina e il rumore della cappa sicuramente impediva a Clea di sentirlo. Martini appoggiò lo zaino per terra e si sfilò gli scarponi da trekking per non sporcare il pavimento. Aveva fango ovunque e la mano sinistra era fasciata con delle bende di fortuna, ma continuava a sanguinare. La nascose dietro la schiena e si avviò scalzo verso la cucina.

Come sospettava, Clea era completamente presa dai fornelli e ogni tanto gettava un'occhiata al piccolo televisore appoggiato su un pensile. Martini si avvicinò alle sue spalle. «Ciao» disse cercando di non spaventarla.

Clea si voltò per un istante. «Ciao» gli rispose prima di tornare a concentrarsi sulla tv. «Hai fatto tardi.» La frase era stata gettata lì, senza un vero intento di rimprovero. In realtà, la moglie sembrava pensare ad altro. «Ho provato a chiamarti sul cellulare per tutto il pomeriggio» aggiunse.

Martini si frugò in una tasca del giaccone e tirò fuori l'apparecchio. Il display era spento. «Deve essersi scaricato in montagna e non me ne sono accorto. Scusami.»

Clea non l'ascoltò nemmeno. Sì, il suo tono di voce era diverso, Loris si accorgeva subito quando qualcosa la preoccupava. Si accostò a lei e le sfiorò il collo con un piccolo bacio. Clea allungò una mano per accarezzarlo, ma non perse di vista lo schermo del televisore. «Ad Avechot è scomparsa una ragazzina» disse indicando il telegiornale locale. Il rumore della cappa copriva la voce dello speaker.

Martini si sporse oltre la sua spalla e guardò. «Quando è successo?»

«Poche ore fa, nel pomeriggio.»

«Be', forse è un po' troppo presto per affermare che è scomparsa» disse per rassicurarla.

Clea si voltò per guardarlo, era inquieta. «La stanno già cercando.»

«Magari si è solo allontanata da casa. Avrà litigato coi suoi.»

«Pare di no» ribatté lei.

« I ragazzini a quell'età scappano in continuazione. Io li conosco, ci ho a che fare tutti i giorni. Vedrai, tornerà indietro appena avrà finito i soldi. Tu prendi sempre le cose troppo a cuore. »

« Ha la stessa età di nostra figlia. »

Martini allora comprese da cosa derivava tanta apprensione. Le cinse i fianchi e la tirò a sé, le parlò dolcemente come solo lui sapeva fare. « Ascolta, è solo la notizia di un'emittente locale, se fosse davvero una cosa grave ne parlerebbero tutti i telegiornali. »

Clea sembrò rasserenarsi un poco. « Forse hai ragione » ammise. « Comunque veniva alla tua scuola. »

In quel mentre, apparve sullo schermo l'immagine di un'adolescente coi capelli rossi e le lentiggini. Martini la fissò, poi scosse il capo. « Non è una mia allieva. »

« Cosa hai fatto lì? »

Il professore si era dimenticato della mano fasciata e Clea se n'era accorta. « Oh, niente di grave » minimizzò.

Lei gliela prese per osservare meglio il palmo ferito. « Ma sembra che sanguini parecchio. »

« Sono scivolato lungo un costone, per fermarmi mi sono aggrappato a un ramo che sporgeva dal terreno e mi sono fatto un taglio. Ma è una roba superficiale, niente di che. »

« Perché non vai al pronto soccorso? Magari ci vogliono dei punti di sutura. »

Martini tirò via la mano. « Ma no, non ce n'è bisogno. Non è niente, tranquilla. Adesso pulisco la ferita, cambio la fasciatura e vedrai che andrà a posto da sola. »

Clea incrociò le braccia e lo guardò torva. « Sei il solito testardo, non fai mai come ti si dice. »

Martini scrollò le spalle. « Perché così ti arrabbi e diventi ancora più bella. »

Clea scosse il capo, ma il tentativo di biasimarlo stava per trasformarsi in un sorriso. « Va' a darti una lavata, piuttosto: puzzi come un caprone di montagna. »

Il professore si portò la mano ferita alla fronte e le rivolse un saluto militare. « Agli ordini! »

« E sbrigati ché fra poco si cena » lo ammonì Clea mentre si allontanava verso il corridoio.

In soggiorno, marito e moglie si guardavano in silenzio mentre sulla tavola la cena si stava raffreddando.

« Adesso vado di sopra e mi sente » minacciò Clea.

Il professore allungò la mano per accarezzare quella di lei. « Lascia stare, scenderà fra poco. »

« L'ho chiamata venti minuti fa e poi sei andato anche a bussare alla sua camera. Sono stanca di aspettare. »

Avrebbe voluto dirle che così peggiorava solo le cose, ma aveva sempre timore di intromettersi nelle delicate dinamiche fra madre e figlia. Clea e Monica avevano trovato un modo tutto loro per comunicare. Spesso si scontravano, anche per questioni futili. Ma il più delle volte raggiungevano una specie di tacito armistizio, perché entrambe erano orgogliose ma si doveva pur continuare a vivere sotto lo stesso tetto.

Sentirono la porta della camera della ragazzina che si richiudeva, poi i suoi passi sulle scale. Monica apparve in soggiorno stretta in un cardigan troppo grande, completamente vestita di nero, compresa la matita sotto gli occhi che incattiviva uno sguardo di solito dolcissimo. Forse era per quello che se la metteva, pensò Martini. Spiegava alla moglie che la figlia stava attraversando il suo periodo dark, ma Clea ribatteva che quel periodo durava ormai da un po' troppo. «Sembra una vedova, non la sopporto» diceva. Erano identiche, non solo d'aspetto. Martini ritrovava nell'una il piglio giovanile dell'altra, lo stesso modo di approcciare il mondo.

Monica si sedette a tavola senza degnarli di uno sguardo. A testa bassa, con la frangetta che le ricadeva sugli occhi come un provvidenziale schermo protettivo. Ogni volta i suoi silenzi avevano l'aria di una sfida.

Martini tagliò l'arrosto e servì le porzioni, riservando l'ultima per sé. Intanto cercava di intercettare l'attenzione di Clea perché non attaccasse con una ramanzina, ma dall'espressione di lei si evinceva che era sul punto di esplodere. «Allora, com'è andata oggi?» chiese alla figlia prima che scoppiasse la lite.

«Il solito» fu la laconica risposta.

«Ho saputo che c'è stata un'interrogazione a sorpresa di matematica.»

«Già.» Monica giocava con la forchetta nel piatto,

spostando continuamente il cibo e portando alle labbra solo piccoli bocconi.

«Tu sei stata interrogata?»

«Già.»

«Che voto hai preso?»

«Sei.» Il tono svogliato era volutamente provocatorio, come d'altronde la sterilità delle risposte.

Martini non se la sentiva di condannarla. In fondo, era stata l'unica a non avere voce in capitolo nella faccenda del trasferimento ad Avechot. Né loro le avevano dato troppe spiegazioni sul motivo. Monica non aveva avuto altra scelta che subire l'incomprensibile e assurda decisione dei genitori, ma era troppo furba per non capire che le si chiedeva di pagare il prezzo di una fuga.

La cosa, rammentò Martini.

«Dovresti cercarti qualcosa da fare, Monica» attaccò Clea. «Non puoi stare tutto il pomeriggio a ciondolare nella tua stanza.»

Martini vide che la figlia non rispondeva. Ma la moglie non aveva intenzione di demordere.

«Fa' un'attività, una qualsiasi. Va' a pattinare, iscriviti in palestra, scegli uno strumento musicale.»

«E chi me le paga le lezioni?» Monica aveva sollevato lo sguardo dal piatto e adesso i suoi occhi inchiodavano la madre. Ma Martini sapeva che la frase accusatoria in realtà era diretta a lui.

«Troveremo un modo, vero, Loris?»

«Sì, certo.» La sua risposta, però, non era delle più

incoraggianti. Aveva ragione Monica, col suo stipendio non potevano permetterselo.

«Non puoi stare sempre sola.»

«Posso sempre andare da quelli della confraternita. Lì la frequenza è gratis» ribatté l'altra con pungente sarcasmo.

«Dico solo che hai bisogno di farti degli amici.»

Monica picchiò un pugno sul tavolo, e le stoviglie tintinnarono. «Ce li avevo, gli amici, ma indovina un po'? Ho dovuto abbandonarli.»

«Be', te ne farai presto degli altri» tergiversò Clea. Martini scorse in lei un piccolo cedimento, come se non sapesse come controbattere.

«Io voglio tornare indietro, io voglio tornare a casa» protestò la ragazzina.

«Che tu lo voglia o no, adesso è questa casa nostra.» Ancora una volta, le parole di Clea erano forti ma il tono con cui le aveva pronunciate tradiva debolezza.

Monica allora si alzò da tavola e corse su per le scale, a rintanarsi di nuovo in camera. Poco dopo, dabbasso sentirono la porta che sbatteva. Ci fu un breve silenzio.

«Non ha neanche finito di mangiare» disse Clea osservando il piatto della figlia ancora pieno.

«Tranquilla, più tardi salgo da lei e le porto qualcosa.»

«Io non capisco perché è così ostile.»

Ma Clea lo capiva benissimo, Martini ne era sicuro. Come era convinto che, per ripicca, la figlia avrebbe respinto il cibo che le avrebbe portato. Un tempo non era così. Un tempo lui riusciva a mediare fra madre e figlia. Sentiva comunque di essere lo strano tizio allampanato che viveva con loro due, che si radeva la faccia e non le gambe, che non scattava per un nonnulla una settimana al mese e saltuariamente cercava di dire la propria. Con Monica il ruolo del padre taciturno ma comprensivo aveva sempre funzionato. Poi qualcosa si era spezzato nella loro famiglia.

Però lui era convinto di poterlo riaggiustare.

Si accorse che Clea era sul punto di piangere. Sapeva distinguere quando le venivano le lacrime dal nervoso. Stavolta, invece, erano lacrime di dolore.

È per la ragazzina scomparsa, si disse. Sta pensando che potrebbe capitare anche a nostra figlia, perché lei non la conosce più abbastanza.

Martini si sentì in colpa. Perché era soltanto un professore delle superiori, perché aveva uno stipendio misero, perché non aveva saputo offrire una migliore alternativa di vita alle due donne che più amava al mondo e, infine, per aver rinchiuso la propria famiglia fra le montagne, ad Avechot.

Clea si rimise a mangiare, ma le lacrime iniziarono a scivolarle sulle guance. Martini non voleva più vederla in quello stato.

Sì, avrebbe riaggiustato tutto. Lo giurò a se stesso, avrebbe rimesso ogni cosa a posto.

25 dicembre.
Due giorni dopo la scomparsa.

La mattina di Natale il centro di Avechot era pieno di gente. Sembrava che tutti si fossero decisi a comprare i regali solo all'ultimo momento.

Martini si aggirava fra gli scaffali di una libreria sbirciando i risvolti dei romanzi in cerca di qualcosa da leggere durante le vacanze. Aveva i compiti da correggere ed era indietro con la redazione dei giudizi del trimestre, ma non voleva rinunciare a un po' di tempo per sé. In realtà, in casa c'era ancora molto da fare. Piccoli lavoretti che aveva sempre rimandato e che, era sicuro, Clea gli avrebbe ricordato di portare a termine. Come il gazebo in giardino. Quando avevano scelto di abitare lì, la moglie si era innamorata proprio del piccolo spazio verde dietro la casa. Pensava di coltivarci un orto o di piantare delle rose. Il gazebo era malandato, ma Loris le aveva suggerito l'idea di trasformarlo in una serra. Purtroppo per lui, Clea aveva accolto con troppo entusiasmo la proposta. Si aspettava che non attendesse l'estate per ultimare la ristrutturazione, ma che fosse già pronto durante quello stesso inverno. Gli sarebbero toccate alcune ore là fuori al freddo, ma ne valeva la pena pur di vedere un sorriso di gratitudine sul suo volto.

In quel momento vide Clea che entrava nel negozio e lo cercava spaziando con lo sguardo fra le corsie. Le fece un cenno. La donna portava un sacchetto chiuso con un fiocco e le brillavano gli occhi.

« Allora, li hai trovati? » le domandò quando lo raggiunse.

Lei annuì entusiasta. « Sono proprio quelli che voleva. »

« Bene » approvò. « Così smetterà di odiarci... Almeno per un po'. » Risero. « E tu cosa desideri? »

Lei gli cinse i fianchi con le braccia. « Io ho già avuto il mio regalo. »

« Su, ci sarà pure qualcosa. »

« 'Non possiedo né perseguo alcun piacere. Se non ciò che ho da te o da te io posso avere' » rispose.

« Smettila di citare Shakespeare a sproposito e dimmi cosa vuoi. » Si accorse che il sorriso sul viso della moglie era svanito. Clea aveva scorto qualcosa oltre la sua spalla. Martini si voltò.

A poca distanza da loro, la proprietaria della libreria stava affiggendo dietro la cassa un volantino con il volto della ragazzina scomparsa.

« Non posso immaginare come si sentano i Kastner » diceva a una cliente. « Tutte queste ore senza sapere che fine ha fatto la figlia. »

« Che tragedia » convenne l'altra.

Martini prese delicatamente fra le dita il mento della moglie e la costrinse a voltarsi di nuovo nella sua direzione. « Vuoi che andiamo? »

Lei annuì mordendosi il labbro inferiore.

Poco più tardi, il professore sostava davanti al supermarket accanto a un carrello colmo di prodotti. Avevano approfittato delle offerte natalizie per fare la spesa per almeno un mese. Dopo varie insistenze, Clea si era decisa a dare un'occhiata a un negozio di abbigliamento per scegliersi un regalo. Lui l'attendeva sperando di vederla uscire con qualcosa. Mentre era lì, si fissava la mano sinistra bendata. Gli aveva fatto male tutta la notte ed era stato costretto ad assumere un antidolorifico, ma non era bastato per dormire. Quella mattina aveva cambiato nuovamente la fasciatura, ma avrebbe avuto bisogno di un antibiotico, c'era il rischio che la ferita si infettasse.

Dimenticò la mano perché scorse un viso familiare in lontananza.

Priscilla era seduta sullo schienale di una panchina accanto a un chiosco di hot dog, bighellonava con alcuni amici. Scherzavano ma sembravano annoiati. Martini osservò a lungo la sua allieva più carina. Masticava una gomma e ogni tanto si mangiava anche le unghie. Un ragazzo le disse qualcosa nell'orecchio, lei gli sorrise maliziosa.

« Credo di aver dato fondo a tutta la mia immaginazione per trovare qualcosa che mi piacesse veramente in quel negozio. » Era stata Clea a parlare, ridestando l'attenzione del marito. Gli mostrò un sacchettino rosso. « Tà-dààà » annunciò.

« Cos'è? »

« Una sciarpa di finissima fibra di acrilico. »

Martini le diede un bacio sulle labbra. « Non avevo

dubbi che avresti criticato anche il regalo che ti sei scelta da sola. »

Clea lo prese per la mano sana e spinse il carrello. Sembrava felice.

« Io lo dico sempre: negli affari bisogna saper cogliere le opportunità. » Odevis parlava e intanto ravvivava il fuoco del grande camino di pietra con un attizzatoio.

Loris e Clea erano seduti su uno dei divani bianchi del soggiorno. Ai loro piedi, un tappeto di pelo dello stesso colore e un tavolino di cristallo. Dietro di loro, la tavola era ancora riccamente imbandita con gli avanzi del pranzo di Natale, e le candele rosse poste come ornamento si stavano consumando lentamente. C'era anche un grande albero addobbato, che arrivava fin quasi al soffitto. In generale, tutto in quella casa aveva un aspetto opulento, e anche pacchiano.

« Modestamente, io ho sempre capito dove andavano i soldi » sottolineò il vicino per dare forza alla tesi sostenuta poco prima. « È questione d'istinto. Alcuni ce l'hanno, altri no. »

Martini e la moglie annuirono perché non sapevano che altro dire.

« Ecco il caffè » annunciò la radiosa signora Odevis, portando un vassoio d'argento con le tazzine.

Martini non poté fare a meno di osservare che indossava ancora il collier d'oro e brillanti che il marito le aveva regalato, anche se il contesto avrebbe dovuto suggerirle di non ostentarlo. L'apertura dei pacchi era avvenuta in loro presenza prima di mettersi a tavola. Gli Odevis non si erano curati dell'imbarazzo che ciò avrebbe suscitato negli ospiti. Avevano voluto sfoggiare le loro cose preziose, Martini era in collera ma Clea non gli aveva ancora dato un segnale per andarsene. Chissà perché, si chiese. Forse la moglie ci teneva davvero all'amicizia di quei bifolchi arricchiti.

Mentre conversavano, i figli della coppia, un maschio e una femmina di dieci e dodici anni, giocavano con la consolle dei videogame collegata al grande schermo al plasma. Il volume di un gioco di guerra era troppo alto, ma nessuno gli diceva di abbassarlo. Monica, invece, era sprofondata in una poltrona, con le gambe sollevate sul bracciolo e un paio di nuovissimi anfibi rossi in bella vista. Il regalo di Natale dei genitori non aveva scalfito la sua corazza, e adesso trafficava con il cellulare senza dire una parola da almeno tre ore.

«C'è chi dice che la miniera ha ucciso l'economia della valle, ma è una gran cazzata» proseguì Odevis. «Secondo me, è solo che la gente non ha saputo farsi furba e approfittarne.» Poi si rivolse a Clea. «A proposito, ho sentito che prima di trasferirvi ad Avechot facevi l'avvocato.»

«Sì» ammise lei con un po' di difficoltà. «Lavoravo in uno studio associato in città.»

«E non hai pensato di ricominciare qui?»

Clea evitò di guardare il marito. «È difficile in un posto che non si conosce abbastanza.» La verità era che sarebbe stato troppo costoso aprire uno studio.

« Allora voglio farti una proposta. » L'uomo sorrise alla moglie che lo incoraggiò a proseguire. « Vieni a lavorare per me, c'è sempre bisogno di qualcuno che dia un'occhiata alle scartoffie legali. Saresti perfetta come segretaria. »

Clea, spiazzata, non disse nulla. Era in difficoltà. C'erano stati dei piccoli diverbi col marito perché lei insisteva a cercarsi un lavoro. Martini non voleva che si accontentasse di un posto da commessa, e fare la segretaria non era certo un passo avanti. « Ti ringrazio molto » affermò infine con un sorriso di circostanza. « Ma per adesso preferisco dedicarmi alla casa, c'è ancora così tanto da fare, sembra che i traslochi non finiscano mai. »

In quel momento, Martini si accorse che la figlia si era improvvisamente disinteressata al cellulare e, dopo aver levato gli occhi al cielo in segno di biasimo, l'aveva fissato con un chiaro sguardo di accusa.

La proposta e il rifiuto avevano creato una situazione di disagio fra i presenti. Fu risolta dal provvidenziale squillo del telefono di casa. Odevis andò a rispondere e, dopo aver scambiato un paio di battute con un misterioso interlocutore, riattaccò e s'impadronì del telecomando del televisore al plasma. « Era il sindaco » annunciò. « Mi ha detto di guardare una cosa in tv. » Poi cambiò canale, incurante delle proteste dei figli ancora alle prese con il videogame.

Sullo schermo apparvero i volti provati di Maria e Bruno Kastner.

Il padre della ragazzina scomparsa mostrava all'obiettivo della telecamera una foto della figlia con una tunica bianca e un crocifisso di legno. La madre guardava fisso in camera. «Nostra figlia Anna Lou è una ragazza gentile, chi la conosce sa che ha un gran cuore: le piacciono i gatti e ha fiducia nelle persone. Per questo oggi ci rivolgiamo anche a quelli che non l'hanno conosciuta in questi suoi primi sedici anni di vita: se l'avete vista o sapete dove si trova, aiutateci a riportarla a casa.»

Nel soggiorno degli Odevis, come probabilmente in altre case di Avechot, il clima di festa svanì. Martini si voltò leggermente verso la moglie che, con gli occhi sgranati e pieni di paura, osservava quella donna come se stesse guardando se stessa in uno specchio.

Quando poi Maria Kastner si rivolse direttamente alla figlia, il tepore natalizio evaporò all'istante, lasciando solo un freddo presagio nel cuore di ognuno. «Anna Lou... mamma, papà e i tuoi fratelli ti vogliono bene. Ovunque tu sia, spero che ti giungano la nostra voce e il nostro amore. E quando tornerai a casa, ti regaleremo il gattino che tanto desideri, Anna Lou, te lo prometto... Il Signore ti protegga, piccola mia.»

Odevis spense il televisore e si servì un bicchiere di whisky dal mobile bar. «Il sindaco dice che è già arrivato ad Avechot un pezzo grosso della polizia per coordinare le indagini. Uno di quelli che si vedono spesso in tv.»

«Almeno si muove qualcosa» disse sua moglie. «Non mi è sembrato che le autorità locali si siano impegnate nelle ricerche finora.»

«Quelli sono bravi solo a fare multe.» Odevis ne sapeva qualcosa perché ne aveva prese diverse per eccesso di velocità con la Porsche.

Martini ascoltava e beveva il suo caffè, senza intervenire.

«Comunque» proseguì il vicino. «Io non credo alla storia della santarellina tutta casa e chiesa che si racconta in giro. Secondo me quella Anna Lou aveva qualcosa da nascondere.»

«Ma come fai a dirlo?» Clea era indignata.

«Perché è sempre così. Forse è scappata perché qualcuno l'ha messa incinta. Capita a quell'età, fanno sesso e poi se ne pentono quando è troppo tardi.»

«E allora adesso dove sarebbe, secondo te?» domandò Clea, cercando di smontare una versione così assurda dell'accaduto.

«E io che ne so» affermò l'uomo allargando le braccia. «Poi lei tornerà indietro, e i genitori e quelli della confraternita cercheranno di mettere tutto a tacere.»

Clea afferrò la mano del marito, quella con la fasciatura. La strinse senza curarsi della ferita. Martini sopportò il dolore, non voleva che la moglie litigasse. C'era sempre molto da imparare da gente limitata come Odevis. Infatti, di lì a poco, il vicino compì il proprio capolavoro di logica.

«Io dico che c'entra uno di quegli extracomunitari che ogni tanto vengono da me in cerca di un lavoro. Sia chiaro: non sono razzista. Ma secondo me dovrebbero limitare l'ingresso di persone che vengono

da Paesi in cui il sesso è proibito. Per forza poi vogliono sfogare le proprie necessità sulle nostre figlie. »

Chissà perché i razzisti, prima di parlare, avvertiva-
no sempre l'esigenza di premettere che non lo erano,
pensò Martini. Clea stava per esplodere, ma Odevis si
rivolse provvidenzialmente a lui.

« Tu che ne pensi, Loris? »

Il professore rifletté un momento prima di rispondere. « Qualche giorno fa, quando con Clea com-
mentavamo la notizia, le ho detto che probabilmente
Anna Lou era scappata di casa e che tutto si sarebbe
risolto in poco tempo. Adesso però mi pare che di ore
ne siano trascorse troppe... Insomma, non si può
escludere che alla ragazza sia accaduto qualcosa. »

« Sì, ma qualcosa cosa? » insisté Odevis.

Martini sapeva che ciò che stava per dire avrebbe
aumentato l'ansia di Clea. « Sono un genitore, e un
genitore anche nella disperazione lascia sempre uno
spiraglio alla speranza, però... Però i Kastner dovrebbero cominciare a prepararsi al peggio. »

L'affermazione produsse l'effetto di far tacere tutti.
Non fu tanto l'effetto del senso di quelle parole,
quanto del tono con cui erano state pronunciate da
Martini. Un tono convinto, privo di incertezze.

« Allora l'anno prossimo si rifà? » propose il vicino
che teneva un braccio appoggiato alle spalle della moglie sulla soglia della loro splendida villa pacchiana.

« Certo » affermò il professore senza molta convinzione. Monica era già rientrata in casa mentre lui e Clea si erano fermati a salutare la coppia.

« Bene » disse Odevis. « Allora è deciso. »

Martini e la moglie si avviarono abbracciati. Mentre attraversavano la strada, sentirono la porta che si richiudeva dietro di loro. Clea si allontanò un po' troppo bruscamente dal marito.

« Che c'è? Che ho fatto? »

Lei si voltò, era arrabbiata. « È perché mi ha proposto un lavoro da segretaria, vero? »

« Cosa? Non capisco... »

« Poco fa, quando hai detto quelle cose sulla famiglia di Anna Lou » affermò come se stesse spiegando l'ovvio. « Che i Kastner dovrebbero cominciare a prepararsi al peggio... »

« E allora? È ciò che penso. »

« No, l'hai detto apposta. Hai voluto punirmi perché non sono stata abbastanza decisa nel respingere l'offerta di Odevis. »

« Per favore, Clea, non cominciare, adesso » provò a placarla lui.

« Non dirmi di stare calma! Lo sai benissimo quanto mi ha colpito questa storia. O ti sei dimenticato che abbiamo una figlia di sedici anni e tutto questo sta accadendo nel posto in cui *noi* abbiamo deciso di portarla contro la sua volontà? »

Clea aveva incrociato le braccia e stava tremando, ma Martini capì che non era solo per il freddo. « Va bene, hai ragione. Ho sbagliato. »

La moglie lo guardò in faccia e si accorse che era

sinceramente dispiaciuto. Gli si accostò e appoggiò il capo sul suo torace. Martini la abbracciò per scaldarla. Poi Clea sollevò il mento per cercare il suo sguardo. « Ti prego, dimmi che non pensavi davvero quelle cose. »

« Non le pensavo » mentì lui.

27 dicembre.
Quattro giorni dopo la scomparsa.

Arrivavano in gruppi, oppure da soli. Alcuni avevano portato la famiglia. Era un viavai continuo ma ordinato. Si avvicinavano alla casa e deponevano per terra un gattino di stoffa, di ceramica o di peluche. Sui loro volti si rifletteva il bagliore delle candele. Si raccoglievano in quell'oasi di luce e calore in mezzo al buio e al freddo della sera e trovavano conforto.

Clea aveva visto in tv le immagini del pellegrinaggio spontaneo davanti alla villetta dei Kastner e aveva chiesto subito al marito di accompagnarla. Monica era rimasta a casa, ma aveva offerto uno dei suoi pupazzi preferiti perché la madre lo portasse in dono alla ragazzina scomparsa.

Un gattino rosa di peluche.

Clea e la figlia si erano riavvicinate molto in quei giorni. Era il potere del male che capitava a qualcun altro, pensò Martini. Produceva effetti balsamici sulla vita degli estranei, che così riscoprivano il vero valore delle cose. Per paura di perderle, si affrettavano a custodirle, prima che qualcuno o qualcosa gliele portasse via. I Kastner non avevano fatto in tempo. A loro era toccato l'ingrato compito di essere il principio della catena, di passare il messaggio agli altri.

Il professore sostava in auto a un centinaio di metri

di distanza dalla villetta in cui era cresciuta Anna Lou. Un cordone di polizia impediva ai veicoli di avvicinarsi di più. La gente affluiva a piedi. Clea si era aggregata alla piccola folla e lui l'avrebbe attesa lì.

Con la mano fasciata appoggiata sul volante, Martini osservava la scena attraverso il parabrezza.

C'erano i furgoni dei network e gli inviati dei telegiornali, ciascuno illuminato dal fascio di un piccolo riflettore. Raccontavano il passato e il presente senza conoscere nulla del futuro. Ma era il trucco per ottenere audience, lasciare che su ogni storia aleggiasse sempre un segreto. Reporter, fotografi e cronisti erano accorsi in massa, attratti dall'odore del dolore, che era più forte di quello del sangue, anche perché di sangue ad Avechot ancora non ne scorreva. Il dolore altrui produceva un effluvio strano, era forte e pungente ma anche seducente.

Poi c'era la gente comune. Tanti erano semplici curiosi, ma c'erano anche molti che andavano lì per pregare. Il professore non era mai stato un uomo di fede, perciò si stupiva sempre nel vedere come le persone si affidassero ciecamente a Dio in momenti come quello. Una ragazzina di sedici anni era scomparsa e la sua famiglia era in pena da giorni. Un Dio davvero buono non l'avrebbe mai permesso, eppure era accaduto. Perché allora quello stesso Dio che l'aveva lasciato succedere avrebbe dovuto rimettere le cose a posto? Se pure fosse esistito, non l'avrebbe fatto. Avrebbe lasciato che le cose avvenissero naturalmente. E poiché la natura prevedeva che la creazione fosse preceduta e seguita dalla distruzione, Anna Lou Kastner agli occhi del Signore era sacrificabile. La chiave forse era proprio quella: il sacrificio. Senza sacrificio non esisteva fede, non esistevano martiri. E in fondo, laggiù avevano già iniziato a santificarla.

In quel momento, un gruppo di ragazzi della scuola transitò davanti al fuoristrada bianco. Martini riconobbe Priscilla. Seguiva gli altri con le mani cacciate nelle tasche del parka e la schiena ricurva. Sembrava triste.

Il professore ci pensò un po', poi allungò un braccio per estrarre il portafogli dalla tasca posteriore dei pantaloni. Lo aprì. In uno scomparto c'era il biglietto su cui Priscilla l'ultimo giorno prima delle vacanze aveva scritto il proprio numero di cellulare nella speranza di ricevere da lui preziose lezioni di recitazione. Martini lo fissò. Poi prese il telefonino e cominciò a digitare qualcosa sulla tastiera. Quando ebbe terminato, sollevò ancora lo sguardo sulla ragazzina. Attese.

Priscilla stava chiacchierando con un'amica quando qualcosa richiamò la sua attenzione, probabilmente un suono o una vibrazione. Martini la vide sfilare una mano dalla tasca del parka e osservare a lungo il display del cellulare. Mentre leggeva l'sms, sul suo volto prese forma un'espressione stupita ma anche un po' turbata. Alla fine, Priscilla rimise in tasca l'apparecchio e non disse niente agli altri. Però si vedeva chiaramente che continuava a pensarci.

Nel finestrino del lato passeggero apparve la figura di Clea di ritorno dalla villetta. Martini si sporse per aprirle la portiera. La moglie salì in macchina. « È straziante » disse. « Poco fa i genitori della ragazza sono usciti per ringraziare la gente. Sono tutti commossi, saresti dovuto venire anche tu. »

« Meglio di no » si schermì.

« Hai ragione » convenne lei. « Non è nella tua indole... Però potresti renderti utile lo stesso. »

Martini riconobbe una supplica negli occhi della moglie. « Cos'hai in mente? »

« Ho sentito che organizzano dei gruppi di ricerca in montagna. In questi sei mesi hai girato questi posti in lungo e in largo facendo trekking, no? Quindi potresti... »

« D'accordo » la interruppe lui con un sorriso.

Clea gli gettò le braccia al collo e gli stampò un grosso bacio sulla guancia. « Lo sapevo, sei un brav'uomo. »

Martini mise in moto. Mentre faceva manovra per uscire dal parcheggio, senza che la moglie se ne accorgesse, girò ancora una volta lo sguardo in direzione di Priscilla.

La ragazza aveva ripreso a chiacchierare con gli amici come se niente fosse.

E non aveva risposto al suo sms.

31 dicembre.
Otto giorni dopo la scomparsa.

Le squadre di ricerca seguivano un metodo specifico.

I volontari avanzavano lentamente sul terreno in schiere di massimo venti uomini, distanziati fra loro di almeno tre metri, proprio come i gruppi di soccorso che vanno in cerca di dispersi sotto una valanga. Ma invece di essere dotati di un bastone da infilzare nella neve, loro erano stati istruiti su come usare la vista, spaziando da un angolo all'altro della porzione di suolo di competenza e tracciando con lo sguardo linee immaginarie di un ideale rettangolo chiamato « griglia ».

Lo scopo non era, ovviamente, soltanto trovare un corpo sepolto, per quello c'erano già i cani da cadavere. Dovevano soprattutto individuare una traccia, un indizio che potesse ricondurre alla posizione attuale della vittima.

Anna Lou, però, non era ancora ufficialmente una vittima, pensò Martini mentre procedeva appaiato con gli altri lungo un pendio in mezzo al bosco. Tuttavia lo era diventata, era come una promozione guadagnata sul campo. La gente ormai era convinta che non fosse più possibile un esito positivo. E, in fondo, tutti un po' cinicamente ci speravano. Un finale drammatico è ciò che il pubblico veramente si aspetta. Vogliono tutti essere sconvolti.

Il professore prendeva parte alle operazioni ormai da qualche giorno. Le squadre erano sempre guidate da un membro della polizia. Per non far mai calare il livello di concentrazione, gli uomini si davano il cambio ogni trenta minuti. I turni di ricerca duravano quattro ore in tutto.

L'ultimo giorno dell'anno, a Martini era toccato il turno del primo pomeriggio. Era il più breve, perché verso le tre il sole calava inesorabile dietro le montagne, decretando la fine di ogni attività esplorativa per i volontari, che non avevano attrezzature per la visione notturna.

Le prime volte le ricerche erano avvenute in quasi totale silenzio, con gli uomini attenti a non farsi sfuggire nulla. In seguito, però, si era instaurato un pericoloso clima di cameratismo, per cui alcuni si erano sentiti autorizzati a fare conversazione o, peggio, a portare cibo o birra come se si trattasse di una scampagnata. Nonostante questo, nessuno se la sentiva di fermarli.

Neanche a dirlo, di Anna Lou Kastner nessuna traccia. Così come del suo fantomatico rapitore.

Per tenere fede alla parola data alla moglie di svolgere al meglio il proprio compito, Martini non aveva socializzato con nessuno. Se ne stava sempre sulle sue, senza nemmeno scambiare opinioni con gli altri, perché spesso somigliavano a pettegolezzi.

Quel giorno si accorse che c'era un clima diverso. Tutti profondevano un impegno notevole. La ragione era la presenza di Bruno Kastner. Il padre della ragazzina scomparsa aveva già preso parte alle ricerche, ma non si erano mai incrociati. Dopo aver presenziato a una funzione nella sala delle assemblee della confraternita, l'uomo si era unito all'ultimo gruppo. Osservandolo, Martini notò che, nonostante fosse provato dalla tensione, era anche animato da un'incredibile forza interiore. Non aveva paura di trovare un segno che sancisse la fine delle speranze per la figlia. Ma forse per lui sarebbe stata anche una liberazione. Il professore si chiese come si sarebbe comportato al posto suo. Non c'era una risposta per quel dubbio, bisognava provare sulla propria pelle la sensazione lacerante della perdita.

Al termine delle operazioni, i volontari fecero ritorno al campo base. Nello spiazzo in mezzo ai boschi era stata istallata una tenda in cui i capigruppo si recavano a turno per fare rapporto. Le zone già esplorate venivano smarcate su una grande mappa. Alcune, specie quelle più impervie, richiedevano un ulteriore passaggio delle squadre. Poi si procedeva a stilare il programma per il giorno successivo.

I volontari avevano parcheggiato i propri veicoli a poca distanza e si apprestavano a tornare a casa. Martini era appoggiato al cofano del fuoristrada bianco e si sfilava gli scarponi infangati.

«Allora, ascoltatemi tutti» disse ad alta voce il capogruppo attirando l'attenzione dei presenti che gli si fecero subito intorno. «Ho parlato con la sala operativa a valle, dicono che le previsioni meteo sono pessime. Da stanotte pioverà per almeno quarantotto ore, perciò dobbiamo sospendere fino al due gennaio. »

Gli uomini non la presero bene. Alcuni avevano fatto parecchi chilometri per trovarsi lì, lasciando la famiglia e pagando le spese di tasca propria. Era un colpo al loro morale.

Il capogruppo cercò di placare i malumori. « Lo so che per voi non sarebbe un problema, ma le condizioni del terreno diventeranno proibitive nelle prossime ore. »

« Il fango coprirà le tracce » fece notare qualcuno.

« Oppure le rivelerà » ribatté il capogruppo. « A ogni modo, non possiamo svolgere al meglio il lavoro se ci sono delle limitazioni: sarebbe una fatica inutile e dannosa, credetemi. »

Alla fine, era riuscito a convincerli. Martini li vide tornare mestamente alle proprie auto. Ma notò che lungo il tragitto si soffermavano in un capannello.

In mezzo c'era Bruno Kastner.

Gli passavano accanto, uno alla volta, per stringergli la mano o dargli una pacca silenziosa sulla spalla. Il professore avrebbe potuto unirsi a loro e portare a quel padre la propria solidarietà, ma non lo fece. Se ne rimase accanto al fuoristrada. Poi, senza che nessuno facesse caso a lui, montò a bordo e se ne andò per primo.

Era in corridoio in accappatoio e ciabatte e stava bussando insistentemente alla porta del bagno da almeno dieci minuti. Dall'interno proveniva solo il suono distorto di una canzone rock, ma nessuna risposta. Martini iniziava a perdere la pazienza. «Allora, quanto ti ci vuole ancora?» Si accorse di Clea che saliva le scale con una pila di biancheria pulita fra le braccia. «È chiusa lì dentro da un'ora» le fece notare. «Cosa diavolo si fa in bagno in così tanto tempo?»

La moglie sorrise. «Ci si fa belle, scemo.» E poi aggiunse, a bassa voce: «L'hanno invitata a una festa stasera».

Martini rimase sorpreso. «Chi l'ha invitata?»

«Che t'importa, è un buon segno, no? Comincia a farsi degli amici.»

«Allora vorrà dire che passeremo la fine dell'anno da soli?»

«Hai in mente qualche programmino, professore?» chiese ammiccante e poi procedette verso il ripostiglio.

«Una pizza e una bottiglia di vino possiamo ancora permettercele.»

E mentre Clea gli passava accanto con le mani occupate, approfittò per pizzicarle il sedere.

Monica uscì di casa verso le otto. Era sempre vestita di nero, ma almeno quella sera si era concessa una gonna. Vedendola così, Loris Martini di colpo si rese conto che la figlia presto sarebbe diventata una donna adulta. Sarebbe accaduto da un giorno all'altro, senza preavviso. La bambina che si accoccolava fra le sue braccia durante i temporali non avrebbe più chiesto la sua protezione. Ma lui sapeva che ne avrebbe avuto sempre bisogno. Doveva solo trovare un modo per accudirla senza che lei se ne accorgesse.

Mentre Clea era sotto la doccia, Martini fece una corsa alla pizzeria all'angolo per ordinare due capricciose da asporto. Tornò a casa e trovò la moglie sul divano, con un morbido pigiama di flanella e un plaid sulle gambe. «Credevo che fosse una seratina pericolosa e non da coccole» protestò.

Clea allora fece scivolare in basso la zip del pigiama, mostrandogli la biancheria nera di pizzo che indossava sotto. «Non bisogna mai fermarsi alle apparenze.»

Le si avvicinò e, dopo aver appoggiato le pizze su un tavolino, la baciò afferrandole il volto con entrambe le mani. Poi, dopo un lungo scambio di sapore e calore, lei, senza dire una parola, lo condusse al piano di sopra, in camera loro.

Da quanto tempo non facevano l'amore così? Il professore se lo chiese mentre fissava il soffitto disteso sul letto accanto a lei, erano nudi. Certo, c'erano stati altri momenti di sesso dopo *la cosa*. Ma quella era la prima volta che lui non ci aveva pensato mentre lo facevano. Era stato complicato ritrovare una complicità o anche semplicemente la voglia di farlo. All'inizio facevano l'amore con rabbia, come per vendetta. Era diventato un modo per rinfacciarsi l'accaduto senza dover litigare. Alla fine, erano sempre stremati.

Ma quella sera era stato diverso.

« Tu pensi che nostra figlia sia felice? » chiese Clea di punto in bianco.

« Monica è un'adolescente. Gli adolescenti sono tutti affranti. »

« Non mi basta una battuta come risposta » lo rimproverò. « Hai visto stasera com'era contenta quand'è uscita? »

Aveva ragione, in casa si era respirata un'euforia che mancava da tanto. « Ho capito una cosa da ciò che è successo a quella ragazzina, Anna Lou. » Clea si fece più attenta, notò. « Cioè che c'è sempre poco tempo a disposizione per conoscere i propri figli. Adesso quei genitori, i Kastner, si staranno sicuramente domandando in cosa hanno sbagliato, qual è stato l'errore che li ha portati a questa sofferenza, in quale momento della loro vita passata è avvenuta la piccola deviazione che li ha condotti fin qui... La verità è che non abbiamo il tempo per chiederci se i nostri figli sono felici, perché c'è qualcosa di più importante da fare: domandarci se siamo felici noi per loro e assicurarci che i nostri sbagli non gli ricadano addosso. »

Clea forse si sentì chiamare in causa, ma non lo diede a vedere. Invece lo baciò ancora, grata per quel pensiero.

Poco dopo erano seduti seminudi al tavolo della cucina, mangiando pizza fredda e bevendo in bicchieri spaiati un vino rosso che il professore teneva da parte per un'occasione simile. Loris le raccontava aneddoti sui colleghi di scuola e gli studenti solo per farla ridere. Sembravano tornati ai tempi dell'università, quando alla fine del mese finivano i soldi e si ritrovavano a condividere una scatoletta di tonno nel monolocale in cui erano andati a convivere.

Dio quanto amava sua moglie, avrebbe fatto qualsiasi cosa per lei. *Qualsiasi.*

Erano talmente uniti quella sera, che non si accorsero che era passata mezzanotte e l'anno nuovo era cominciato. Fu la pioggia scrosciante a riportarli alla realtà.

«Voglio chiamare Monica» disse Clea alzandosi da tavola e prendendo il cellulare. «Con quest'acquazzone forse è necessario che tu la vada a prendere.»

La ragazza dell'università tornò così a essere la moglie e la madre che era diventata negli anni. Martini assistette alla trasformazione mentre lei attendeva in silenzio una risposta dall'altro capo del telefono. Poi la vide stringersi in quel suo vecchio cardigan che lei gli aveva requisito e che adesso usava solo in casa. Non aveva freddo, ma paura.

«Non riesco a prendere la linea» disse con un po' di apprensione.

«È passata da poco mezzanotte, tutti staranno chiamando per farsi gli auguri. Ci sarà un sovraccarico della rete, è normale.»

Clea, però, non lo ascoltò e provò ancora, e ancora. Senza successo. «E se le fosse accaduto qualcosa?»

«Adesso, però, sei paranoica.»

«Allora chiamo il posto dove si tiene la festa.»

Martini la lasciò fare. Clea trovò il numero e telefonò. «Come non si è vista?» La frase le era uscita con un tono straziante. Mentre la mente elaborava una serie di scenari catastrofici, l'espressione del suo volto mutò rapidamente in un crescendo di emozioni negative. E, dopo aver riattaccato, l'ansia si era trasformata in terrore.

«Dicono che non si è fatta vedere.»

«Adesso calmati e ragioniamo su dove può essere andata» disse Martini, ma quando provò ad avvicinarsi a lei fu respinto indietro con un gesto perentorio della mano.

«Devi trovarla, Loris. Promettimi che la troverai.»

Si mise in macchina e girò per Avechot senza sapere dove andare. Il temporale che imperversava sulla valle aveva svuotato le strade da pedoni e passanti. L'acqua gli impediva persino di vedere bene perché i tergicristalli del fuoristrada non ce la facevano a spazzare il parabrezza.

Presto si rese conto che Clea l'aveva contagiato con la propria agitazione. Anche lui si ritrovò a fare un macabro accostamento fra Monica e Anna Lou.

No, non è possibile, si disse cercando di scacciare l'idea dalla mente.

Erano trascorsi appena venti minuti da quando era uscito di casa, ma sembravano un'eternità. Di lì a poco la moglie avrebbe chiamato per avere notizie, ne era sicuro. E lui non aveva niente da dirle.

Monica scomparsa nel nulla. La polizia che dirama

un'allerta. I telegiornali che danno la notizia. Le squadre di ricerca nei boschi.

No, non capiterà. Non a lei.

Ma il mondo era pieno di mostri. Insospettabili mostri.

Pensò al padre di Anna Lou, lo rivide mentre riceveva pacche d'incoraggiamento sulla spalla. Rivide il suo sguardo consapevole. Perché un genitore sa sempre la verità, anche se gli è impossibile ammetterla. Quella mattina aveva provato a mettersi nei suoi panni, senza riuscirci. E adesso?

Devo trovarla. L'ho promesso. Non posso perdere Clea. *Non di nuovo.*

Doveva rimanere lucido, ma era quasi impossibile. Allora gli venne l'idea di tornare al punto di partenza. La festa.

Dopo cinque minuti si presentò davanti alla porta del villino privato da cui provenivano suoni attutiti, una musica potente e ritmata. Si attaccò al campanello, bussò più volte per farsi aprire. Intanto la pioggia gelida gli inzuppava capelli e vestiti. Quando finalmente qualcuno si accorse di lui, entrò con rabbia nella casa.

Nel soggiorno c'erano almeno una sessantina di ragazzi, assiepati. Alcuni ballavano, altri erano stravaccati sui divani. Il volume era troppo alto per riuscire a parlare, ma l'alcol rendeva tutti più rilassati. La penombra e un denso fumo di sigarette gli impedivano di scorgere un volto familiare.

Finalmente riconobbe un paio dei suoi studenti.

Uno era Lucas, l'alunno ribelle col teschio tatuato dietro l'orecchio.

« Professore, buon anno! » lo accolse quando Martini si avvicinò, e gli soffiò in faccia il proprio alito di liquore.

« Hai visto mia figlia? »

L'altro finse di pensarci su. « Vediamo... Com'è fatta? Può descrivermela? »

Martini si cacciò una mano in tasca e recuperò una foto di Monica dal portafoglio. « È questa, la conosci? »

Lucas prese la fotografia e cominciò a studiarla. « È carina » disse per provocarlo. « Forse era qui stasera. »

Martini, però, non aveva voglia di scherzi. Lo afferrò per la maglietta sudata, spingendolo con violenza contro il muro più vicino. Non aveva mai avuto una simile reazione, non in pubblico almeno. Alcuni si voltarono nella loro direzione.

« Ragazzi, c'è una rissa! » annunciò una voce e parecchi dei presenti si radunarono intorno a loro.

Il professore, però, aveva lo sguardo puntato solo negli occhi di Lucas. « Allora, l'hai vista o no? »

Il ragazzo non era abituato a farsi trattare così, era evidente che in lui cresceva la voglia di reagire all'affronto. Invece disse, con un sorriso minaccioso: « Potrei denunciarla per questo ».

Lui non si fece intimidire. « Non te lo ripeterò di nuovo. »

Con un gesto secco, Lucas si scrollò di dosso le mani del suo professore. «Sì, so dov'è» ammise. Poi aggiunse, trionfante: «Ma non le piacerà».

Aveva smesso di piovere quando Martini giunse nei pressi della casa. Le luci all'interno erano spente. Il suono del campanello riecheggiò nel silenzio totale. Poco dopo, qualcuno accese una lampada in corridoio.

Martini vide la scena attraverso i vetri smerigliati della porta; sembrava un miraggio, o un brutto sogno.

Un ragazzo a torso nudo e con il torace perfettamente liscio gli aprì la porta. Era scalzo e indossava solo i pantaloni di una tuta. Dietro di lui, da una stanza, fece capolino Monica. Era vestita, ma i capelli spettinati raccontavano un'altra storia.

Mentre tornavano a casa sul fuoristrada, nessuno dei due disse una parola per molto tempo. Martini si era limitato a comunicare alla moglie per telefono che era tutto a posto, che stava rientrando con la figlia, ma non aveva voluto aggiungere altro.

«La festa era una pizza, così siamo venuti via» si giustificò la ragazza. Il padre taceva. «Ci siamo addormentati e abbiamo perso la cognizione del tempo. Mi dispiace.»

Martini stringeva lo sterzo con rabbia, incurante del dolore alla mano fasciata. «Hai fumato?» chiese duramente.

«Cosa intendi?»

«Lo sai cosa intendo. Era erba?»

Lei scosse il capo, ma sapeva che mentire era inutile. «Non lo so cos'era, ma giuro che non è successo altro.»

Martini cercava di rimanere calmo. «Comunque, adesso te la vedrai con tua madre.»

Quando parcheggiò il fuoristrada bianco nel vialetto, Clea era sulla soglia, stretta nel cardigan. Monica scese per prima dall'auto. Il padre la guardò correre verso casa. La madre allargò le braccia, stringendola a sé. Era un abbraccio liberatorio. Martini rimase a osservare la scena da dietro il parabrezza, senza il coraggio d'interrompere il momento con la propria presenza. Ripensò a ciò che era capitato alla sua famiglia appena sei mesi prima, quando era stato sul punto di perdere tutto.

La cosa.

No, non sarebbe successo. Mai più.

3 gennaio.
Undici giorni dopo la scomparsa.

Le previsioni erano azzeccate. La pioggia non aveva
dato tregua per due giorni interi.

Ma il terzo mattino era illuminato da un sole pallido che se ne stava acquattato dietro una sottile coperta di nuvole biancastre.

Martini aveva deciso che era il giorno giusto per dedicarsi al gazebo in giardino. Aveva intenzione di distrarre Clea dalla storia della ragazzina scomparsa e ri-
spolverare l'idea di un orto e di una serra gli sembrava
la mossa più azzeccata. La moglie non aveva niente da
fare e riempiva le proprie giornate con la visione di
programmi che si occupavano ossessivamente della vicenda di Anna Lou Kastner. In mancanza di una verità
ufficiale e accertata, ognuno si sentiva autorizzato a riferire la propria versione. In tv ormai non si parlava
d'altro. E non erano solo gli esperti a pronunciarsi,
spesso venivano invitati starlette o personaggi del
mondo dello spettacolo. Era indecente. Si formulava-
no le ipotesi più assurde e fantasiose, gli aspetti più insignificanti della storia di Anna Lou venivano seziona-
ti, analizzati e discussi come se da un momento all'altro
proprio da lì potesse scaturire la soluzione dell'enigma.

L'impressione era che il circo di chiacchiere potesse
andare avanti all'infinito.

Ormai in casa del professore si viveva col costante sottofondo del televisore acceso, per questo quel mattino era salito in auto ed era andato in ferramenta. Aveva acquistato un rotolo di tela plastificata e uno di lamiera modellabile, nonché una serie di bulloni e dadi e delle morse di acciaio per bloccare i tiranti. Mentre caricava tutto nel capiente bagagliaio del fuoristrada, Martini era stato distratto da un suono.

Il graffio sull'asfalto di uno skate.

Si voltò e vide Mattia che transitava a pochi metri da lui. «Mattia!» Alzò il braccio per salutarlo.

L'allievo non si era accorto di lui ma quando lo vide ebbe una reazione strana. Prima rallentò l'andatura, poi accelerò, allontanandosi.

Martini sospirò perché proprio non capiva quel ragazzo. Quindi si rimise in macchina per tornare a casa.

Di solito percorreva una strada esterna al paese, una specie di circonvallazione che gli permetteva di evitare il centro. Generalmente il traffico era abbastanza scorrevole, ma quel mattino si trovò davanti una colonna di macchine che procedevano a rilento. Forse c'era stato un incidente, spesso capitava all'altezza dell'incrocio più avanti. Infatti dopo un po' gli sembrò di notare i lampeggianti di un'autopattuglia della polizia. Man mano che avanzava, però, non riusciva a scorgere alcun veicolo danneggiato.

Non si trattava di un incidente. C'era un posto di blocco.

Era frequente in quei giorni ad Avechot. Accadeva per via del caso della ragazzina scomparsa. A parte esasperare la popolazione, Martini non comprendeva il senso di quei controlli. Era un po' come chiudere la stalla quando sono scappati i buoi, pensava. Però nutriva il sospetto che i poliziotti, con il mistero che s'infittiva ogni giorno di più e l'incalzante attenzione dei media, dovevano pur dimostrare all'opinione pubblica di fare qualcosa.

Gli automobilisti in coda non avevano strade secondarie per evitare il blocco e sarebbe risultato troppo sospetto fare un'inversione di marcia. Così anche Martini si rassegnò e attese con pazienza che arrivasse il proprio turno. Ma mentre avanzava lentamente, in lui cresceva un'ansia particolare. Formicolio alla punta delle dita, uno strano senso di vuoto nello stomaco.

«Buongiorno, può favorirmi i documenti?» disse l'agente in divisa chinandosi davanti al finestrino aperto.

Il professore aveva già preparato l'occorrente e gli porse la patente e il libretto di circolazione.

«Grazie» gli disse l'altro per poi allontanarsi verso l'autopattuglia.

Martini rimase a osservare la scena. I poliziotti erano solo in due. Il secondo se ne stava in mezzo alla carreggiata con una paletta con cui indicava alle vetture di accostare. L'agente con cui aveva parlato era salito in macchina e stava dettando gli estremi dei documenti alla radio, Martini poteva vederlo chiaramente attraverso il lunotto. Ma, dopo un po', cominciò anche a domandarsi perché ci mettesse così tanto. Forse era solo un'impressione, forse capitava a tutti quelli che venivano fermati, ma in lui si fece strada lo stesso il sospetto che ci fosse qualcosa che non andava.

Finalmente, l'agente scese dall'autopattuglia e tornò verso di lui. «Signor Martini, potrebbe seguirci per favore?»

«Che succede?» chiese, forse un po' troppo allarmato.

«Solo una formalità, ci vorranno pochi minuti» rispose l'altro con gentilezza.

L'avevano scortato fino alla piccola stazione di polizia di Avechot. Lì l'avevano fatto accomodare in una specie di archivio. A parte gli schedari e i fascicoli ordinati sugli scaffali, nella stanza era stato accantonato di tutto. Vecchi computer ormai in disuso, lampade, materiale di cancelleria, persino un rapace impagliato.

C'erano un tavolo e due sedie. Il professore continuava a osservare quella vuota davanti a lui, domandandosi chi l'avrebbe occupata. Erano già trascorsi quaranta minuti da che era lì e ancora non si vedeva nessuno. Il silenzio e l'odore di polvere erano snervanti.

La porta si aprì improvvisamente e Martini vide entrare un uomo sulla trentina, in giacca e cravatta. Aveva in mano il libretto di circolazione del fuoristrada e la sua patente. L'aspetto era mite e gli sorrise. «Mi scusi se l'ho fatta aspettare, sono l'agente Borghi.»

Martini strinse la mano che l'altro gli stava tendendo e davanti alla sua cortesia si rilassò un poco. «Non c'è problema.»

Borghi si accomodò sulla sedia vuota e appoggiò i documenti sul tavolo, dando una scorsa veloce come se non avesse avuto modo di controllarli prima. «Allora signor... Martini» disse leggendo il suo nome.

Il professore si domandò se fosse solo una finta per dimostrargli che non c'era nulla da temere, perché sapeva già da prima come si chiamava. «Sì, sono io» confermò.

«Immagino si sarà chiesto perché l'abbiamo fermata. Facciamo controlli a campione, ci sbrigheremo in pochi minuti.»

«È per la ragazzina scomparsa...»

«La conosce?» domandò l'altro, secco.

«Ha la stessa età di mia figlia e viene alla scuola dove insegno, ma onestamente non mi ricordo di lei.»

Il giovane agente fece una pausa e Martini ebbe l'impressione che lo stesse studiando. Poi Borghi riprese a parlare con la solita cordialità. «Le sto per fare una domanda da sbirro» sorrise. «Dov'era il ventitré dicembre alle diciassette?»

«In montagna» rispose prontamente. «Ho fatto un'escursione di diverse ore. Sono tornato a casa per cena.»

«Scalatore?»

«No, appassionato di trekking.»

Borghi fece una smorfia di approvazione. «Accidenti. E in che zona è stato il ventitré?»

«Sono salito al passo e poi ho scelto un percorso sul versante est.»

« E c'era qualcuno con lei? Un amico, un cono-scente? »

« No, nessuno. Mi piace camminare da solo. »

« Allora qualcuno che l'ha vista, un altro escursio-nista, un cercatore di funghi o comunque qualcuno che può confermare dove si trovava... »

Martini ci pensò un po' e disse: « Non mi sembra di aver incrociato nessuno il ventitré ».

Borghi fece un'altra pausa. « Cosa ha fatto alla mano? »

Martini si guardò la fasciatura alla mano sinistra, come se se ne fosse dimenticato. « Sono scivolato pro-prio quel giorno. Ho messo un piede in fallo e per frenare la caduta mi sono aggrappato istintivamente a un ramo che sporgeva dal terreno. Fa un po' fatica a guarire. »

Borghi lo studiò di nuovo. Martini avvertì un sen-so di disagio. Poi l'agente sorrise ancora. « Bene, ab-biamo finito » gli disse restituendogli i documenti.

Martini era sorpreso. « Tutto qui? »

« Le avevo detto che ci saremmo sbrigati in pochi minuti, no? »

L'agente si alzò e lo stesso fece Martini. Si strinsero la mano.

« Grazie per il suo tempo, professore. »

Quella sera per cena Clea aveva preparato pollo ar-rosto e patatine fritte, il piatto preferito della fami-glia. Quando qualcosa non andava o quando volevano premiarsi, i Martini si sedevano intorno a un bel pollo.

Non conosceva il motivo per cui la moglie avesse scelto proprio quel menu, forse era per festeggiare la ritrovata serenità con Monica. Lui non le aveva raccontato l'episodio di capodanno, sperava che lo facesse la figlia. La ragazza non ne aveva il coraggio, ma i sensi di colpa avevano portato a un riavvicinamento con la madre.

Mentre mangiavano, in casa c'era un'atmosfera nuova. Finalmente qualcuno a tavola chiacchierava allegramente. L'argomento erano i vicini. Gli Odevis erano oggetto di divertito scherno, Clea e Monica ridevano di loro e non la smettevano di parlare. Per fortuna, pensò Martini. Così nessuno si sarebbe accorto del fatto che invece lui era così silenzioso.

Dopo essere uscito dalla stazione di polizia, aveva guidato fino a casa con un senso di rilassatezza. Ma, col passare delle ore, strane domande avevano iniziato a prendere forma nella sua testa. Perché l'avevano lasciato andare così presto? Doveva credere davvero che la gentilezza dell'agente Borghi fosse autentica? La circostanza che non avesse modo di provare il proprio «alibi» per il giorno della scomparsa li aveva insospettiti?

Dopo cena provò a correggere dei compiti in classe, ma la mente continuava a distrarsi. Verso le undici se ne andò a letto, consapevole che il sonno avrebbe tardato ad arrivare.

Andrà tutto bene, si disse mentre s'infilava sotto le coperte. Sì, andrà bene.

« *Scalatore?* »

« *No, appassionato di trekking.* »

« *Accidenti. E in che zona è stato il ventitré?* »

« *Sono salito al passo e poi ho scelto un percorso sul versante est.* »

« *E c'era qualcuno con lei? Un amico, un conoscente?* »

« *No, nessuno. Mi piace camminare da solo.* »

« *Allora qualcuno che l'ha vista, un altro escursionista, un cercatore di funghi o comunque qualcuno che può confermare dove si trovava...* »

« *Non mi sembra di aver incrociato nessuno il ventitré.* »

« *Cosa ha fatto alla mano?* »

Vogel interruppe il video dell'interrogatorio. Sullo schermo rimase il primo piano del professore. L'agente speciale si voltò verso Borghi e la Mayer. « Niente alibi e una ferita alla mano » affermò trionfante.

« Ma quest'uomo non ha macchie nel passato, nessun precedente che possa farci ritenere che sia capace di un atto violento » obiettò la procuratrice.

Dopo aver visionato tutti i video di Mattia, Vogel si era convinto che il ragazzo gli avesse realmente fornito la pista che cercavano. Era il suo supertestimone. Lui e la madre erano stati portati in una località protetta.

Poi si erano messi subito sulle tracce del professore. Nelle ultime settantadue ore non l'avevano praticamente mai perso di vista. Gli uomini lo avevano osservato a distanza, filmandolo in segreto e annotando ogni suo comportamento. Non era emerso nulla di anomalo, ma Vogel non si aspettava certo di trovare subito la prova schiacciante per arrestarlo. E poi in questi casi era necessario anche dare una piccola spinta alle cose. Per questo aveva organizzato il finto posto di blocco di quella mattina. Prima però, aveva fatto uscire Mattia dal suo rifugio e gli aveva spiegato esattamente cosa fare quando avesse visto il professore per strada. Gli serviva un riconoscimento facciale.

Mentre fuori dal negozio di ferramenta Martini si domandava perché il ragazzo fuggisse alla sua vista, da un'autocivetta Vogel analizzava ogni espressione del suo volto.

Portarlo alla piccola stazione di polizia e farlo aspettare per quaranta minuti da solo in un archivio polveroso era stato un modo per metterlo sotto pressione. Borghi, dal canto suo, aveva recitato bene la propria parte. Era stato gentile, si era accontentato delle risposte. Ma le domande non erano state pensate per far cadere in contraddizione l'interrogato, bensì per instillare un dubbio.

Tutto questo avrebbe portato dei frutti nelle ore successive, Vogel ne era convinto.

La Mayer un po' meno. «Sa quanti di quelli che abbiamo interrogato informalmente in questi giorni non avevano un alibi credibile per il ventitré dicembre? Dodici. E quattro di loro hanno anche dei precedenti.»

Vogel si aspettava lo scetticismo della procuratrice. Invece per lui il professor Loris Martini era il profilo ideale. «L'invisibilità è un talento» affermò. «Richiede autocontrollo, e grande disciplina. Sono convinto che, nella sua mente, il professor Martini abbia già commesso azioni indicibili, chiedendosi ogni volta se davvero ne sarebbe stato capace. Ma non si nasce mostri. È come con l'amore: ci vuole la persona giusta... Quando ha incontrato Anna Lou, ha capito finalmente quale fosse la propria natura. Si è innamorato della propria vittima.»

Borghi assisteva allo scambio di battute senza commentare. Se avesse dovuto dar retta al proprio istinto, avrebbe giurato che il professore era apparso fin troppo tranquillo durante il loro incontro.

«L'ha detto anche lei tempo fa che probabilmente Anna Lou conosceva il proprio rapitore e non ha avuto problemi a seguirlo» affermò la Mayer. «Qui invece non abbiamo la certezza che i due si conoscessero.»

«Martini insegna nella stessa scuola della ragazza. Di vista lei lo conosce di sicuro.»

«Forse Anna Lou sapeva chi fosse, ma si sarebbe anche fidata di lui? Ci vuole molto più di una conoscenza superficiale per convincere una ragazzina a salire su un'auto quando fuori è buio. Specie poi se la ragazzina in questione è stata educata a ridurre al minimo i propri contatti con gli estranei alla confraternita... e non mi sembra che questo professor Martini ne faccia parte. »

« E i video di Mattia come se li spiega? »

« Quelle immagini non sono ancora una prova e lei lo sa bene. »

Ma lo diventeranno, pensò Vogel. E diede ancora un'occhiata al fermo immagine del volto dell'uomo.

Sì, il professor Martini era perfetto.

5 gennaio.
Tredici giorni dopo la scomparsa.

La luce giallognola del crepuscolo formava una specie di aura azzurra intorno al profilo delle montagne.

Il professore guidava sulla statale. Accanto a lui, la moglie. Il riscaldamento del fuoristrada era acceso e brontolava un po', però nell'abitacolo c'era un piacevole tepore. Clea aveva smesso di conversare già da qualche minuto e sembrava godersi il torpore di quell'atmosfera rilassata. Martini ogni tanto si voltava verso di lei, Clea accoglieva il suo sguardo con un sorriso. « Hai avuto una buona idea » disse. « Era da tanto che non andavamo al lago. »

« Dall'estate scorsa » le rammentò. « Ma trovo che d'inverno sia più affascinante. »

« Concordo. »

Avevano passato l'intera giornata su un laghetto ad alta quota. Per raggiungerlo era necessaria una camminata di un paio d'ore. Non era un percorso impegnativo, come quelli in cui di solito si cimentava lui. Clea non era allenata e l'aveva scelto apposta. Nel bosco fiumiciattoli e torrenti s'intersecavano col sentiero che veniva ripulito di frequente per permettere agli escursionisti di raggiungere la meta. L'anomala assenza di neve in quella stagione facilitava la salita. Il premio, una volta arrivati in cima, era la visione di una piccola valle circondata da cime rocciose, a pochi passi da un enorme ghiacciaio. Ai piedi di questo, uno specchio d'acqua limpidissimo, la cui superficie era striata da lievi bagliori dorati. Tutt'intorno, una selva di piante di rododendro che d'estate esibivano un'intensa fioritura rossa. Accanto al laghetto, c'era un rifugio dove si potevano gustare piatti tipici della zona. Il menu era fisso e constava di tre sole pietanze. Ma Martini e la moglie ci andavano soprattutto per la zuppa di legumi e pane nero. Le ore erano trascorse velocemente e, quando erano ridiscesi per mettersi in macchina, era quasi buio.

«A cosa pensi?» chiese Clea. La domanda sembrava del tutto innocua.

«A nulla.» Era sincero. I pensieri che l'avevano angosciato anche il giorno prima se n'erano andati e adesso era di nuovo tranquillo. Però non le aveva detto del posto di blocco e di quella specie d'interrogatorio che aveva subito.

«Dovresti tagliarti i capelli» disse lei, passandogli una mano nella coltre di ricci castani.

A Martini piacevano le piccole attenzioni della moglie. Gli davano l'idea che avesse ancora voglia di occuparsi di lui. «Hai ragione, domani vado dal barbiere.»

Erano felici, ma anche stanchi. L'idea di tornare a casa e di una bella doccia allettava entrambi. Martini però si accorse che sul cruscotto si era accesa la spia del carburante. «Devo fare rifornimento.»

« Non puoi rimandare a domani? » chiese Clea che proprio non aveva voglia di fermarsi.

« Purtroppo no. »

Dopo una decina di chilometri, avvistò una stazione di servizio. Quando svoltò, però, si accorse che era piena di auto e camper di villeggianti. Strano, perché in quel posto di solito non c'era mai nessuno. La ragazzina scomparsa, pensò. Sono venuti qui a curiosare.

C'era un clima di festa, erano accorsi anche in comitiva e il vociare della gente e dei bambini era quasi insopportabile. Quando venne il loro turno, Martini provvide da solo alla postazione self-service. Poi si recò all'interno dell'autogrill per pagare. Si mise in fila davanti alla cassa. Una solerte e giovane impiegata cercava di accelerare le operazioni. Su una mensola posta in alto, in un angolo vicino al soffitto, c'era un televisore. Le voci di quanti affollavano il locale ne sovrastavano il volume, ma sullo schermo scorrevano le immagini dell'ennesimo servizio giornalistico su Anna Lou Kastner. Martini sbuffò e se ne disinteressò.

Finalmente venne il momento di pagare. « Ho fatto rifornimento alla postazione numero otto » comunicò alla cassiera.

« Lei è di queste parti, immagino » disse la donna mentre controllava l'importo su un computer. Aveva un tono esasperato.

« Come ha fatto a capirlo? »

« L'ho vista sbuffare poco fa. » Poi aggiunse a bassa voce: « Il mio capo è contento di questa invasione, dice che gli affari vanno meglio, ma io torno a casa la sera con i piedi in fiamme e un mal di testa che non le dico».

Martini sorrise per la confidenza. «Forse non durerà a lungo» la rincuorò.

«Speriamo, ma oggi è stata una giornata speciale: le tv sembrano impazzite e non fanno che mandare in onda le stesse immagini.»

«Quali immagini?»

La cassiera, però, si era distratta dalla sua attività principale e la fila si allungava. «Mi scusi, ha detto postazione numero otto?»

«Sì, esatto.»

La donna si voltò verso la vetrata dell'autogrill da cui si scorgeva chiaramente il fuoristrada bianco. Poi tornò a osservare Martini, con un'espressione stranita sul volto.

«C'è qualche problema?»

La cassiera sollevò lo sguardo al televisore. Martini fece altrettanto.

Sullo schermo stavano passando le immagini di una ripresa amatoriale. S'intravedeva Anna Lou in vari momenti della propria vita. Mentre camminava sola per strada con lo zainetto colorato e una borsa con i pattini da ghiaccio. In compagnia di un'amica, e Martini riconobbe subito Priscilla. In un'altra scena, Anna Lou usciva di casa insieme con i fratellini. Poi le immagini si arrestarono e zoomarono sul fuoristrada bianco visibile sempre sullo sfondo, a qualche metro di distanza.

Il professore comprese quale fosse la novità eclatante trasmessa dai network per tutto il giorno. La stessa che aveva spinto ad Avechot tutta quella gente. C'era una traccia finalmente. Un fuoristrada bianco simile al suo.

No, non semplicemente «simile»: era proprio il suo.

Lo scoop portava la firma della famosa giornalista televisiva Stella Honer e in sovrimpressione apparve una scritta: *LA SVOLTA: QUALCUNO LA SEGUIVA.*

Il professore lasciò una banconota da cinquanta sul bancone, anche se l'importo che gli sarebbe toccato pagare era inferiore. Incurante dell'espressione attonita della cassiera, uscì rapidamente dalla fila. Non aveva ancora varcato la soglia dell'autogrill che si accorse che qualcuno indicava qualcosa dalle vetrate.

«Ehi, è quella la macchina!» esclamò qualcun altro.

Intanto, fuori si era già formato un capannello di uomini dietro la vettura. Controllavano il numero di targa. Per fortuna, Clea all'interno era intenta a mandare un sms e non si era accorta di nulla. Martini accelerò il passo, mentre lo sguardo dei presenti puntava su di lui e lo seguiva. Arrivato al fuoristrada, salì a bordo rapidamente.

«Che succede?» chiese Clea vedendolo agitato.

«Ti spiego dopo» la liquidò lui e, senza perdere altro tempo, infilò la chiave nel blocco d'accensione. L'auto non partiva perché le mani gli tremavano. Intanto la gente aveva cominciato a circondarli. Nello sguardo di uomini, donne e bambini si poteva riconoscere la stessa meraviglia mista a timore che aveva notato negli occhi della cassiera. Se uno di loro decide di fare qualcosa, gli altri lo seguiranno, pensò terrorizzato Martini. Alla fine, riuscì a mettere in moto, diede gas e partì. S'immise rapidamente sulla statale, poi diede un'occhiata al retrovisore. Erano ancora lì, fermi a fissarlo con un'aria minacciosa.

«Vuoi dirmi che sta succedendo?» chiese ancora una volta Clea, allarmata.

Non aveva il coraggio di voltarsi a guardarla. «Andiamo a casa.»

Mentre rientravano non poté sottrarsi al fuoco di fila di domande della moglie. Provò a spiegare una situazione che, però, neanche lui comprendeva a fondo.

«Che significa che ti hanno fermato?»

«Due giorni fa, un posto di blocco.»

«E perché non me l'hai detto?»

«Perché non mi sembrava importante. Hanno fermato un sacco di gente, mica soltanto me. È successo anche ad altri che conosco» mentì.

Quando finalmente giunsero a destinazione, Martini si aspettava di trovare la polizia ad attenderlo. Invece la strada davanti casa loro era stranamente deserta. Non c'era un'anima in giro, ma il professore mise lo stesso fretta alla moglie. «Entriamo in casa, sbrigati.»

Quando varcarono la soglia, trovarono la figlia in

piedi in mezzo al soggiorno. Fissava lo schermo della tv. « Mamma, che succede? » Era spaventata. « Alla tv dicono che la ragazza scomparsa... che uno la seguiva... e poi mostrano una macchina che sembra la nostra. »

Clea abbracciò Monica senza sapere cosa dire, poi guardò il marito perché dicesse lui qualcosa. Ma Martini non riusciva a muoversi dal corridoio. « Non lo so, non capisco. Ci deve essere un errore » mormorò.

Sullo schermo apparve il fuoristrada bianco.

« Ma quella è la nostra macchina. » Clea era incredula e sconvolta.

« Lo so, è folle. » Intanto il professore vide che la figlia cominciava a piangere. « Te l'ho detto: sono stato alla stazione di polizia, mi hanno fatto qualche domanda e poi mi hanno mandato a casa. Ero convinto che non ci fossero problemi. »

« Eri convinto? » Nel tono di Clea c'era un'accusa.

Martini sembrava sempre più agitato. « Sì, mi hanno chiesto dov'ero quando la ragazzina è scomparsa. Cose così... »

Clea tacque per qualche secondo, come se cercasse di ricordare. « Eri in montagna quel giorno. Sei tornato la sera » disse con calma. Ma in fondo al cuore iniziava a rendersi conto che il marito non aveva un alibi. « Sì, hanno fatto un errore » convenne con fermezza, perché non riusciva a immaginare un'ipotesi diversa. « Ora chiamerai la polizia e chiederai spiegazioni. » La sua determinazione, però, nascondeva in-sicurezza.

Finalmente Martini riuscì ad avanzare nel soggior-no, raggiunse il telefono e compose il numero. Rispo-sero dopo qualche istante. « Sono Loris Martini, vor-rei l'agente con cui ho parlato l'altro giorno, per favo-re. Mi sembra si chiamasse Borghi. »

Mentre attendeva che glielo passassero, il professo-re si rivolse con lo sguardo a moglie e figlia. Erano confuse, impaurite. Lo faceva soffrire vederle in quello stato. Ma la sensazione peggiore per lui era che quel-l'abbraccio in cui si erano rifugiate non lo riguardava, era come se avessero già deciso una distanza da lui.

Passò qualche minuto, poi una voce rispose. « Sì, sono Borghi. »

« Mi può dire che sta succedendo? Perché la mia auto è in tv? » Martini era fuori di sé.

« Mi spiace, professore » disse il poliziotto con un tono piatto. « C'è stata una fuga di notizie. Non do-veva accadere. »

« Fuga di notizie? Sono accusato di qualcosa? »

Dall'altra parte ci fu un breve silenzio. « Non posso dirle altro. La chiameremo noi, però le consiglio di trovarsi un avvocato. Buonasera. »

Quando Borghi concluse bruscamente la telefona-ta, Martini rimase con la cornetta attaccata all'orec-chio senza sapere cosa fare, mentre Clea e Monica imploravano una risposta.

In quel momento, un lampo illuminò per un atti-mo la stanza.

Non era stata un'allucinazione perché tutti e tre si guardarono intorno, senza capire. Il bagliore si ripeté un'altra volta e, dopo qualche secondo, ancora. Sembrava un temporale ma al fulmine non seguiva alcun tuono.

Martini si avvicinò a una delle finestre e guardò fuori, la moglie si accostò alle sue spalle.

I lampi provenivano dalla strada. Alcune figure, scure come ombre, si aggiravano intorno alla casa. Ogni tanto emettevano un bagliore. Sembravano marziani, curiosi e minacciosi.

Erano fotoreporter.

6 gennaio.
Quattordici giorni dopo la scomparsa.

Già nella notte i furgoni dei network avevano preso possesso della strada di fronte a casa dei Martini. Chi era arrivato prima si era pure accaparrato la posizione migliore per inquadrare la tranquilla villetta che sarebbe finita in tv a rotazione continua, ventiquattro ore al giorno.

Accanto alle troupe, ai fotografi e ai cronisti, gruppi di curiosi erano assiepati oltre le transenne che la polizia locale aveva posto per delimitare una zona di sicurezza. Ma l'accortezza non avrebbe potuto proteggere né lui né la sua famiglia se la folla avesse deciso di applicare un criterio di giustizia sommario, pensò il professore mentre, verso le nove del mattino, sbirciava fuori dalla finestra.

Era stata una nottata difficile. Nessuno aveva chiuso occhio. Monica era crollata poco prima dell'alba e Clea si era chiusa in un sofferto mutismo. Martini non poteva tollerare tutto questo. Doveva fare qualcosa. «Borghi ha detto che si faranno vivi, ma non ho intenzione di aspettare» annunciò alla moglie. «Io non ho fatto nulla e non hanno nulla per dimostrare il contrario, altrimenti mi avrebbero già arrestato, non ti pare?»

Clea ragionò su quell'aspetto e parve ritrovare un

po' di fiducia. «Sì, devi andare da loro e chiarire la tua posizione.»

Martini si sbarbò e indossò il proprio abito migliore e perfino una cravatta, intenzionato a uscire di casa e a mostrarsi per ciò che era sempre stato per quanti lo conoscevano: un uomo perbene. Quando varcò la soglia, fu investito da una raffica di flash. Provenivano da ogni angolo, come un bombardamento. Si schermò il volto con una mano ma solo per non lasciarsi abbagliare. Poi si diresse verso il fuoristrada, ma ci ripensò. Dopo la storia dei video, non era il caso che fosse ancora associato a quel veicolo. E poi sarebbe stato arduo uscire dal vialetto con un simile assembramento. Così decise che sarebbe andato a piedi.

Un poliziotto lo vide mentre si incamminava e gli urlò: «Signor Martini, forse è opportuno che torni in casa». Non era un ordine, gli stava solo consigliando di non affrontare la folla perché poteva essere pericoloso.

Martini lo ignorò e continuò a camminare, superando le transenne. Cameraman e giornalisti armati di microfono gli furono addosso in un istante.

«Perché la sua auto compare nei luoghi frequentati dalla ragazza?»

«Conosceva bene Anna Lou? La seguiva?»

«La polizia l'ha già convocata per interrogarla?»

«Secondo lei è stata uccisa?»

Martini taceva e cercava di proseguire per la propria strada, ma lo rallentavano. Intanto, il pubblico presente cominciava a rumoreggiare. Il professore non poteva sentire le ingiurie che gli rivolgevano, ma nel nugolo che lo circondava scorgeva parecchi volti arrabbiati. Ancora non si avvicinavano, ma le loro intenzioni erano evidenti. Quando qualcuno lanciò il primo oggetto contro di lui, Martini non riuscì a capire neanche cosa fosse. Sentì solo il tonfo secco che produsse quando precipitò sull'asfalto a poca distanza. Subito, alcuni imitarono il contestatore nascosto nella folla. Arrivarono altri oggetti – lattine di birra e monetine. I cronisti, nel timore di essere colpiti, si allontanarono di qualche passo liberando uno spazio intorno a lui e facendone così un facile bersaglio.

Martini alzò le braccia per proteggersi, ma era inutile. La polizia presente non ce la faceva a contenere la rabbia della gente. In quel momento, si udì uno stridore di gomme. Martini si era chinato per schivare la roba che gli pioveva addosso, ma si sollevò quel tanto che bastava per vedere una Mercedes coi vetri oscurati che accostava a pochi metri da lui. La portiera posteriore si spalancò e un uomo che indossava un elegantissimo completo gessato gli tese una mano. «Avanti!» gli disse ad alta voce.

Pur non sapendo chi fosse, Martini non poté fare a meno di accettare l'invito. Salì a bordo e l'auto ripartì velocemente, sottraendolo a un sicuro linciaggio.

Per prima cosa, l'uomo elegante gli porse una scatola di kleenex. «Si dia una pulita, professore.» Poi si rivolse al proprio autista. «Portaci in un posto in cui possiamo parlare con calma.»

Martini scoprì di essere sporco di una sostanza giallastra che anche dall'odore sembrava proprio senape. «Mi hanno tirato di tutto là fuori.»

«Non dovrebbe affrontare la folla in quel modo. Se fa così, li provoca, non capisce?»

«E cosa dovrei fare, allora?» chiese il professore adirato.

«Per esempio affidarsi a me.» L'uomo rise, poi gli diede la mano per presentarsi. «Avvocato Giorgio Levi.»

Martini lo osservò sospettoso. «Lei non è di queste parti.»

L'uomo rise di nuovo. «No, certo che no.» Aveva una risata profonda, sincera. Poi tornò serio. «Il sospetto si propaga in una comunità seguendo le stesse dinamiche di un'epidemia, lo sapeva? Basta poco perché il contagio diventi inarrestabile. La gente non cerca giustizia, vuole solo un colpevole. Per dare un nome alla paura, per sentirsi sicura. Per continuare a illudersi che tutto va bene, che c'è sempre una soluzione.»

«Allora forse dovrei denunciare i media e la polizia» affermò Martini, convinto.

«Non glielo consiglio.» L'avvocato lo disse con un tono greve.

«Allora che posso fare?»

«Niente» fu la risposta secca.

«Cioè, devo lasciare che mi distruggano senza reagire?» Il professore era incredulo e indignato.

« È una guerra persa, quindi combatterla non ci serve a niente. Prima se ne rende conto, meglio è. Piuttosto, dobbiamo concentrare le forze sulla sua immagine di uomo onesto, di bravo marito e buon padre di famiglia. »

« Ma in tv dicono che seguivo la ragazzina da quasi un mese prima che scomparisse. È assurdo! »

« Non *lei* » precisò. « La sua *auto* la seguiva... D'ora in poi stia attento alle parole che usa, professore: nei filmati in fondo si vede solo il suo fuoristrada. »

« I giornalisti dicono pure che è stato un mio alunno a fare le riprese. »

« Si chiama Mattia » gli rivelò Levi.

Martini sembrò sorpreso.

« Mettiamo comunque che quei filmati siano solo un'assurda coincidenza » proseguì l'avvocato. « Lei e Anna Lou abitate nello stesso posto, è plausibile. Ma c'è qualcos'altro da cui devo metterla in guardia... »

La Mercedes si fermò. Dal finestrino Martini riconobbe lo spiazzo alle spalle del cimitero di Avechot, dove a volte i ragazzi andavano in auto per fare sesso o fumare marijuana.

« Lo sbirro che le dà la caccia si chiama Vogel. » L'avvocato aveva pronunciato il nome con tono preoccupato. « Non lo definirei un investigatore di prima categoria e nemmeno un segugio. Non ha competenze criminologiche e non gli interessano cose come reperti della Scientifica o dna. È uno che per raggiungere lo scopo si serve dei media. »

« Non capisco... »

« Vogel sa che i filmati in suo possesso non costituiscono una prova. Inoltre, a girarli è stato un ragazzo ossessionato da Anna Lou che ha precedenti per aggressività, assume psicofarmaci ed è seguito dallo psichiatra del posto, un certo Flores. Insomma, se c'è una fonte non affidabile è proprio questo Mattia. Vogel non può servirsene. Per questo lei è ancora libero, professore. »

« E non hanno paura che possa fuggire? »

Levi rise ancora. « E dove potrebbe andare? Lei è finito sui tg nazionali, professore. A questo punto, tutto il Paese conosce la sua faccia. »

Martini osservò meglio l'uomo. Era più vecchio di lui ma dimostrava meno anni di quelli che aveva. Forse era per via dei capelli, ancora folti e del colore originario. Sicuramente le donne lo ritenevano affascinante. Emanava un buon odore di acqua di colonia, ma non era solo quello. La sua calma, la sua sicurezza infondevano fiducia. « Lei cosa ci fa qui, allora? »

« Sono qui per difenderla, ovvio! » rispose l'avvocato sorridendo.

« Ma quanto mi costerebbe assumerla? »

« Neanche un centesimo » disse Levi alzando le braccia. « Io mi ripagherò con la pubblicità del caso. Però ci saranno delle spese. » Cominciò a elencare: « Intanto un investigatore privato che conduca un'indagine parallela a quella della polizia. E poi, in caso di processo, periti di parte, esperti di vario tipo, qualcuno che faccia delle ricerche nell'ambito del diritto ».

Martini provò invano a immaginare quale fosse il costo. «Devo parlarne con mia moglie.»

«Certamente.» Poi l'avvocato infilò una mano nella borsa di cuoio che era ai suoi piedi ed estrasse una scatola bianca: era un cellulare nuovo di zecca, ancora perfettamente confezionato. «D'ora in poi per contattarmi userà questo, visto che è molto probabile che la stiano intercettando. E non si muova di casa se non può spostarsi in sicurezza.»

Vogel si sistemava la cravatta di cachemire davanti allo specchio della camera d'albergo. L'aveva acquistata prima di partire per Avechot, pregustando il momento – e l'occasione – in cui l'avrebbe indossata.

Di sotto l'attendeva una piccola folla di giornalisti. E a lui piaceva l'idea di farli aspettare. In fondo, l'avevano fatto penare abbastanza negli ultimi mesi.

Il caso del mutilatore, rammentò.

C'era stato uno scotto da pagare ma adesso lui era di nuovo in pista, e quei bastardi erano ancora una volta ai suoi piedi, sperando che gettasse loro un avanzo di notizia con cui placare momentaneamente il proprio insaziabile appetito.

Il mutilatore era stato un errore, doveva ammetterlo. Ma non l'avrebbe più commesso. Erano stati sufficienti pochi giorni per ricostruirsi una reputazione e tornare a essere l'idolo dei media. Era a un passo dal recuperare il potere di un tempo, perciò doveva essere cauto.

Stella era stata in gamba a servirsi dei video di Mattia. Il montaggio con lo zoom sul fuoristrada del professore era un capolavoro mediatico. Inoltre l'agente Borghi si era rivelato un valido alleato, non se lo sarebbe mai aspettato. Forse il ragazzo aveva un futuro, se lo sarebbe portato dietro anche nei prossimi casi. Il problema, però, era la Mayer. Puttanella saccente. Non c'era niente di peggio di una procuratrice idealista. Ma avrebbe saputo domarla, doveva solo accarezzare il suo ego, farle provare il calore dei riflettori. Nessuno sapeva rinunciarci, anche a costo di scottarsi.

Col mutilatore lui aveva corso proprio quel rischio. Ma il peggio era passato.

Bussarono alla porta. «Signore, deve scendere. Non riusciamo più a tenerli» gli disse Borghi.

Poco dopo, Vogel si parò davanti a una platea chiassosa e ansiosa di sapere, riunita nella sala colazioni dell'albergo. Le sedie erano tutte occupate e molti cronisti stavano in piedi. In fondo al locale c'erano i cavalletti con le telecamere.

«Non ho molto da dirvi, purtroppo» fu la sua premessa davanti a un nido di microfoni. «Mi sa che ci sbrigheremo in pochi minuti.» Qualcuno protestò, ma Vogel era troppo esperto per lasciarsi trascinare in un'intervista collettiva. Avrebbe detto solo ciò che gli conveniva.

«Perché non avete ancora arrestato il professor Martini?» chiese un cronista della carta stampata.

«Perché intendiamo assicurargli tutte le garanzie previste dalla legge. Per adesso è solo un sospettato.»

« Ma, a parte i video del fuoristrada bianco, avete trovato altri legami con Anna Lou Kastner? » domandò un'inviata con un tailleur azzurro.

« Questa è un'informazione riservata » rispose Vogel. Era una delle sue frasi preferite: non era una conferma, ma nemmeno una smentita. L'agente speciale voleva che tutti pensassero che la polizia aveva un asso nella manica.

« Sappiamo che il professor Martini si è trasferito da poco con la famiglia nella valle. » Stavolta era stata Stella Honer a parlare. « La moglie ha lasciato il proprio impiego di avvocato e ha seguito il marito ad Avechot. Secondo lei, scappavano da qualcosa? »

Vogel si compiacque della domanda. Stella era sempre abile a cogliere aspetti insoliti dei fatti che raccontava. « Stiamo indagando sul passato di questa persona, ma posso dirvi fin d'ora che appare un uomo irreprensibile. » La difesa di Martini era calcolata, serviva a far indignare il pubblico che ormai aveva fatto la propria scelta e non amava essere smentito. « Infatti siete stati voi a rovinargli la reputazione con la fuga di notizie » affermò senza pudore. « Io non ho altro da dirvi. »

« Allora perché ci avete convocati? » si lamentò qualcuno.

« Per ammonirvi » riprese Vogel con decisione. « Non possiamo impedirvi di diffondere una notizia, ma è necessario che sappiate che ogni informazione che esce senza il consenso della polizia può danneggiare l'indagine e, con essa, la giovane Anna Lou

Kastner. Il fatto che lei non sia qui davanti a noi non significa che dobbiamo ignorarla. » Fece in modo di pronunciare l'ultima frase all'indirizzo delle telecamere che erano puntate su di lui. Poi si smarcò dai microfoni dirigendosi verso l'uscita, mentre le domande continuavano a inseguirlo. Ma Vogel ormai non le ascoltava. Fu distratto dalla vibrazione del proprio cellulare. Lo prese e osservò il testo di un sms sul display.

« Ho bisogno di parlarle. Mi chiami a questo numero. »

Doveva essere qualche giornalista in cerca di uno scoop. Decise di ignorare il messaggio e lo cancellò subito, infastidito.

« In realtà non li frequentavamo. La moglie e la figlia sembravano a posto, ma lui a me non è mai piaciuto. » Il volto di Odevis entrava a malapena nel piccolo televisore della cucina dei Martini. « Se gliela devo dire tutta, mi ero anche accorto di qualche atteggiamento, insomma, strano. Per esempio, la mattina che è scomparsa la povera Anna Lou ci siamo beccati mentre lui usciva di casa. Io l'ho salutato ma lui non mi ha nemmeno guardato. Ha caricato uno zaino nel bagagliaio di quel catorcio di fuoristrada e... Sì, aveva molta fretta, insomma, come uno che ha qualcosa da nascondere. »

Dopo aver ascoltato l'incredibile menzogna del vicino, Martini ebbe la tentazione di tirare un pugno a un pensile. Ma si bloccò appena in tempo, perché era la mano fasciata.

Dal tavolo a cui era seduta, Clea spense la tv. «Quella brutta ferita non è ancora guarita, ti avevo detto di farla vedere da un medico.» Pronunciò la frase con una calma rassegnata.

Martini era ancora bollente di rabbia. «Quel bastardo.»

«Perché, cosa ti aspettavi?»

Il professore provò a riprendere il controllo di sé. Andò a sedersi accanto alla moglie. Erano le undici di sera passate, la casa era silenziosa. Il tavolo della cucina, illuminato dalla lampada centrale, sembrava un rifugio di luce in mezzo al buio. Davanti ai due coniugi c'erano bollette e ricevute, oltre a una copia dell'ultima dichiarazione dei redditi. Clea aveva ripassato le cifre alla calcolatrice almeno dieci volte. Il risultato era sempre uguale.

«Non ci sono abbastanza soldi per pagare le spese che prevede l'avvocato Levi» dovette ammettere Martini, sconsolato.

«Vorrà dire che sospenderemo il pagamento dell'affitto per un po'.»

«Sì, come no. E poi dove andremo a vivere quando ci sfratteranno?»

«Ci penseremo quando accadrà. E nel frattempo potrei anche chiedere un prestito ai miei.»

Martini scosse il capo, sottolineando così che la situazione in cui si trovavano era assurda e tutto stava precipitando troppo rapidamente. «Dovremo fare a meno di Levi, non c'è altra possibilità.»

«Abbiamo terminato le provviste.»

«E questo che c'entra?»

«Oggi sono uscita per andare al supermercato. Qualcuno mi ha riconosciuto, ho avuto paura e sono andata via senza comprare niente.» Guardando la rabbia che tornava ad apparire sul volto del marito, Clea gli prese la mano. Gli parlò sottovoce ma il tono era pieno di dolore. «Monica è stata insultata su Internet. L'hanno costretta a chiudere il suo profilo Facebook.»

«Sono solo balordi e frustrati in cerca di attenzione, non mi preoccuperei per questo.»

«Sì, lo so... ma fra qualche giorno dovrà tornare a scuola.»

Aveva ragione, fra le tante cose non ci aveva pensato.

«Non puoi lasciare che ti lincino così, senza reagire. Ogni accusa diretta a te si ripercuote su di noi.»

Martini trasse un respiro. «Va bene, dirò a Levi di procedere.»

Qualcuno suonò il campanello di casa. Marito e moglie si fissarono in silenzio, senza capire chi potesse essere a quell'ora. Poi lui si alzò dal tavolo della cucina e andò ad aprire.

«Buonasera, professor Martini» disse Borghi sulla soglia. Alle sue spalle c'erano almeno cinque autopattuglie coi lampeggianti accesi, un furgone della polizia e un carro attrezzi. Una parata per i media. Cameraman e fotografi riprendevano la scena. «Ho qui un mandato di perquisizione e sequestro.» Borghi gli mostrò il documento.

Clea sopraggiunse alle spalle del marito, ma guardando tutti quei poliziotti fuori dalla casa si bloccò.

«Dobbiamo anche prenderle le impronte e prelevare dei campioni corporali» proseguì l'agente. «È d'accordo a procedere qui o vuole che ci rechiamo in apposita struttura?»

Martini era spaesato. «No, va bene, facciamolo qui.»

Borghi si voltò verso i poliziotti in attesa e fece un cenno perché si avvicinassero alla casa.

Il professore era seduto al centro del proprio soggiorno. Tre tecnici della Scientifica, con indosso camici bianchi e guanti in lattice, trafficavano intorno a lui. Mentre uno prendeva dei campioni di saliva con un tampone, il secondo svolgeva uno scrub subungueale alla mano destra in cerca di materiale organico di Anna Lou. Il terzo si dedicava alla mano sinistra. Gli tolse la benda, quindi procedette a prendere un campione di tessuto dalla ferita non ancora rimarginata. Infine, fotografò il taglio con uno speciale modello di reflex, che permetteva di ricavare immagini molto ravvicinate.

Martini subiva ogni trattamento senza alcuna reazione, come inebetito.

Tutt'intorno, gli agenti frugavano fra le sue cose, i ricordi di una vita. C'era un intenso viavai. I poliziotti uscivano dalla casa portando via buste trasparenti con gli oggetti più disparati: coltelli da cucina, scarpe, perfino attrezzi da giardinaggio. Nel vialetto della villetta, il carro attrezzi caricava il fuoristrada davanti allo sguardo attento di tutto il vicinato che era stato svegliato dal trambusto. Indossavano il pigiama sotto i giacconi invernali e commentavano la scena con espressioni di disgusto.

Da un angolo del soggiorno, Clea osservava il marito e stringeva fra le braccia la figlia che era stata costretta a buttare giù dal letto. Sembravano entrambe molto scosse. Per l'ennesima volta, Martini si sentì in colpa.

9 gennaio.
Diciassette giorni dopo la scomparsa.

Avevano scelto il miglior tecnico della Scientifica in circolazione per occuparsi dell'auto di Martini.

Era un omino di una certa età dall'aspetto curioso. La stranezza era che, pur essendo quasi calvo, aveva i capelli raccolti in un codino. Inoltre la pelle che spuntava dal camice bianco era interamente ricoperta di tatuaggi. Il suo nome era Kropp.

«Abbiamo svolto tutti i test a disposizione, per questo c'è voluto tanto tempo» si giustificò davanti a Vogel e alla Mayer.

La polizia aveva requisito un garage di Avechot per permettere alla squadra di operare nelle condizioni migliori. L'interno dell'ampio locale era stato interamente rivestito di teloni plastificati. Sul pavimento era stata distesa una grande incerata bianca, l'auto era posizionata su un elevatore. I tecnici continuavano il proprio lavoro smontando pezzo per pezzo il fuoristrada. Le componenti erano divise in varie aree e passate al setaccio con macchinari sofisticatissimi.

«Allora, ci sono delle novità? Sì o no?» chiese Vogel, impaziente.

Kropp, però, non sembrava avere fretta e spiegò tutto con molta flemma. «La prima risultanza è che la macchina è stata ripulita di recente, però solo all'interno. »

La notizia non poteva che far piacere all'agente speciale.

« Ci sono residui di detergenti e solventi, e questo potrebbe far pensare che qualcuno abbia voluto cancellare delle tracce » proseguì il tecnico.

« D'altronde, perché dedicarsi solo all'abitacolo se non si ha qualcosa da nascondere? » fece notare Vogel alla Mayer.

« Sangue o altri fluidi organici? » chiese la procuratrice che evidentemente non si accontentava del risultato.

Il tecnico scosse il capo, il codino gli ondeggiò fra le spalle.

« Insomma, non c'è niente che provi che Anna Lou è salita su quella macchina » proseguì la Mayer.

« Davvero sperava che trovassimo del sangue? » la incalzò Vogel.

« Del dna » precisò la procuratrice. « Mi aspettavo che ci fosse del dna della ragazza. »

Vogel avrebbe voluto domandarle da dove derivasse tanta ostinata ingenuità. Diceva sul serio o stava solo cercando di innervosirlo? « Non capisce che è una buona notizia se non abbiamo trovato nulla? »

« E come potrebbe, scusi? »

« Gli indizi non sono sempre tangibili. Il vuoto, per esempio, è un indizio: significa che in quello spazio prima c'era qualcosa che adesso non c'è più. Semmai, la domanda da rivolgere al professor Martini sarebbe quella di spiegare perché ha avvertito la necessità di ripulire l'auto solo all'interno. »

« Questa, agente speciale, è solo un'opinione non un 'fatto'. E, per l'esattezza, una *sua* opinione. Ci sono mille motivi per cui d'inverno una persona sensata può decidere di non lavare la carrozzeria della propria auto, specie se vive in un posto di montagna e va spesso a fare delle escursioni. Fango, neve, pioggia tornerebbero a sporcare la vettura dopo pochi giorni. Mentre è più sensato che l'abitacolo sia sempre pulito, visto che ospita dei passeggeri. »

La Mayer ce la metteva tutta per dargli sui nervi, ma Vogel si accorse che in fondo ammirava la sua caparbietà. Ciò che non capiva era perché la procuratrice volesse sempre smontare l'evidenza, andando anche contro i propri interessi. Non avevano altro in mano se non quel modesto professore, l'indagine era già costata milioni ai contribuenti e qualcuno presto sarebbe andato anche da lei perché rendesse conto dei soldi spesi. « Il meccanismo che abbiamo messo in moto dovrà per forza produrre dei frutti » provò a spiegare Vogel con calma. « Siamo obbligati a imbastire un'accusa per un processo, questo ormai deve accettarlo anche lei. Il nostro compito non è giudicare prove e indizi, ma portarli davanti a un giudice e una giuria. »

« Ha ragione, il nostro compito non è giudicare le prove » ribadì la Mayer, decisa. « Il nostro compito è *trovarle*. Ripeto: ci serve del dna. »

Kropp, che fino ad allora aveva assistito con una certa indifferenza allo scambio di battute, decise d'intervenire. «Veramente del dna l'abbiamo trovato.»

I due si voltarono verso il tecnico, domandandosi perché non avesse parlato prima.

«Qualcosa c'è, ed è alquanto strano» proseguì Kropp. «Dna di gatto. O meglio, *peli di gatto*.»

«Peli di gatto?» ripeté Vogel, incredulo.

«Un esemplare maculato, rosso e marrone. Ce n'erano parecchi su sedili e tappetini.»

«I Martini non hanno un gatto» disse la Mayer.

Però ad Anna Lou piacevano parecchio, avrebbe voluto aggiungere Vogel. Ma non lo fece perché si accorse dell'ingresso di Borghi nel garage. Il giovane agente parlava al cellulare e intanto lo cercava con uno sguardo. Era preoccupato per qualcosa.

«Scusate» si congedò Vogel per raggiungerlo.

Intanto Borghi aveva terminato la telefonata. «Abbiamo un problema» disse a bassa voce.

La madre di Anna Lou, scalza e in camicia da notte, era intenta a raccogliere i bigliettini e a eliminare i fiori secchi dalla distesa di gattini che la gente aveva deposto fuori da casa sua ormai parecchi giorni prima. Il pellegrinaggio era terminato appena si era diffusa la notizia che esisteva un sospettato. La pietà era stata rimpiazzata dalla curiosità morbosa, e a nessuno importava più realmente del destino della ragazzina

224

scomparsa. Nemmeno ai media, che infatti avevano abbandonato quel set. Quando Vogel e Borghi giunsero sul posto a bordo della berlina, solo alcuni fotografi riprendevano impietosamente la scena.

«Li mandi via» ordinò subito l'agente speciale al sottoposto. Poi si avvicinò alla donna. «Signora Kastner, sono l'agente Vogel, ricorda?»

La donna si voltò e lo osservò stranita. Cadeva una pioggerellina sottile che aveva intriso il tessuto della camicia da notte, rendendo evidente in modo indecoroso che sotto non indossava altra biancheria. Vogel allora si sfilò il cappotto e glielo posò sulle spalle. «Fa freddo qui. Perché non entriamo in casa?»

«Devo finire di mettere in ordine» rispose la donna, come fosse il compito più importante del mondo.

Vogel allora le mostrò il braccialetto di perline fatto da Anna Lou, che lei gli aveva messo al polso il giorno di Natale, quando era andato in visita a casa loro per la prima volta. «Ricorda la promessa che mi ha chiesto di fare? Be', ci sono delle novità... Però parliamone dentro, le va?»

Maria Kastner sembrò pensarci un momento. «Quell'uomo, quel professore... Pensate davvero sia stato lui? Cioè, voglio dire, non mi sembra il tipo: secondo me è innocente... Perché se tiene prigioniera Anna Lou, avreste già dovuto scoprire dove si trova la mia bambina, no?»

Vogel andò in cerca di una risposta. Era evidente che la donna si rifiutava di fare i conti con la realtà. «Lo stiamo sorvegliando» la rassicurò.

« Però i giorni passano e Anna Lou potrebbe avere fame. Se quell'uomo è sempre sorvegliato, allora chi le porta da mangiare? »

Per la prima volta nella propria carriera e nella propria vita, Vogel rimase senza parole. Per sua fortuna, in quel momento sopraggiunse Bruno Kastner che era stato avvertito di ciò che stava accadendo davanti a casa sua. « Mi scusi, ero al lavoro » si giustificò l'uomo. Poi prese sottobraccio la moglie e la condusse verso la porta d'ingresso. « Sono i farmaci per dormire che le ha prescritto il suo psichiatra. »

« Signor Kastner, io ho bisogno che sua moglie sia lucida per quanto possibile. Forse sarebbe il caso di rivedere il dosaggio. » Pensava che i media avrebbero approfittato dello stato confusionale della donna, anche per attribuirle affermazioni infondate.

« Ne parlerò con il dottor Flores » assicurò Bruno Kastner quando aveva già voltato le spalle all'agente speciale.

Vogel rimase a guardare quel marito che si prendeva cura della moglie con tanta tenerezza. Poi tornò a fissare il braccialetto di perline che aveva al polso.

Stella Honer si trovava nel soggiorno di un'abitazione modesta ma decorosa. Il divano su cui era seduta era ricoperto da una fodera sgualcita, forse per nascondere la tappezzeria originale che si era rovinata oppure per preservarla dall'usura del tempo. Come sempre, la giornalista aveva un aspetto impeccabile. Tailleur grigio e un foulard di seta rossa annodato intorno al collo. Con una mano reggeva un microfono.

La telecamera allargò l'inquadratura e sullo schermo apparve anche la persona che abitava in quella casa e le era seduta accanto.

Stavolta Priscilla non indossava gli abiti da ribelle che portava solitamente. Il suo aspetto era decisamente più sobrio, con i jeans ben stirati e privi di strappi e la camicetta bianca. Le tre borchie all'orecchio erano sparite, così come la matita nera che le induriva lo sguardo. Era struccata e sembrava una bambina. Stringeva fra le mani un fazzoletto.

«Allora, Priscilla, puoi dirci come è andata?» domandò la Honer, con dolcezza.

La ragazzina annuì, come per farsi forza. «Ero alla veglia davanti a casa dei Kastner, avevo portato un gattino di stoffa per Anna Lou. C'erano degli amici con me, eravamo tutti scossi per l'accaduto. All'improvviso mi accorgo che mi è arrivato un sms... Era del professor Martini.» La ragazza si bloccò, non riusciva ad andare avanti.

Stella Honer capì che doveva aiutarla a proseguire. «Perché la cosa ti ha stupito?»

«Io... io rispettavo il professor Martini, lui era uno a posto secondo me... ma dopo quello che è successo...»

La Honer stavolta lasciò che il silenzio durasse di più per dare modo agli ascoltatori di elaborare bene

le parole della ragazzina. Era brava a creare suspense.
« Cosa c'era scritto nel messaggio? »

Così come le era stato detto di fare prima di iniziare la diretta, Priscilla prese il cellulare dalla tasca dei
jeans e lesse il testo, con la mano e la voce che le tremavano. « 'Ti va di passare da casa mia domani pomeriggio?' »

Un'altra pausa a effetto voluta dalla Honer, stavolta perché aveva visto una lacrima spuntare nell'occhio
sinistro della ragazza, ma non voleva che piangesse.
Non ancora. Così, per darle il tempo di riprendersi,
l'inviata tolse delicatamente il cellulare dalle mani
di Priscilla e lo mostrò alla telecamera. « Spesso ci ac-
cusano di raccontare solo una verità parziale, alterata
per manipolare il pubblico. Ma questa non è un'in-
venzione giornalistica, guardate: è accaduto davvero. » Lasciò scorrere un tempo sufficiente perché attraverso l'inquadratura stretta anche gli spettatori potessero leggere il messaggio sul display, poi tornò a rivolgersi alla sua ospite. « E dopo, Priscilla, cos'hai
pensato? »

« All'inizio nulla, era solo strano. Poi, quando la tv
ha detto che la polizia sospettava del professore, ho
pensato ad Anna Lou e che forse, dopo di lei, poteva
succedere a me... »

La Honer annuì gravemente e appoggiò la propria
mano su quella di Priscilla. Come previsto, il gesto
scatenò la reazione che la giornalista si aspettava. Priscilla iniziò a piangere. La Honer non chiese più nulla

e, sapientemente, lasciò che la telecamera indugiasse sulla scena e sul volto della ragazza.

« Sono solo le fantasie di una ragazzina che smaniava per apparire in tv. » La voce di Martini era incrinata dalla disperazione.

Sua moglie, invece, sembrava più che altro arrabbiata. « Intanto quella *ragazzina* ti è costata il lavoro! Mi dici adesso come faremo? »

A due giorni dalla fine delle vacanze natalizie e dalla ripresa delle lezioni, il dirigente scolastico aveva chiamato il professore per comunicargli una sospensione dall'insegnamento e, ciò che era peggio per lui, dallo stipendio.

« Come faremo a pagare le spese per la tua difesa? Siamo già pieni di debiti e tu ti metti a fare il cretino con un'alunna? Una bambina? »

« Io conosco Priscilla. Quell'aspetto dimesso, quegli abiti sono una recita! »

L'agente speciale Vogel si godeva l'ascolto della scena comodamente seduto nel proprio ufficio di fortuna nello spogliatoio della palestra scolastica. Indossava delle cuffie, aveva sollevato entrambi i piedi sul tavolo e si dondolava sulla sedia con le mani incrociate in grembo. L'idea di piazzare dei microfoni durante la perquisizione in casa Martini fino a quel momento non aveva portato risultati, ma forse adesso ci sarebbero stati degli sviluppi. Vogel sembrava divertito dalla lite fra i due coniugi, anche perché era

stato lui a convincere il dirigente scolastico a intervenire sul professore prima che l'intervista della Honer
a Priscilla scatenasse l'ira dei genitori degli allievi. Ira
che, ovviamente, si sarebbe abbattuta anche su di lui.
L'uomo, un burocrate senza nerbo, si era lasciato
convincere fin troppo facilmente.

« Perché le hai mandato quel messaggio? » La moglie lo affrontò in maniera diretta.

« Mi aveva chiesto di darle lezioni di recitazione.
Ma, scusa, se avessi voluto approfittare di lei, non sarei stato così stupido da darle appuntamento a casa
nostra, non ti pare? »

Clea Martini tacque, sembrò vacillare per un istante. Poi, però, riprese a parlare e lo fece con voce sof-
ferente. « Ti conosco da quasi tutta la vita, perciò so
che sei un uomo buono... Ma non so quanto tu sia
innocente. » La frase ebbe un effetto deflagrante, fu
seguita da un altro breve silenzio. « Sei abbastanza intelligente da capire la differenza fra le due cose: anche
le persone buone a volte sbagliano... Fuori di qui incrocio solo sguardi ostili. Ho sempre paura che qualcuno possa farti o farci del male. Monica non esce più
di casa, ha perso i pochi amici che aveva e non regge
più la tensione. »

Vogel sapeva ciò che stava per accadere, l'aveva voluto e progettato.

« Piccoli o grandi che siano i tuoi errori » proseguì
la donna, « ti resterò accanto per tutti i giorni che mi
restano da vivere. L'ho promesso e lo farò. Ma tua fi-

glia non è legata da nessun giuramento... Per questo adesso la porterò lontano da qui. »

Vogel avrebbe voluto esultare, ma si contenne.

« Vuoi dire lontano da me. » Quella di Martini non era una domanda, bensì un'amara constatazione.

La moglie non rispose. Poco dopo, si sentì solo il rumore di una porta che si apriva e poi si richiudeva. Vogel tolse i piedi dal tavolo e si chinò, portandosi le mani alle cuffie e stringendo gli auricolari sulle orecchie per concentrarsi meglio sul silenzio.

Martini era ancora nella stanza. Sentiva il suo respiro. Basso, cadenzato. Il respiro di un uomo braccato che ancora lui non poteva sbattere in galera, ma che comunque era già prigioniero della propria esistenza da cui non poteva più scappare.

Vogel gli aveva fatto il vuoto intorno. Ora che anche moglie e figlia l'hanno abbandonato, crollerà, si disse. È un uomo finito.

Ma in quel momento accadde qualcosa che l'agente speciale non aveva previsto. Era una cosa assurda, senza senso.

Il professore si mise a canticchiare.

Lo faceva piano, a mezza voce. Quell'allegria stonava decisamente con quanto era appena accaduto. Vogel ascoltava perplesso la canzoncina surreale. Era una filastrocca. Colse solo alcune parole del testo.

Parlava di bambine e di gattini.

10 gennaio.
Diciotto giorni dopo la scomparsa.

Levi l'aveva chiamato sul cellulare « sicuro » che gli aveva consegnato giorni prima, chiedendogli di vederlo. Poi aveva mandato il proprio autista a prelevarlo da casa. I reporter si erano messi subito a inseguire la Mercedes ma si erano dovuti arrendere quando il professore era sceso dalla macchina per entrare nel cancello di un'abitazione privata.

L'avvocato l'aveva presa in affitto per seguire da vicino il caso.

Quando Martini varcò la soglia, si trovò davanti una scena che non si aspettava. Il soggiorno era stato trasformato in un ufficio e un piccolo manipolo di collaboratori era in piena attività. C'era chi studiava testi legali e incartamenti, chi era al telefono e chi discuteva delle strategie di difesa. Avevano anche allestito una bacheca con le risultanze del caso. Erano così indaffarati da non accorgersi della sua presenza.

Levi lo attendeva in cucina per un colloquio privato.

« Ha visto che organizzazione ho messo su? E questo solo per lei » si vantò l'avvocato.

Martini pensava a quanto gli sarebbe costato e al fatto che non aveva nemmeno più un lavoro. « Francamente, sto perdendo le speranze. »

« Non dovrebbe » lo ammonì Levi, poi gli indicò

una sedia su cui accomodarsi mentre lui rimase in piedi. « Ho saputo che sua moglie e sua figlia sono andate via ieri. »

« Sono dai miei suoceri. »

« Francamente, è meglio così, mi creda. L'atmosfera sta diventando tesa e penso che peggiorerà nelle prossime settimane. »

A Martini scappò un sorriso amaro. « E ha anche il coraggio di dirmi di non perdere le speranze? »

« Certo, perché me l'aspettavo. »

« È quel Vogel, non è vero? È lui il regista di ogni cosa... »

« Già, ma questo lo rende prevedibile. Sta solo rispettando il solito copione, quell'uomo non è capace di inventiva. »

« Ma tutti lo stanno ad ascoltare. »

L'avvocato si avvicinò al frigo da cui prelevò una bottiglietta d'acqua minerale. Svitò il tappo e la porse al professore. « L'unica cosa che può salvarla è rimanere lucido e mantenere i nervi saldi. Perciò, calma... e lasci fare a me. »

« Quel poliziotto mi ha distrutto la vita. »

« Ma lei è innocente, giusto? » gli rammentò l'avvocato.

Martini abbassò lo sguardo sulla bottiglietta. « A volte ne dubito persino io. »

Levi rise, benché la frase nelle intenzioni del professore non fosse una battuta di spirito. Poi l'avvocato gli appoggiò una mano sulla spalla. « Anche Vogel ha un punto debole e cominceremo ad attaccarlo proprio su quello... E gli farà male, molto male.»

Martini sollevò il capo verso Levi. Nei suoi occhi brillava forse una speranza.

«Ha mai sentito parlare del caso Derg?» chiese il legale.

«Non saprei» ammise il professore.

«È stato un caso che ha avuto una vastissima eco mediatica fino all'incirca un anno fa. Ma forse lei ricorderà Derg con il nome che gli hanno affibbiato i giornali: *il mutilatore.*»

«Sì, sì, ne ho sentito parlare... Ma di solito non mi interessano granché i fatti di cronaca.»

«Be', per molto tempo la polizia ha dato la caccia a un attentatore seriale che nascondeva piccoli ordigni esplosivi in prodotti da supermercato che poi lasciava nuovamente sugli scaffali: una scatola di cereali, un tubetto di maionese, un barattolo di conserve. Le esplosioni hanno ferito diverse persone, staccando loro di netto dita e falangi, una volta anche una mano intera.»

«Oddio. Non ha mai ucciso nessuno?»

«No, ma sarebbe accaduto prima o poi: il mutilatore si sarebbe stufato e avrebbe cercato il colpo a sorpresa. Se lo aspettavano tutti, in fondo. Se ricorda, si era diffuso il panico. Ma prima che ci scappasse il morto, Vogel è riuscito a scovare un innocuo contabile con la passione per il modellismo e l'elettronica: il signor Derg. Caso ha voluto che l'uomo avesse perso l'indice della mano destra quando era bambino.

All'epoca si era parlato di un banale incidente domestico. In realtà, era stata la madre a mutilarlo con un trinciapollo perché voleva punirlo. La donna soffriva di turbe psichiche e tormentava il figlio. »

« Mio Dio... » commentò il professore.

Levi lo indicò. « Ecco: lei sta pensando esattamente ciò che hanno pensato tutti, cioè che Derg era un colpevole perfetto. »

« È vero » ammise Martini. « Il suo comportamento violento da adulto è plausibile se penso a ciò che gli è successo da piccolo. »

« È così che si creano i mostri. Ma il punto è un altro. Anche nel caso di Derg non c'erano prove, solo indizi. Vogel ha messo su uno show per i media e ha convinto un procuratore a incriminare Derg. Ma, alla fine, il contabile è stato assolto con formula piena. »

« Perché? »

« L'esplosivo usato dal mutilatore era rudimentale. Persino un dilettante avrebbe potuto assemblarlo con sostanze facilmente reperibili in una ferramenta. Ma ha un inconveniente: lascia una traccia chimica su chiunque lo maneggia. E Derg non aveva tracce su di sé... »

« E questo è bastato a scagionarlo? »

« Ovviamente no. Ma senta questo: l'indizio più pesante a suo carico è stato rinvenuto durante una perquisizione della polizia. Derg aveva in casa una scatola di biscotti identica a una di quelle in cui il mutilatore aveva nascosto uno degli ordigni e, per di più, dal numero di serie risultava acquistata nello stesso negozio in cui il maniaco aveva colpito. Eppure Derg aveva sempre negato di esserci stato. »

« E allora come... »

« E qui arriva il bello: chiunque gli ha piazzato in casa quella scatola per incriminarlo non ha controllato la data di confezionamento dei biscotti. Erano stati prodotti nel periodo in cui Derg era già in carcere, in attesa del processo, perciò non poteva essere stato lui ad acquistarli. Risultato? L'hanno scarcerato e scagionato subito. »

Martini ci pensò su. « E Vogel? »

« Vogel ha salvato la faccia scaricando la responsabilità su un suo sottoposto, un giovane agente che infatti è stato fatto fuori. Fa sempre così: si fa assegnare un capro espiatorio per sacrificarlo in caso di necessità... Però, dopo Derg, i media hanno cominciato a diffidare delle dritte che Vogel gli passava e l'hanno confinato a poco a poco nell'ombra. »

« Fino a ora » commentò il professore. « Io sono la sua occasione per riprendersi la luce dei riflettori. »

« Ma quando accadrà, cercheremo di farlo apparire per ciò che è: un mistificatore. »

Martini sembrava aver recuperato un po' di fiducia. « Ne verrò fuori, allora. »

« Sì, ma a che prezzo? » Il tono dell'avvocato era tornato a farsi greve. « Derg ha trascorso quattro anni in galera, in attesa che terminasse il processo a suo carico. Nel frattempo ha avuto un ictus e ha perso il lavoro, gli amici e la famiglia. »

Il professore si rese conto che il discorso di Levi era

finalizzato a uno scopo preciso. « Cosa posso fare per evitarlo? »

« Dimentichi di essere innocente. »

Martini non comprese il senso della frase, ma l'avvocato lo congedò con una stretta di mano senza ulteriori spiegazioni.

« Mi farò vivo presto » promise.

La notte precedente, l'agente Borghi non era riuscito ad addormentarsi. Si era rivoltato nel letto pensando e ripensando alla scena a cui aveva assistito davanti a casa dei Kastner, a quella madre sconvolta e stordita che si aggirava in camicia da notte fra i gattini che la gente aveva donato alla figlia. Maria cercava di dare un senso al proprio dolore.

I gatti sono la risposta, aveva detto a se stesso.

I peli dell'esemplare rosso e marrone maculato che erano stati rinvenuti all'interno del fuoristrada del professore non avevano senso. Quando era venuto a conoscenza del particolare, Borghi aveva ragionato esattamente come Vogel.

I Martini non avevano un gatto. Anna Lou ne avrebbe tanto voluto uno.

Nella sua insonnia, Borghi aveva concluso che la chiave per giungere alla soluzione dell'enigma era proprio la ragazzina. Invece tutti si erano disinteressati a lei. Non si domandavano più che fine avesse fatto. I media, il pubblico e perfino la polizia erano passati a un altro genere di domande. Come l'ha uccisa il professore? L'ha violentata prima? Davano per scontato che fosse stata ammazzata e, anche senza dirlo apertamente, si preoccupavano di saziare la propria pruriginosa curiosità con dettagli scabrosi.

Per esempio, nessuno si domandava: «Perché l'ha uccisa?»

Il movente per cui un apparentemente innocuo professore di un paesino di montagna avrebbe dovuto ammazzare una ragazzina invisibile come Anna Lou restava un interrogativo inespresso. Eppure doveva essere determinante.

Perché l'ha uccisa?

All'alba, Borghi aveva compreso che bisognava ripartire proprio da lei, da Anna Lou Kastner. In fondo, cosa sapevano della ragazzina? Solo ciò che avevano riferito parenti e conoscenti. Ma poteva bastare? In accademia di polizia aveva imparato una lezione.

Che anche le vittime hanno una voce.

Ci si rassegnava troppo presto al fatto che non potessero più raccontare la propria versione. Invece potevano. Il passato, di solito, parlava per loro. Ma ci voleva qualcuno che lo ascoltasse.

Per questo, dopo aver scoperto che la scuola frequentata da Anna Lou e dal professore aveva un vecchio impianto di videosorveglianza per scoraggiare atti di bullismo o vandalismo, Borghi si era rinchiuso in una specie di sgabuzzino dove erano stipati antiquati videoregistratori e stava controllando da ore i filmati in cui appariva la ragazzina. Erano scene di vita quotidiana, in cui Anna Lou si mostrava in tutta la sua ingenuità. Le classi non erano sorvegliate, ma in mensa, in palestra e nei corridoi lei era sempre la stessa. Timida, riservata, ma capace di donare un sorriso a chi le rivolgeva la parola. Nessun comportamento anomalo nella sua condotta.

Il sistema di videosorveglianza veniva resettato ogni quindici giorni. I nastri venivano riutilizzati cancellando le registrazioni precedenti. Per fortuna, le vacanze natalizie avevano interrotto il ciclo, preservando i contenuti per più di due settimane.

Esattamente, i quindici giorni prima della scomparsa.

Ma erano comunque ore e ore di riprese. Borghi aveva adottato un metodo a singhiozzo. Nel senso che sceglieva casualmente i momenti su cui concentrarsi andando in cerca della ragazzina sullo schermo. Si era rintanato nello sgabuzzino e si era piazzato davanti a un monitor in bianco e nero con una sedia pieghevole e un termos di caffè che però era diventato comunque freddo. Aveva visionato parecchi filmati. Non era mai riuscito a vedere Anna Lou insieme al professore. Al momento stava osservando l'ultimo giorno di scuola prima delle vacanze, che era anche quello precedente alla scomparsa. Il suo cellulare squillò.

«Perché non mi hai chiamato ieri sera?» Era Caroline e aveva un tono seccato.

«Scusa, hai ragione. Il lavoro mi sta portando via molto tempo.»

« Il lavoro è più importante di tua moglie incinta? »
Non era una domanda, ma un'accusa precisa.

« Certo che no » provò a calmarla lui. « Non era un
modo per giustificarmi, è solo la verità. Se sto lavo-
rando non posso chiamarti, ma ti penso costantemente. »

All'altro capo del telefono Caroline sospirò. Forse
era in uno dei suoi giorni « buoni », con gli ormoni
che non la facevano impazzire. Ma Borghi questo
non avrebbe mai potuto dirglielo, altrimenti lei sarebbe andata su tutte le furie.

« Hai ricevuto la roba che ti ho mandato? »

« Sì e, a proposito, grazie. Avevo proprio bisogno
di un po' di vestiti di ricambio. »

« Ieri sera mio padre ti ha visto in tv » disse.

Borghi poteva immaginare un sorriso sul suo volto.
Ecco perché non era arrabbiata: era fiera di lui. « Ah
sì? E sono venuto bene? »

« Ti dico solo che spero che nostra figlia prenda da
me. » Risero. « Mia madre vorrebbe che rimanessimo
qui per un po' dopo che è nata. »

Ne avevano già parlato lungamente. Caroline sosteneva che la donna avrebbe potuto aiutarla i primi
tempi ma ciò implicava che anche lui si trasferisse e,
per quanto andasse d'accordo con i suoceri, Borghi
non voleva rischiare una convivenza perché aveva
paura che si protraesse a una data indeterminata.
« Possiamo parlarne quando torno? In fondo manca-
no ancora alcuni mesi al parto. »

Caroline lo ignorò. « Papà ha già preparato una camera per noi in fondo al corridoio. Era quella di mio fratello prima che andasse a vivere da solo. È appartata e avremo la nostra privacy.»

Dal tono, sembrava che Caroline avesse già deciso per entrambi. Borghi avrebbe voluto replicare qualcosa ma in quel momento scattò sulla sedia pieghevole. Aveva intravisto qualcosa nel monitor. «Scusa, Caroline, devo richiamarti.»

«È possibile che le poche volte che ci sentiamo poi mi scarichi così?»

«Lo so, perdonami.» Riattaccò senza attendere la replica. Poi si concentrò sul video.

Per la prima volta, Anna Lou e il professore erano insieme nella stessa inquadratura.

Il corridoio della scuola era deserto, tranne che per la ragazzina che procedeva tenendo alcuni libri fra le mani. Dalla direzione opposta era spuntato il professore.

I due erano passati l'uno accanto all'altro, quasi sfiorandosi.

Borghi tornò indietro con la registrazione per riguardare la scena. Fu in particolare una cosa a colpirlo. Se i media l'avessero scoperta sarebbe scoppiato un bel casino. Avrebbe dovuto informare Vogel.

Alle undici di sera, Martini era seduto sul divano del soggiorno, al buio. Dalla strada provenivano le voci delle troupe accampate fuori da casa sua. Non riusciva a comprendere il senso dei loro discorsi ma ogni tanto li sentiva anche ridere.

È sempre strano quando la tua vita si ferma e invece quella degli altri va avanti, pensò. Era così che si sentiva. Bloccato nella propria vita.

Aveva spento le luci per impedire a quelli là fuori di sbirciare dalle finestre per vedere cosa faceva il mostro. Ma c'era un'altra ragione. Voleva evitare lo sguardo di Clea e Monica che dalle foto incorniciate continuavano a inseguirlo per la casa. Erano scappate da lui e lui adesso voleva scappare da loro. Era arrabbiato, però era anche in grado di comprendere la loro posizione. In fondo, era per il loro bene.

Una vibrazione sembrò ridestarlo. Contemporaneamente, una lucina si accese sopra una mensola. Martini si alzò dal divano per andare a controllare. Sul display del telefono che gli aveva consegnato Levi appariva un messaggio.

« Al cimitero fra mezz'ora. »

Il professore si domandò come mai l'avvocato gli proponesse un appuntamento in un luogo così insolito invece di incontrarsi nella villetta che aveva affittato per farne il suo quartier generale. Gli risuonavano ancora nella testa le parole che il legale gli aveva rivolto quella mattina.

Dimentichi di essere innocente.

Forse avrebbe avuto una risposta. Per questo elaborò rapidamente un piano per uscire di casa senza essere visto. Andò di sopra per recuperare un vecchio giaccone e un cappellino con visiera. Li avrebbe usati per camuffarsi e camminare per strada indisturbato. Per depistare i cronisti sarebbe uscito dal retro e avrebbe scavalcato una delle siepi del giardino.

Giunse al cimitero impiegando ben più di mezz'ora. Voleva essere sicuro che nessuno l'avesse seguito. Il cancello d'ingresso era solo accostato. Lo spinse e s'inoltrò fra le lapidi.

In cielo c'era una luna piena e grigia. Martini girò per un po', sicuro di vedere spuntare l'avvocato Levi da un momento all'altro. Ma poi scorse un puntino rosso intermittente in lontananza. Lo seguì come fosse un faro che gli indicava la direzione giusta. Quando arrivò nei pressi della fonte della piccola luce, si rese conto che era una sigaretta. La punta si accendeva e si spegneva ogni volta che Stella Honer faceva un tiro.

«Stai calmo, sono qui in veste amichevole» disse subito la donna, divertita. Si era seduta su una lapide e incrociava le gambe come se fosse in un salotto.

«Cosa vuole?» Il tono era duro, seccato.

«Aiutarti.»

Lo infastidiva che la Honer si rivolgesse a lui in modo confidenziale. «Non ho bisogno del suo aiuto.»

«Vuoi che ti dimostri quanto ti sono amica? Va bene... Tua moglie stava per lasciarti per un altro uomo sei mesi fa. Vi siete trasferiti qui per provare a ricominciare.»

La cosa, pensò Martini. Come faceva lei a saperlo?

«Vedi? Siamo amici» proseguì la Honer, accorgendosi che il professore era più spiazzato che in collera. Vogel, che le aveva passato l'informazione, aveva previsto che avrebbe reagito così. «Avrei potuto servirmi della notizia, ma non l'ho fatto... So che adesso Clea se n'è andata con tua figlia, ma se le rivuoi con te dovresti farti furbo.»

«Quando la mia posizione sarà chiarita, torneranno e ricominceremo la vita di prima.»

Stella inclinò il capo, guardandolo con tenerezza. «Povero cocco, davvero pensi che andrà così?»

«Io sono innocente.»

«Allora non hai capito un cazzo.» La Honer pronunciò la frase come fosse una minaccia. «Non gliene frega niente a nessuno se sei innocente. La gente ha già deciso. E i poliziotti non ti lasceranno mai in pace: stanno spendendo soldi a palate per risolvere questo caso, non hanno le risorse per permettersi un'altra indagine e, soprattutto, un altro colpevole.»

Martini deglutì a fatica, ma voleva sembrare calmo. «Quindi, o me o nessun altro...»

«Esatto. Il solo motivo per cui sei ancora libero è che non hanno trovato un cadavere. Senza un corpo non possono formalizzare un'accusa di omicidio. Ma prima o poi qualcosa verrà fuori, succede sempre così.»

«Se sono spacciato perché dovrei avere bisogno di lei?» Il professore continuava a rivolgersi alla Honer in modo formale, per rimarcare una distanza.

La donna fece una breve pausa, sorrise. Gli occhi profondi brillavano alla luce della luna. «Hai bisogno di me per trarre il massimo vantaggio da questa storia. Potresti ricavare parecchio dagli stessi media che adesso ti sono ostili: una tua intervista oggi vale oro. E io voglio comprarla... Naturalmente, l'offerta durerà finché sarai libero: in galera non varrai più nulla. »

« È stato Levi a organizzare questo incontro? Perciò quel discorsetto di stamattina... » Martini fece una smorfia di disgusto.

« Il tuo avvocato è un uomo pratico. Se vuoi la speranza di venirne fuori, dovrai avere denaro a sufficienza per pagare una controindagine accurata, con periti, investigatori privati. »

« Sì, me l'ha già detto anche lui. »

« E dove credi di trovarli i soldi? E hai pensato a cosa accadrà alla tua famiglia quando tu sarai in carcere? Come faranno ad andare avanti? »

Avrebbe dovuto arrabbiarsi, eppure in quel momento il professore iniziò a ridere. La reazione sorprese non poco la giornalista, ma Martini non riusciva proprio a smettere. « Mi scusi » disse poi, provando a trattenersi. « È strano... Per tutti io sono il mostro, anche senza bisogno di prove. Perfino mia moglie nutre dei dubbi. Ma sa cosa le dico? » Prese fiato e tornò serio. « Le dico che io so *esattamente* chi sono. Perciò non esiste che mi metta a speculare sulla pelle di una ragazzina scomparsa e sul dolore della sua famiglia solo per salvarmi o per salvare mia moglie e mia figlia. Lo dica pure al mio avvocato. » A quel punto, Martini si voltò per andarsene.

« Lei è un idiota, lo sa? » gli disse dopo un secondo

Stella Honer. Ma come risposta dovette accontentarsi della visione delle spalle del professore mentre si allontanava.

Quella sera Vogel aveva consumato una cena leggera in camera e adesso stava annotando qualcosa sul solito taccuino nero, prima di andare a letto. Era seduto in vestaglia su una poltrona e sorrise fra sé. Era sicuro che quella vecchia faina di Levi avesse già cominciato a muovere le proprie pedine sullo scacchiere.

Quando aveva appreso della presenza dell'avvocato in città, non si era meravigliato più di tanto. Levi era aggregato al carrozzone da così tanto tempo che era quasi normale che apparisse da un momento all'altro. Il suo numero nel circo era sempre una sorpresa. Poteva essere il prestigiatore che stupisce la folla oppure il clown che entra per distrarre il pubblico mentre il leone sbrana il domatore. In questo caso, sicuramente Levi aveva contattato Stella Honer perché convincesse il professore a darsi in pasto da solo alle belve feroci.

Martini avrebbe accettato. Perché alla fine accettavano tutti. Anche Derg per un po' aveva indossato la maschera del mostro. Il tempo sufficiente per incassare un po' di soldi prima di tornare a proclamare la propria innocenza.

Se il professore fosse apparso in tv, le cose per l'agente speciale si sarebbero semplificate. Lo stolto sarebbe sicuramente andato in cerca dell'empatia del pubblico, ma come risultato avrebbe ottenuto di farlo infuriare ancora di più. E allora tutti avrebbero preteso la sua testa, non solo la gente comune ma anche i capi della polizia e perfino il ministro. E la Mayer non avrebbe più potuto farci nulla.

Quando il suo cellulare iniziò a vibrare, Vogel rimase interdetto. Riconobbe il misterioso mittente da cui aveva ricevuto l'sms quattro giorni prima, al termine della conferenza stampa.

« Ho bisogno di parlarle. Mi chiami a questo numero. »

Anche stavolta decise di ignorare chiunque fosse e lo cancellò senza pensarci troppo. In quel momento bussarono alla porta. Vogel si chiese se i due eventi non fossero per caso collegati. Sicuro di trovarsi davanti l'enigmatico scocciatore, aprì la porta con veemenza.

Era Borghi con un'aria stropicciata e profonde occhiaie. Portava con sé la borsa con un notebook. « Posso parlarle? »

« Si può rimandare a domani? » Vogel era stizzito. « Stavo per andare a dormire. »

« Devo mostrarle una cosa ed è il caso che la veda subito » affermò l'altro dando una pacca alla borsa col computer.

Poco dopo, il notebook era aperto sopra il letto di Vogel. I due agenti erano in piedi davanti allo schermo.

« Ho trovato questo filmato nel sistema di videosorveglianza della scuola » disse Borghi. « Guardi che succede... »

Il giovane poliziotto aveva rivisto la scena almeno

una ventina di volte, ma per Vogel era la prima. Nel corridoio deserto, Anna Lou camminava tranquilla. Poi appariva il professore che le andava incontro dalla direzione opposta. I due si passavano accanto, molto vicini, per poi sparire entrambi dall'inquadratura.

Borghi stoppò il filmato. « L'ha notato? »

« Notato cosa? » domandò l'agente speciale, irritato.

« Non si sono nemmeno guardati... Se vuole posso tornare indietro e farglielo rivedere. »

Mentre Borghi si allungava per riavviare la sequenza, Vogel gli afferrò il polso. « Non ce n'è bisogno. »

« Come no? » Era sorpreso. « Uno dei capisaldi dell'accusa è che Anna Lou conosceva il suo rapitore, ricorda? Per questo si è fidata e l'ha seguito e nessun vicino di casa ha visto o sentito niente. È stato lei a dirlo... »

Vogel si lasciò sfuggire un sorriso. Era commovente l'ingenuità di quel ragazzo. « Questo, secondo lei, dimostra che Anna Lou non sapeva chi fosse Martini? »

Borghi ci pensò un momento. « In effetti... »

« In effetti poteva benissimo sapere chi fosse e non fissarlo in faccia perché era timida. »

Ma Borghi non riusciva ad accontentarsi della spiegazione. « È sempre un rischio. »

« Per chi? Per noi? Lei ha paura che se i media venissero a conoscenza di questo video ribalterebbero la propria posizione nei confronti del professore? »

Ovviamente no, ma Borghi ci arrivò solo adesso. Era stato già tutto deciso. E, a meno di clamorosi colpi di scena, non avrebbero cambiato idea su Martini. Semplicemente perché non gli conveniva.

« È per questo che è sparito tutto il giorno? » Il tono di Vogel era di bonario rimprovero. « Mentre lei investiva così le sue ore, anch'io ho fatto passare al setaccio dei video. »

« Che video? » chiese Borghi, sbalordito.

« Quelli delle telecamere di sorveglianza delle case dei vicini dei Kastner. »

« Ma aveva detto che non la interessavano perché gli obiettivi sono rivolti solo all'interno delle proprietà, non sulla strada. » Ognuno cura solo il proprio orticello: durante il primo briefing, Vogel aveva utilizzato proprio quella frase. Cosa gli stava nascondendo adesso?

Ma l'agente speciale non aveva alcuna intenzione di condividere le proprie scoperte con lui. Gli posò una mano sulla spalla per accompagnarlo alla porta. « Vada a riposare, agente Borghi. E mi lasci fare il mio lavoro. »

« Non intendo autorizzare alcun arresto. »

La frase della Mayer suonò come una decisione perentoria. Vogel si stava scontrando ancora una volta con l'ostinazione della procuratrice. « Lei sta mandando a monte tutto » provò a replicare. « L'arresto del professore ci serve, perché se no diranno che stiamo tormentando senza ragione un uomo innocente. »

« E non è così? »

Vogel le aveva portato in dono un indizio determinante: gli ingrandimenti di alcuni fermo-immagine ricavati dai filmati delle videocamere di sorveglianza delle ville dei vicini dei Kastner. Sperava che mostrarli alla Mayer sarebbe stato sufficiente a farle mutare atteggiamento. Evidentemente, non era così.

« Ho bisogno di una prova certa. Come devo dirglielo? »

« Le prove servono per condannare, gli indizi per arrestare » ribatté l'agente speciale. « Se lo mettiamo dentro adesso è molto probabile che decida di collaborare. »

« Lei vuole estorcergli una confessione. »

Andavano avanti così da almeno venti minuti, chiusi nello spogliatoio-ufficio di Vogel. « Quando si sarà reso conto di aver perso tutto e di non avere scampo, allora Martini parlerà per liberarsi la coscienza. »

Erano entrambi in piedi fra gli armadietti, ma la Mayer continuava a far ticchettare nervosamente sul pavimento la punta della scarpa col tacco. « Ho capito il suo gioco, Vogel. Non sono stupida: lei vuole mettermi con le spalle al muro e farmi prendere per forza una decisione che non condivido. La minaccia è mettermi in ridicolo davanti all'opinione pubblica. »

« Non ho bisogno di minacciarla per ottenere i miei scopi » l'ammonì lui. « Ho un'anzianità di servizio e un'esperienza che bastano da sole ad avvalorare le mie tesi. »

« Come nel caso del mutilatore? »

La Mayer aveva tirato fuori apposta la storia. Vogel si domandava perché non l'avesse fatto prima. Sorrise. « Lei non sa niente del caso Derg. Anzi, crede di saperlo e invece non lo sa. »

« E cosa c'è da sapere, scusi? Un uomo è stato sbattuto in carcere con un'accusa fabbricata ad arte. Ha trascorso quattro anni della propria vita in una cella di pochi metri, in isolamento. Ha perso ogni cosa, affetti e salute compresi. Ha rischiato di morire a causa di un ictus. E tutto per cosa? Perché qualcuno ha truccato l'indagine che lo riguardava piazzando una prova falsa. » La procuratrice aveva pronunciato il discorsetto con disprezzo. « Chi mi assicura che non potrebbe accadere ancora? »

Vogel si rifiutò di replicare. Invece raccolse le foto che aveva distribuito sul tavolo, che credeva fossero le sue carte vincenti, e si diresse verso la porta con l'intenzione di lasciare subito la stanza.

«Ricorda almeno il giorno in cui ha perso la sua integrità, agente Vogel?»

Le parole della Mayer lo raggiunsero sulla soglia, e allora l'agente speciale si bloccò. Qualcosa gli impediva di andar via. Si voltò nuovamente verso la procuratrice, con uno sguardo di sfida. «Derg è stato riconosciuto innocente da un tribunale, ha addirittura incassato un generoso risarcimento per gli anni d'ingiusta detenzione... Ma se il mutilatore non era lui, allora com'è che dopo il suo arresto gli attentati sono cessati all'improvviso?» Poi, senza attendere una risposta, imboccò l'uscita.

Fuori da lì, nella palestra diventata sala operativa, lo accolse un silenzio totale. I suoi uomini, che indubbiamente avevano ascoltato il litigio, lo fissavano cercando di capire se l'impegno e la fatica profusi in quei venti giorni erano stati vani.

Vogel però si rivolse solo a Borghi. «È venuto il momento di affrontare il professore.»

Era un mattino di sole, atipico per gennaio. Non sembrava nemmeno inverno. Loris Martini si era svegliato molto presto. Anzi, era più giusto dire che i pensieri che lo affliggevano erano andati a svegliarlo, portandogli il loro dono d'angoscia racchiuso in un semplice messaggio.

Il momento sta arrivando. Fra poco ti arresteranno.

Ma il professore non intendeva sprecare la bella giornata soleggiata e stranamente calda. Aveva fatto una promessa a Clea, intendeva mantenerla. Così prese la cassetta degli attrezzi e andò in giardino, dove cronisti e curiosi non avrebbero potuto disturbarlo. Lì, al riparo delle alte siepi, aveva iniziato a trasformare il cadente gazebo in una serra.

Mentre lavorava sodo con chiodi e martello, sentiva il bacio del sole sulla nuca, il sudore che scendeva lentamente in piccole gocce dalla fronte, e la fatica che temprava i muscoli e, in fondo, anche il suo cuore. Era rigenerante. Ma la tristezza tornava a visitarlo di tanto in tanto. Le bastava starsene lì, in silenzio, a rammentargli perché era giunto fino a quel punto, il motivo per cui aveva perso ogni cosa.

Era iniziato tutto prima di Avechot. Il paesino di montagna era sembrato il posto più giusto per ricominciare, invece era stato solo l'epilogo di una brutta storia.

La cosa. Anche Stella Honer lo sapeva.

Martini si era chiesto come ne fosse venuta a conoscenza. Gli era sfuggita la risposta più semplice. E questo accade spesso agli uomini ingenui. Specie a quelli che si fanno soffiare la moglie da un altro senza accorgersene.

Era stato l'ex amante di Clea a vendere la notizia. Elementare.

E dire che fino ad allora aveva quasi stimato quell'uomo. Forse perché era stata Clea a sceglierlo, e lui si fidava del giudizio di sua moglie. Era una considerazione assurda, lo sapeva. Ma era anche un modo per rivalutarla ai propri occhi, perché non poteva pensare che Clea fosse stata così superficiale.

Cerchiamo sempre di salvare gli altri per salvare noi stessi, pensò. E forse interpretare il ruolo del marito comprensivo lo aiutava a evitare il proprio dovere di affrontare la verità.

Se Clea l'aveva tradito, era anche colpa sua.

Quel lontano mattino dei primi di giugno, lo scherzo stupido di uno studente aveva messo fine anticipatamente alle lezioni. La telefonata anonima che avvisava che c'era una bomba a scuola era tipica della fine dell'anno, quando gli allievi cercavano di scansare le ultime interrogazioni per evitare le bocciature. Anche se non ci credeva nessuno, per legge si era obbligati a dare corso alle procedure di sicurezza. Così erano tornati tutti a casa prima.

Martini aveva varcato la soglia dell'appartamento accolto da un silenzio inaspettato. Di solito, quando rientrava, Clea e Monica erano già lì e si poteva avvertire la loro presenza dalla tv o dallo stereo accesi, oppure semplicemente dall'odore. Profumo al mughetto per Clea, gomma da masticare alla fragola per Monica. Quel mattino, però, il professore non aveva trovato ad attenderlo nulla di tutto ciò.

Nel tragitto sull'autobus che lo riportava a casa, Martini aveva pensato a come investire le ore che gli erano state regalate. Avrebbe dovuto preparare i test per gli esami finali, ed era proprio quella la sua intenzione. Invece, una volta nell'appartamento, aveva scoperto di non averne voglia. Era andato verso il frigo e, dopo essersi preparato un panino con salame e formaggio, si era seduto in poltrona e aveva acceso la tv, a basso volume. Su un canale davano una vecchia partita di basket e a lui non era sembrato vero di potersi concedere un po' di tempo solo per sé.

Non ricordava quando esattamente era accaduto. Se aveva finito di mangiare il sandwich o a che punteggio fosse ferma la partita, ma rammentava ancora il suono che si era infilato subdolamente tra la voce del telecronista e il rumore dei rimbalzi.

Era simile a un battito d'ali, una specie di fruscio.

Al principio aveva voltato solo il capo per capire da dove provenisse. Poi, però, un istinto l'aveva spinto ad alzarsi. Il suono non si era più ripetuto, ma lui si era diretto in corridoio. Quattro porte chiuse, due per ogni lato. Ma, chissà come, aveva scelto quella della camera da letto. L'aveva aperta piano, e aveva visto.

Non si erano accorti di lui. Come lui prima non si era accorto di loro. In una casa piccola, le loro vite avevano continuato a sfiorarsi per interi minuti, inconsapevoli. E avrebbero potuto continuare così se qualcosa non avesse creato l'occasione di quell'incontro.

Clea era nuda, solo le gambe e il bacino coperti dal lenzuolo. Aveva gli occhi chiusi, in una postura che al marito era familiare. Loris si era concentrato sull'uomo che era sotto di lei, convinto di riconoscere se stesso. Invece era un altro. E quella scena non aveva niente a che fare con lui.

Non ricordava nulla oltre quello.

Clea gli aveva riferito di aver sentito la porta che sbatteva. E di aver capito solo allora cos'era appena accaduto.

Quando era tornato a casa, molte ore più tardi, lei indossava un largo pullover bianco e i pantaloni di una tuta che le andavano troppo grandi. Forse voleva nascondere il proprio corpo e, con esso, il suo peccato. Era seduta sulla poltrona su cui lui quel mattino stava guardando la partita. Le ginocchia contro il petto, si dondolava. L'aveva fissato con uno sguardo assente. I capelli in disordine, il volto pallido. Non aveva cercato scuse. «Andiamo via» aveva detto. «Subito, domani.»

E lui, che nel proprio peregrinare senza meta in giro per la città aveva cercato qualcosa da dirle senza trovarlo, aveva pronunciato solo due parole. «Va bene.»

Da allora non ne avevano mai più parlato. Il trasferimento ad Avechot era avvenuto un paio di settimane dopo. Lei aveva rinunciato al lavoro che amava e a tutto il resto solo per essere perdonata con un silenzio. E in quel momento Loris aveva compreso quanto fosse terrorizzata dall'idea di perderlo. Se solo avesse immaginato che lui lo era molto più di lei...

La cosa peggiore, però, era stata scoprire chi fosse l'uomo con cui sua moglie l'aveva tradito. Era un avvocato come lei, aveva mezzi e denaro per permetterle di fuggire dalla vita grama che le offriva il marito.

Loris aveva dovuto fare i conti con una verità lacerante. Clea meritava di meglio.

Così si erano rifugiati fra le montagne per non doverci più pensare. Ma il residuo acido del tradimento era rimasto e stava consumando poco a poco l'amore residuo. Loris se lo sentiva. E sapeva di essere impotente.

Per questo aveva fatto la promessa. *Mai più.*

Ora, sotto il sole immeritato di un mattino di gennaio, ripensò ancora una volta alla *cosa* sperando che fosse davvero l'ultima. Quando in casa squillò il telefono, lasciò cadere il martello sul prato seccato dall'inverno e andò in cucina a rispondere. «D'accordo, ci sarò» disse soltanto.

Poi aprì il frigo. Dentro c'erano solo una mela rugosa e una confezione di quattro bottiglie di birra. Ne prese una e tornò in giardino. La stappò servendosi di un cacciavite. Poi si sedette sull'erba morta, con la schiena appoggiata a una trave del gazebo. Sorseggiò la bevanda con calma, socchiudendo gli occhi.

Quando ebbe finito, si fissò la mano ancora fasciata dal giorno della scomparsa di Anna Lou Kastner. Sfilò le bende e controllò la cicatrice. Era quasi guarita.

Allora prese di nuovo il cacciavite con cui aveva aperto la birra e fece la stessa cosa con la ferita: la aprì. Affondò la punta nella carne, e allargò i lembi. Dalle sue labbra non fuoriuscì un solo lamento. Era stato vile in passato, perciò sapeva di meritare quel dolore.

Il sangue cominciò a sgorgare macchiandogli i vestiti e sgocciolando lentamente sulla terra nuda.

La calda giornata di sole era solo un ricordo. In serata, nuvole dense e compatte avevano invaso la valle riversando una pioggia spessa e pesante.

Sulla vetrata della tavola calda sulla statale c'era ancora la scritta intermittente che augurava *Buone Feste* agli automobilisti di passaggio. Natale e capodanno erano passati da un pezzo ma nessuno aveva avuto il tempo di rimuoverla. Troppo lavoro ultimamente.

Alle dieci di quella sera, però, il locale era vuoto.

L'agente speciale Vogel aveva chiesto all'anziano proprietario di riservargli la sala per un incontro speciale. Anche se il poliziotto non aveva rivendicato alcun merito riguardo all'improvviso incremento del giro d'affari delle ultime settimane, l'uomo aveva intuito da solo di essere in debito.

La porta a vetri d'entrata si aprì facendo risuonare un cicalino. Il professore sbatté i piedi per terra un paio di volte per scrollarsi la pioggia dal giaccone, poi si tolse il cappellino con visiera e si guardò intorno.

Era buio, tranne per una luce che illuminava uno dei séparé accostati al muro. Vogel era già seduto e lo aspettava. Martini si incamminò verso di lui, le sue Clarks bagnate gemevano a contatto col pavimento di linoleum. Si sistemò dall'altro lato del tavolo di formica azzurra, proprio di fronte all'agente speciale.

Vogel era elegante, come sempre. Non si era sfilato

il cappotto di cachemire e aveva davanti a sé una cartellina sottile su cui tamburellava con le dita di entrambe le mani.

Era la prima volta che si incontravano.

«Lei crede ai proverbi?» esordì l'agente speciale senza nemmeno salutare.

«In che senso?» domandò il professore.

«Mi ha sempre affascinato questo modo elementare di distinguere ciò che è giusto da ciò che è sbagliato... Le leggi, invece, sono sempre così complicate, dovrebbero essere scritte come i proverbi.»

«Lei pensa che il bene e il male siano semplici?»

«No, però trovo confortante pensare che qualcuno la veda in questo modo.»

«Personalmente, credo che la verità non è mai semplice.»

Vogel annuì. «Sì, può darsi.»

Martini appoggiò entrambe le braccia sul tavolo. Era tranquillo. «Perché ha voluto che ci incontrassimo qui?»

«Per una volta, niente telecamere e microfoni. Nessun cronista scocciatore. Niente giochetti. Solo io e lei... Voglio offrirle la possibilità di convincermi che ho torto, che il suo coinvolgimento in questa storia è solo frutto di un grosso equivoco.»

Martini cercò di ostentare sicurezza. «Nessun problema» disse. «Da dove cominciamo?»

«Non ha un alibi per il giorno della scomparsa e inoltre si è ferito a una mano.» Indicò la fasciatura sporca di sangue. «Vedo che non è ancora guarita, forse necessita di alcuni punti di sutura.»

«Lo pensa anche mia moglie» rispose Martini per fargli intendere che non apprezzava la falsa premura. «È stato un incidente» ribadì ancora una volta. «Sono scivolato e istintivamente ho afferrato un ramo per frenare la caduta.»

Vogel abbassò lo sguardo sulla cartellina, senza aprirla. «Strano, perché il medico legale ha rilevato che i lembi della ferita sono omogenei... come se fosse stata una lama a provocarla.»

Martini non replicò.

Ma Vogel non insistette sul punto e passò oltre. «I video di Mattia in cui appare la sua auto. Adesso mi dirà che è solo un caso e che, comunque, chi guida non è visibile. In fondo, il fuoristrada era a disposizione della famiglia... A proposito, sua moglie ha la patente?»

«Ero io che guidavo, lasci stare mia moglie.» Aveva contravvenuto alle indicazioni di Levi, ma non gli importava. Non voleva che Clea fosse coinvolta, neanche se questo fosse servito ad alleggerire la sua posizione.

«Abbiamo analizzato gli interni dell'auto» proseguì Vogel. «Non c'era il dna di Anna Lou ma, stranamente, c'erano dei peli di gatto.»

«Noi non abbiamo un gatto» si difese il professore un po' ingenuamente.

L'agente speciale si sporse verso di lui e gli parlò con voce melliflua. «Che direbbe se proprio grazie a quell'animale riuscissi a collocarla sul luogo della scomparsa della ragazzina? »

Martini sembrò non capire, ma dal suo sguardo s'intuiva una curiosità mista a timore.

Vogel sospirò. « C'è una cosa che mi ha colpito fin dall'inizio... Perché Anna Lou non ha cercato di impedire che la portassero via? Perché non ha urlato? Nessuno nel vicinato ha sentito nulla. La conclusione a cui sono giunto è che la ragazzina ha seguito volontariamente il rapitore... Perché si fidava. »

« Allora lo conosceva bene e ciò esclude me: anche se veniva alla mia scuola, non troverete nessuno che sia pronto a testimoniare di averci visti socializzare o, semplicemente, parlare insieme. »

« Infatti » disse Vogel, calmo. « Anna Lou non conosceva il rapitore... conosceva il suo gatto. » Finalmente, Vogel aprì la cartellina e gli porse l'ingrandimento di un fotogramma che aveva mostrato alla Mayer quella stessa mattina per convincerla ad arrestare Martini. « Abbiamo esaminato i filmati dei sistemi di videosorveglianza dei vicini di casa della ragazza. Purtroppo, nessuna telecamera era puntata sulla strada. Come si dice? 'Ognuno cura solo il proprio orticello.' Ma è risultato che nei giorni precedenti la scomparsa, nella zona si aggirava un gatto randagio. »

Martini osservò la foto. Si intravedeva un grosso gatto maculato, rosso e marrone, mentre vagava su un prato inglese.

Vogel indicò qualcosa con l'indice. « Vede cos'ha al collo? »

Il professore guardò meglio. Scorse un braccialetto di perline colorate.

Vogel si sfilò dal polso quello che gli era stato donato da Maria Kastner e lo appoggiò accanto alla foto. «Li faceva Anna Lou per regalarli alle persone a cui voleva bene.»

Martini sembrava bloccato, incapace di reagire.

Vogel decise che era venuto il momento di affondare il colpo. «Il rapitore ha usato il gatto come un'esca. L'ha portato lì giorni prima, lasciando che si aggirasse liberamente per il quartiere, sicuro che Anna Lou, che ama i gatti e non poteva averne uno suo, prima o poi l'avrebbe notato... Ma lei non solo l'ha notato, l'ha addirittura adottato mettendogli al collo quel braccialetto. Perciò da oggi, caro professore, non le darò più la caccia. Se riesco a trovare quel gatto per lei è finita.»

Trascorsero alcuni attimi di silenzio. Vogel sapeva di averlo in pugno. Lo fissava aspettando una reazione, qualcosa che gli dicesse che non si era sbagliato. Ma il professore non proferì parola. Invece si alzò, avviandosi con calma verso l'uscita. Prima di varcare la soglia, però, si voltò ancora verso l'agente speciale. «A proposito di proverbi» affermò tranquillo, «una volta qualcuno ha detto che il peccato più sciocco del diavolo è la vanità.» Poi lasciò il locale facendo risuonare il cicalino sulla porta.

Vogel, invece, rimase un po' a godersi la quiete di quel momento. Era convinto di aver messo a segno un punto importante. La Mayer, però, costituiva ancora un problema. Doveva trovare un modo per neutralizzarla.

Il peccato più sciocco del diavolo è la vanità.

Chissà cosa aveva voluto dire Martini con l'ultima frase. Poteva essere interpretata come un insulto. Ma Vogel non era permaloso. Sapeva bene che i colpi si prendono e, soprattutto, si restituiscono. E il professore aveva le ore contate.

Decise che era il momento di andare. Mentre riordinava il contenuto della cartellina, si bloccò. Aveva notato qualcosa sul tavolo. Si chinò per controllare meglio.

Sul ripiano di formica azzurra, lì dove il professore aveva appoggiato la mano fasciata, spiccava una piccola macchia di sangue fresco.

16 gennaio.
Ventiquattro giorni dopo la scomparsa.

Il piccolo Leo Blanc aveva compiuto cinque anni da una settimana quando sparì nel nulla.

All'epoca non esistevano i sofisticati mezzi d'indagine che oggi erano a disposizione delle forze dell'ordine. Ci si accontentava di « battere il territorio », come si diceva allora. Il caso veniva affidato a sbirri con esperienza, che conoscevano da sempre luoghi e persone, che sapevano come reperire le informazioni e non avevano bisogno di squadre scientifiche o dna. Era un lavoro duro, quotidiano, fatto di piccoli passi, risultati modesti che, alla fine, messi insieme, costituivano l'ossatura dell'indagine. Bisognava essere dotati soprattutto di pazienza.

La pazienza era una dote che era venuta meno con l'avvento dei media. Il pubblico esigeva risposte rapide, altrimenti cambiava canale, così i network mettevano pressione agli investigatori, costringendoli a volte a svolgere il lavoro in maniera frettolosa. Era facile, in quei casi, che ci scappasse l'errore. L'importante, però, era non fermare lo show.

Inconsapevolmente, Leo Blanc, con la sua piccola, tragica storia e la sua breve esistenza, avrebbe rappresentato un importante spartiacque fra il prima e il dopo.

Un mattino la madre, Laura Blanc, una vedova di venticinque anni che aveva perso il compagno nonché padre di suo figlio in un incidente stradale, si era presentata alla stazione di polizia del piccolo paese di pianura in cui viveva. Era disperata. Sosteneva che qualcuno si era introdotto in casa per rapire il suo Leonard.

Vogel era un agente semplice a quei tempi, appena diplomato all'accademia di polizia. Perciò gli venivano assegnate mansioni elementari e noiose, come archiviare i rapporti o battere a macchina le denunce dei querelanti. Per il resto, doveva solo osservare gli agenti più anziani mentre erano al lavoro. E, ovviamente, imparare. Però fu proprio lui che raccolse la testimonianza di Laura.

La donna sosteneva di essersi accorta soltanto quel mattino di aver dimenticato nella propria auto il cartone del latte acquistato la sera precedente in un minimarket. Prima che il figlio si svegliasse e reclamasse la colazione, era uscita a recuperarlo. In fondo, la vettura era parcheggiata in strada a una cinquantina di metri. Forse per distrazione, o forse perché gli abitanti del paese si conoscevano tutti ed erano abituati a non chiudere a chiave la porta di casa persino di notte, Laura aveva lasciato l'uscio appena accostato. E adesso non riusciva a perdonarselo.

Come da prassi, Vogel aveva girato subito la denuncia all'agente con cui svolgeva il proprio tirocinio. Entrambi si erano recati nell'abitazione della donna e, pur non riscontrando segni di effrazione, avevano trovato la stanza del piccolo Leo sottosopra. La conclusione era stata che il bambino si era svegliato e, spaventato dalla presenza di un estraneo, avesse provato a opporsi alle intenzioni del rapitore. Ma alla fine quello aveva avuto la meglio.

Laura Blanc era sotto shock, ma riuscì lo stesso a ricostruire passo dopo passo con la polizia l'esatto svolgimento dei fatti. C'era un buco di appena otto minuti fra il momento in cui era uscita e quello in cui era rientrata, durante quel breve frangente aveva anche scambiato due chiacchiere con una vicina. Quel tempo, però, era bastato al rapitore per introdursi in casa e prendere il bambino.

Era partita subito la caccia all'uomo. Ma le cose sarebbero andate diversamente se in quei giorni una troupe del telegiornale non fosse stata in zona per effettuare un servizio sugli uccelli migratori che popolavano le paludi limitrofe. L'idea era venuta a un tenente. Ai giornalisti era stato chiesto di raccogliere l'appello della madre a chiunque avesse notizie del suo bambino.

Dopo la trasmissione del videomessaggio, il clamore era stato immediato.

La gente aveva cominciato a tempestare di telefonate la polizia. Molti erano sicuri di aver avvistato il piccolo Leo, riferivano esattamente luoghi e circostanze. C'era chi sosteneva di averlo visto in compagnia di un uomo che gli comprava un gelato, chi di una coppia su un treno, addirittura c'era chi faceva nomi e cognomi. La maggior parte delle segnalazioni risultò infondata, ma era comunque impossibile verificarle tutte. La mole d'informazioni piovuta sulla testa degli investigatori intasò di fatto l'indagine. Ma la cosa davvero sorprendente fu la quantità di persone che chiamavano solo per informarsi sugli sviluppi del caso. Telefonate dello stesso tenore arrivavano in massa ai centralini dei network che decisero così di «coprire la notizia», come si diceva in gergo, inviando troupe e giornalisti sul posto.

Vogel vide accadere tutto questo in pochissimo tempo. Da giovane e inesperto poliziotto non ebbe la prontezza di comprendere la rivoluzione che stava avvenendo davanti ai suoi occhi. Sembrava solo tutto molto irreale. Persino la verità, trasfigurata dai media, sembrava diversa. Laura Blanc diventò presto una triste eroina. Vogel l'aveva conosciuta come una ragazza modesta, anche un po' bruttina, ma improvvisamente pure il suo aspetto cambiò. Con il trucco e le luci giuste, iniziò a ricevere lettere di pretendenti ansiosi di occuparsi di lei. Suo figlio Leo fu adottato idealmente da tutte le madri del paese. Un bambino di soli cinque anni era diventato un'icona, la gente teneva in casa la sua foto e parecchi neogenitori diedero il suo nome ai loro pargoli.

Quando ormai la soluzione del mistero sembrava un miraggio, dall'ennesima perquisizione in casa Blanc spuntò fuori un'impronta digitale. Ci vollero due settimane per controllare gli archivi in cerca di un riscontro. Alla fine, arrivò anche quello.

Il nome dell'uomo era Thomas Berninsky. Un manovale quarantenne con precedenti per atti di libidine nei confronti di minori e che in quel periodo lavorava proprio per un'impresa che costruiva capannoni industriali nella zona.

La caccia a Berninsky durò pochissimo. L'uomo fu arrestato e in suo possesso venne trovato il pigiamino del piccolo Leo, sporco di sangue. Il pedofilo assassino ammise che da tempo aveva puntato il bambino e condusse gli investigatori nella discarica abbandonata in cui aveva sepolto il corpicino.

La scoperta di una fine così orrenda sconvolse il pubblico. Ma qualcuno, ai piani alti della polizia e dei network, intuì che qualcosa era improvvisamente cambiato e che non si sarebbe tornati più indietro.

Era iniziata una nuova era.

La giustizia non era più un affare riservato ai tribunali, bensì apparteneva a tutti, senza distinzioni. E in questo nuovo modo di guardare le cose, l'informazione era una risorsa – *l'informazione era oro*.

Il business aveva preso vita dopo la morte di un povero bambino innocente.

Vogel, giovane poliziotto idealista, ancora non immaginava che sarebbe entrato a far parte del meccanismo perverso, costruendo la propria brillante carriera sulle disgrazie altrui. Ma all'epoca era giunto comunque a una conclusione sorprendente... Laura Blanc aveva raccontato di essersi allontanata dalla propria abitazione per recuperare dall'auto il latte acquistato la sera prima. La sua casa era stata messa a soqquadro decine di volte dalle perquisizioni di polizia finché non avevano trovato l'impronta digitale di Berninsky.

Allora perché nessuno aveva mai trovato quel famoso cartone del latte?

Il Vogel adulto, con anni di esperienza sulle spalle, se lo domandava ancora. E ancora la possibile risposta gli provocava un brivido. Laura Blanc si era rifatta presto una vita con un uomo che aveva conosciuto prima dei fatti e che forse non voleva assumersi la responsabilità del figlio di qualcun altro. L'idea che la donna avesse intuito già da tempo le intenzioni dell'ignaro Berninsky e ne avesse addirittura favorito l'opera, sarebbe stata difficile da vendere ai media. Laura Blanc si era allontanata di proposito da casa, Vogel ne era sicuro. Ma sapeva che c'erano segreti che dovevano rimanere tali. Per questo non aveva mai riferito a nessuno del proprio sospetto. Però ci ripensava ogni volta che in un caso accadeva qualcosa di eclatante.

E quella mattina, all'alba, il caso del piccolo Leo gli tornò in mente mentre viaggiava sulla berlina di servizio accanto all'agente Borghi. Era andato a prelevarlo di corsa dall'albergo.

A quanto pareva, i sommozzatori avevano rinvenuto in un canale di scolo lo zainetto colorato di Anna Lou Kastner.

A volte la casa diventava claustrofobica, e allora aveva bisogno di scappare. Martini era diventato bravo a depistare i giornalisti accampati là fuori. Per esempio, aveva imparato che le ore dalle cinque alle sette, quando le troupe si preparavano alle prime edizioni dei tg, erano le migliori per sgattaiolare dal retro.

C'era un dedalo di strade «sicure» che poteva percorrere per lasciarsi alle spalle Avechot. Poi s'inoltrava nei boschi e si abbandonava alla solitudine della natura, convinto che di lì a poco avrebbe perso il privilegio della libertà. Erano trascorsi cinque giorni dall'incontro con l'agente speciale Vogel nella tavola calda. Immaginare il poliziotto alle prese con una caccia al felino rosso e marrone dal pelo maculato glielo faceva apparire decisamente ridicolo. La verità era che non aveva affatto paura di ciò che poteva accadergli. Nonostante il suo aspetto trasandato raccontasse una storia diversa, Loris Martini non aveva smesso di fortificare la propria anima. La barba lunga e incolta e il suo odore corporeo erano una specie di corazza ormai, con cui si illudeva di poter tenere lontana la gente. Clea avrebbe avuto da obiettare, era sempre attenta e gli faceva continue raccomandazioni riguardo al suo aspetto. Era stato così sin dal giorno in cui, al campus, Loris aveva indossato un abito blu e un ridicolo cravattino per chiederle di cenare insieme. L'apparenza, la forma erano importanti per sua moglie.

Martini sentiva la mancanza di Clea e Monica, ma sapeva che doveva essere forte anche per loro. Non c'era stato alcun contatto da quando erano andate via, nemmeno una telefonata. A dire il vero, nemmeno lui aveva provato a chiamarle. Voleva proteggerle. Proteggerle da sé.

La bruma del mattino scivolava lentamente dalle foglie e a Martini piaceva accarezzarle e avvertire la sensazione di fresco bagnato sul palmo delle mani. Mentre camminava, allargava le braccia e socchiudeva gli occhi godendosi una piccola beatitudine. Poi respirava a pieni polmoni l'aria carica di profumi. La sua mente si riempiva di verde, mentre la notte cominciava già a farsi da parte per accogliere il giorno. Gli animali del bosco uscivano dai loro nascondigli, gli uccelli cantavano felici per essere scampati alle tenebre.

Quando l'orologio al quarzo che aveva al polso iniziava a emettere un suono breve e costante, Martini sapeva che stavano per scadere le due ore di libertà dai media e che era venuto il momento di tornare indietro. Così fece anche quel giorno, ripercorrendo a ritroso la via di casa. Sulla strada che portava ad Avechot, però, notò una figura che avanzava verso di lui. Camminava sul lato opposto della carreggiata, il professore avrebbe voluto evitarla, ma non c'era un sentiero in cui svoltare, era circondato dai campi. Fu costretto a proseguire, ma abbassò lo sguardo e si calò meglio il cappellino sul capo in modo che la visiera gli coprisse gran parte del volto. Con le mani in tasca e la schiena un po' ricurva, procedette lungo una linea immaginaria, intenzionato a rispettarla fedelmente. Ma la tentazione di sbirciare il volto del misterioso viandante ebbe la meglio e, quando lo riconobbe, gli si bloccò il respiro in gola.

Bruno Kastner si accorse di lui con qualche secondo di ritardo. Anche lui provò qualcosa d'improvviso e incerto, perché rallentò l'andatura.

Entrambi furono sul punto di fermarsi ma era come se ciascuno aspettasse che fosse l'altro a farlo per primo. Il padre della ragazzina scomparsa aveva un'espressione indecifrabile ma composta. Martini non pensò alla sua probabile reazione, a cosa avrebbe potuto fare al presunto mostro che gli aveva rapito la figlia. Invece, stranamente, pensò a cosa avrebbe fatto lui al suo posto. E questo gli fece paura.

I loro passi sull'asfalto diventarono sincronici, il suono degli uni spariva nel suono degli altri. Il percorso rimanente durò un'eternità. Quando finalmente furono appaiati, le loro spalle distavano solo un paio di metri. Ma nessuno dei due si voltò. Martini si bloccò per primo, attendendosi qualcosa.

Però l'uomo non si fermò. Anzi, accelerò di poco il passo, sparendo alla sua vista.

Martini non riusciva a muoversi. Sentiva soltanto il battito del cuore che gli rimbalzava nel petto. Continuava ad avvertire la presenza di Bruno Kastner alle sue spalle. Per un momento desiderò che tornasse indietro e lo aggredisse. Ma non accadde. Quando si voltò, l'uomo grande e grosso era solo un puntino lontano, ai margini del bosco.

Il professore non avrebbe dimenticato l'esperienza. Ma in quel momento prese anche una decisione.

Lo zainetto colorato di Anna Lou Kastner era sul tavolo autoptico del piccolo obitorio di Avechot. Lo avevano piazzato lì in mancanza di un cadavere. Ma a Vogel sembrava lo stesso di vedere la ragazzina coi capelli rossi e le lentiggini. Distesa, nuda, fredda e immobile sotto la luce della lampada scialitica che la illuminava dall'alto, lasciando tutto il resto in penombra.

A volte i colpi di fortuna capitavano, pensava l'agente speciale. Chiunque avesse gettato nel canale di scolo lo zaino si era prima premurato di svuotarlo e poi di riempirlo con pietre pesanti, ma non era bastato. Quell'accorgimento era una prova decisiva. Adesso l'esistenza di un mostro non era più soltanto un'ipotesi investigativa. Era reale.

Lo zaino era Anna Lou in quel momento. E fu come se la ragazzina aprisse gli occhi e voltasse il capo verso Vogel, che era lì da almeno mezz'ora, da solo, a valutare le possibili implicazioni di quel ritrovamento. Una ciocca di capelli rossi le ricadde sulla fronte e le sue labbra si mossero, pronunciando una frase senza voce. Un messaggio solo per l'agente speciale.

Sono ancora qui.

E Vogel ripensò alla prima volta che era stato a casa dei Kastner, il giorno di Natale. Gli tornò in mente anche l'albero addobbato che, secondo le parole della madre della ragazzina, sarebbe rimasto acceso finché la figlia non fosse tornata – come un faro nella notte. Si ricordò del pacco regalo con il fiocco rosso che attendeva solo di essere scartato. Ora quella scatola avrebbe rimpiazzato una bara bianca.

«Non ti troveremo mai» le disse piano. E la convinzione si radicò subito in lui profondamente.

Il peccato più sciocco del diavolo è la vanità.

Per questo era venuto il momento di agire. E di impedire che capitasse ancora.

Verso le nove del mattino, il professor Loris Martini s'infilò sotto la doccia. L'acqua calda si portò via la stanchezza accumulata. Poco dopo, nudo davanti allo specchio, ritrovò il riflesso del proprio volto che aveva accuratamente evitato negli ultimi giorni. Iniziò a sbarbarsi.

Di fronte all'armadio aperto, scelse fra i pochi abiti che possedeva quello che rappresentava meglio il suo stato d'animo. Giacca beige di velluto a coste, pantaloni scuri di fustagno e una camicia a scacchi, blu e marroni, a cui avrebbe abbinato una cravatta color tortora. Quando ebbe finito di allacciarsi le Clarks, s'infilò il giaccone e la tracolla della borsa di cordura. Quindi uscì di casa.

Vedendolo apparire sulla soglia, cameraman e reporter rimasero spiazzati. Gli obiettivi si spostarono subito su di lui che, incurante, percorreva il vialetto fino alla strada, superava le transenne e s'incamminava tranquillo per le vie di Avechot.

Transitò per il corso principale e la gente si fermava, incredula, e lo indicava. I clienti uscivano dai negozi per assistere alla scena. Nessuno però diceva o faceva nulla. Il professore evitava di incrociare gli sguardi, ma ne avvertiva il peso.

Quando giunse davanti all'edificio scolastico, una

piccola folla si era radunata dietro di lui. Martini vide
che, a parte la palestra requisita per essere trasformata
in una sala operativa della polizia, nient'altro era
cambiato.

Salì le scale che conducevano all'ingresso, certo che
gli sciacalli alle sue spalle si sarebbero fermati davanti
a quel confine. Così avvenne. Una volta all'interno riconobbe il suono familiare della campanella. Secondo l'orario delle lezioni, alle dieci c'era letteratura.
Così si diresse verso la propria classe mentre i colleghi
insegnanti e gli alunni presenti in corridoio se lo vedevano sfilare davanti.

Fra i banchi c'era la confusione tipica di ogni cambio
dell'ora. Di lì a poco sarebbe arrivato il supplente che
il dirigente scolastico aveva assegnato alla classe, ma al
momento gli studenti approfittavano del ritardo del-
l'insegnante per ridere e scherzare.

Priscilla indossava di nuovo i vecchi abiti. Era tornata a truccarsi pesantemente gli occhi e aveva rimesso le borchie intorno all'orecchio. «Andrò a fare un
provino per un reality» stava raccontando eccitata alle amiche.

«E tua madre è d'accordo? Non dice niente?» le
chiese una compagna.

«Anche se fosse, chi se ne frega. Ormai la mia vita
ha preso una direzione e lei deve farsene una ragione»
disse la ragazza liquidando la questione con un'alzata
di spalle. «Forse dovrò cercarmi anche un agente.»

Lucas, il ribelle con il teschio tatuato, si rivolse a qualcuno in fondo all'aula. « E a te, sfigato, non hanno offerto niente? »

La battuta fu seguita da una risata generale, ma Mattia finse di non aver sentito e continuò a scarabocchiare qualcosa sul suo solito quaderno.

La porta si aprì. Non si voltarono subito tutti. Solo qualcuno lo fece e tacque. Ma quando Martini raggiunse la cattedra e appoggiò la borsa sul ripiano ci fu un totale silenzio.

« Buongiorno, ragazzi. » Li aveva salutati con un sorriso. Nessuno rispose, erano straniti, compreso Mattia che appariva terrorizzato. Trascorsero alcuni secondi in cui il professore li osservò uno per uno, in piedi. Poi, come se niente fosse, ricominciò a parlare. « Durante la nostra ultima lezione, vi stavo illustrando la tecnica narrativa dei romanzi. Ho spiegato che tutti gli autori, anche i più grandi, iniziano prendendo spunto da ciò che è stato scritto prima di loro. La prima regola è 'copiare', ve lo ricordate? » Non seguì alcuna risposta. Andava bene così, si disse Martini. In fondo, la classe non era mai stata tanto attenta.

La porta dell'aula si aprì di nuovo. Stavolta gli studenti si voltarono. Vogel fece il proprio ingresso e, trovandosi davanti la scena, sollevò la mano per far capire ai presenti che andava tutto bene, quasi scusandosi. Poi, mentre prendeva posto in un banco vuoto, osservò il professore come se volesse invitarlo a proseguire la lezione.

Martini continuò imperturbabile. « Vi ho detto

che è il male il vero motore di ogni racconto: gli eroi e
le vittime sono solo uno strumento, perché ai lettori
non interessa la vita quotidiana, hanno già la loro.
Vogliono il conflitto, solo così riescono a distrarsi
dalla propria mediocrità. » Fissò volutamente l'agente
speciale. « Ricordate: è il cattivo che rende la mediocrità più accettabile, è lui che *fa* la storia. »

Di punto in bianco, Vogel si mise ad applaudire.
Lo fece con convinzione, battendo energicamente le
mani e annuendo con soddisfazione. Quindi rivolse
lo sguardo alla classe perché lo seguisse in quell'elo-
gio. Sulle prime, gli studenti si fissarono senza sapere
cosa fare. Poi, timidamente, qualcuno cominciò a
imitarlo. Era una situazione assurda, paradossale. L'a-
gente speciale si alzò dal posto e si diresse verso la cattedra, continuando ad applaudire. Arrivato di fronte
a Martini, a pochi centimetri dalla sua faccia, smise.
« Bella lezione. » Poi si avvicinò all'orecchio dell'uomo e gli sussurrò: « Abbiamo ritrovato lo zainetto
di Anna Lou. Niente corpo ancora, ma non ci serve...
Perché sopra lo zaino c'era il suo sangue, professore ».

Martini non replicò, non disse nulla.

L'agente speciale estrasse dalla tasca del cappotto di
cachemire un paio di manette. « Ora, però, dobbiamo proprio andare. »

23 febbraio.
Sessantadue giorni dopo la scomparsa.

La notte in cui tutto cambiò per sempre, l'impianto di estrazione di Avechot era l'unica cosa visibile dalla finestra dell'ambulatorio del dottor Flores. Le torri di aerazione della miniera erano sormontate da luci rosse intermittenti, che sembravano piccoli occhi attenti. Sentinelle nella nebbia.

« Lei ha famiglia, agente speciale? »

Vogel, chissà perché, si stava osservando le unghie della mano destra e da un po' era piombato in un nuovo silenzio. Perciò non colse subito la domanda dello psichiatra. « Famiglia? » ripeté. « Mai avuto il tempo. »

« Io invece sono sposato da quarant'anni » disse Flores senza che l'altro gliel'avesse chiesto. « Sophia ha tirato su i nostri tre splendidi figli, adesso è totalmente dedita ai nipoti. È una donna meravigliosa, non saprei come fare senza di lei. »

« Che ci fa uno psichiatra ad Avechot? » domandò Vogel, curioso. « In un posto piccolo come questo è l'ultima figura che ci si aspetta d'incontrare. »

« I suicidi » disse Flores, serio. « In questa zona c'è la più elevata percentuale della nazione in rapporto al numero di abitanti. Ogni famiglia ha una storia da raccontare – padri, madri, fratelli, sorelle. A volte un figlio. »

« Le motivazioni? »

« Non esistono. Chi viene da fuori, ci invidia. Pensa che in un posto tranquillo come questo, al sicuro in mezzo alle montagne, la vita scorra sempre serena. Ma forse è proprio la troppa serenità la vera malattia delle persone. Non basta per essere felici, anzi, diventa una prigione. Per sfuggirle si tolgono la vita, e scelgono sempre i modi più cruenti. Non gli basta ingoiare un paio di tubetti di pillole o tagliarsi le vene dei polsi, tendono invece a farsi del male, come se volessero punirsi. »

« E lei ne ha salvati parecchi? »

Flores si lasciò scappare una breve risata. « I miei pazienti forse più che di un farmaco hanno bisogno di qualcuno con cui sfogarsi. »

« Scommetto che riesce a farli parlare usando le frasi giuste, probabilmente perché li conosce da sempre e a loro viene facile aprirsi con lei. »

Il poliziotto aveva ragione. Flores era bravo a scrutare le persone, sicuramente perché sapeva ascoltare e non si imponeva mai. Per esempio, non perdeva la pazienza, non aveva mai alzato la voce nel corso di una discussione, nemmeno per rimproverare i propri figli. Gli piaceva l'idea che lo considerassero un uomo equilibrato e amava definirsi un medico di montagna, come quei dottori di una volta che curavano soprattutto l'anima dei loro pazienti e così li guarivano da ogni afflizione.

« Forse non sono semplicemente infelici. Forse la troppa serenità toglie la paura di morire, non ci ha pensato? »

« Può darsi » ammise il medico. « Lei ha mai avuto paura della morte, agente speciale Vogel? » La domanda nascondeva una provocazione. Voleva riportarlo alla realtà dei suoi vestiti sporchi di sangue e al motivo per cui era tornato lassù.

« Quando ti circondi della morte altrui, non hai modo di pensare alla tua » disse amaramente l'altro. « E lei ci pensa spesso? »

« Ogni giorno da trent'anni. » S'indicò il torace. « Tre bypass. »

« Un infarto? A una così giovane età? »

« Ero già padre di famiglia allora. So che non significa niente, ma la giovinezza è solo un dettaglio quando hai delle grosse responsabilità. Grazie al cielo, sono sopravvissuto a una delicata operazione di dodici ore e adesso devo solo ricordarmi di prendere le mie pillole e farmi dare una controllatina di tanto in tanto. » Flores tendeva sempre a minimizzare quel momento del proprio passato, forse perché non voleva ammettere di esserne rimasto profondamente segnato. Ma la notte in cui tutto cambiò per sempre avrebbe fatto passare ogni evento della sua vita precedente in secondo piano, perfino quello.

Bussarono alla porta. Lo psichiatra non invitò chiunque fosse a entrare. Invece si alzò dal proprio posto per uscire dalla stanza. Era un segnale concordato. Ma Vogel non sembrò darci peso.

Nel corridoio, la Mayer camminava avanti e indietro, impaziente. « Allora? » gli domandò appena lo vide.

« Alterna momenti di lucidità ad altri in cui sembra assente » fu il primo responso del medico.

« Ma sta fingendo o no? »

« Non è così semplice » spiegò Flores. « Ha iniziato un lungo racconto delle vicende di Anna Lou Kastner, lo sto lasciando parlare perché penso che alla fine arriveremo all'incidente stradale di stanotte. » Più che un racconto, sembrava una confessione. Ma questo lo psichiatra lo tenne per sé.

« Stia attento, Vogel è un manipolatore. »

« Non ha bisogno di manipolarmi se dice la verità. E fino a ora non mi sembra che abbia mentito. »

La Mayer però non era convinta. « Vogel è a conoscenza del fatto che Maria Kastner si è tolta la vita tre giorni fa? »

« Non ne ha fatto menzione e non so se lo sa. »

« Dovrebbe sbattergli in faccia la notizia, in fondo è soprattutto colpa sua se è successo. »

Flores aveva capito subito che la donna non avrebbe retto. Ma gli era stato impedito di fare qualcosa. Dopo il suicidio, la confraternita aveva preso le distanze da Maria, che era stata bollata per il proprio gesto sacrilego. Le avevano negato addirittura un funerale religioso. « Non credo che servirebbe tirare fuori la storia in questo momento. Anzi, penso che sarebbe addirittura deleterio. »

La Mayer si piazzò a pochi centimetri dal medico, per guardarlo bene in faccia. « Non si lasci incantare anche lei, la prego. Ho commesso l'errore solo una volta e ancora non me lo perdono. »

Flores annuì. «Stia tranquilla, se è tutta una recita lo staneremo.»

Quando rientrò nella stanza con due tazze di caffè fumante, Vogel non era più seduto sulla poltrona. Invece se ne stava in piedi a osservare da vicino l'esemplare imbalsamato di trota iridea che tanto l'aveva incuriosito poco prima.

«Ho portato generi di conforto» disse Flores con un sorriso, appoggiando una delle tazze sul tavolo.

Vogel non si voltò nemmeno. «Sa perché non ricordiamo mai il nome delle vittime?»

«Come, scusi?» Flores si stava risedendo e non aveva capito.

«Ted Bundy, Jeffrey Dahmer, Andrej Čikatilo... Tutti ricordiamo il nome dei mostri, ma nessuno rammenta quasi mai quello delle vittime. Si è mai chiesto il perché? Eppure dovrebbe essere il contrario. Diciamo di provare pietà, compassione, ma poi ci scordiamo di loro. Ci faccia caso...»

«Lei conosce il motivo?»

«La gente le dirà che in fondo è colpa dei media, perché ci bombardano con il nome del mostro fino allo sfinimento. I media sono cattivi, non lo sapeva?» affermò con una nota di sarcasmo. «Ma in fondo sono anche innocui se li neutralizziamo premendo un tasto sul telecomando... Solo che nessuno lo fa. Siamo tutti troppo curiosi.»

« Forse è la giustizia che ci sta a cuore realmente, non i mostri. »

« Naaa » rispose l'agente speciale liquidando l'idea con un gesto della mano, come se fosse una palese ingenuità. « La giustizia non fa ascolti, amico mio. La giustizia non interessa a nessuno. »

« Neanche a lei? »

Vogel tacque, inchiodato dalla domanda. « Io sapevo che il professore era colpevole... Ci sono cose che uno sbirro non può spiegare. L'istinto, per esempio. »

« È per questo che l'ha perseguitato rendendogli la vita impossibile? » Flores sentiva che erano giunti a una piccola svolta.

« Quando ho visto lo zainetto colorato di Anna Lou sul tavolo delle autopsie, in me è scattato qualcosa... La procuratrice Mayer avrebbe lasciato cadere le accuse. » Tacque di nuovo. Poi, a bassa voce: « Non potevo permetterlo ».

« Cosa sta cercando di dirmi, agente Vogel? »

L'altro sollevò lo sguardo su di lui. « Non ci sarebbe stato di nuovo un caso Derg. Il mutilatore alla fine l'aveva fatta franca con le scuse di tutti, incassando addirittura un premio di milioni camuffato da risarcimento per ingiusta detenzione. »

Flores era come paralizzato, ma non voleva forzargli la mano.

« La sera del nostro primo vero incontro, nella tavola calda sulla statale, Martini aveva la mano fasciata. Quello stupido non aveva voluto metterci dei punti di sutura e la ferita stava ancora sanguinando...» Vogel rammentava con chiarezza il momento in cui, mentre rimetteva a posto le foto nella cartellina, aveva notato la macchia rossa sul tavolo di formica azzurra.

«Il sangue sullo zainetto» disse Flores, incredulo. «Allora è vero... Ha falsificato la prova.»

17 gennaio.
Venticinque giorni dopo la scomparsa.

Dopo mezzanotte, un'auto scura e anonima superò i cancelli di sicurezza del carcere. Si fermò in uno stretto cortile esagonale circondato da alte mura grigie, che lo rendevano simile a un pozzo.

Due agenti in borghese scesero dalle portiere posteriori, poi aiutarono il professore a uscire dall'abitacolo. I movimenti di Martini erano intralciati dalle manette. Quando mise piede sull'asfalto, per prima cosa guardò in alto.

Il cielo stellato era rinchiuso in uno spazio angusto e claustrofobico.

Borghi era seduto davanti, per una volta non era lui che guidava. Portava una cartellina con l'ordine d'arresto firmato dalla Mayer e il verbale dell'interrogatorio sostenuto dal professore quel pomeriggio davanti alla procuratrice. Martini aveva continuato a negare ogni addebito, ma le prove e gli indizi a suo carico erano pesantissimi.

Borghi precedette i due agenti di scorta e il professore all'interno del Blocco C. Quindi porse la documentazione al capo dei secondini, perché prendesse in consegna il detenuto. «Loris Martini» disse presentandolo. «L'accusa è rapimento e omicidio di minore, con l'aggravante dell'occultamento di cadavere.»

Ovviamente, l'altro sapeva chi fosse e perché si trovava lì, ma era la prassi. Così si limitò a far firmare all'agente i moduli d'ingresso al carcere.

Espletate le formalità, Borghi si girò un'ultima volta verso Martini, che sembrava confuso e spaesato. Il professore lo fissò con l'espressione implorante di chi cerca di capire cosa sarebbe successo dopo. Il giovane agente non gli disse una parola, si rivolse invece ai poliziotti che lo avevano accompagnato. «Andiamo» disse soltanto.

Martini li seguì con lo sguardo mentre si allontanavano. Poi due mani lo afferrarono per i gomiti e lo tirarono via. I due secondini lo condussero in una saletta attigua, dalle pareti incrostate d'umidità. C'era solo un basso sgabello di ferro e, al centro del pavimento inclinato, il chiusino di uno scarico.

«Si spogli» gli ordinarono dopo avergli sfilato le manette.

Lui obbedì. Quando fu completamente nudo, gli dissero di sedersi sullo sgabello, poi aprirono la doccia che stava a perpendicolo sopra di lui – e di cui non si era accorto – e gli passarono una saponetta. Quando Martini fece per rialzarsi per lavarsi meglio, glielo impedirono. Il regolamento non lo prevedeva. L'acqua era tiepida e aveva un odore di cloro. Infine gli diedero un asciugamano bianco troppo piccolo e che s'inzuppò quasi subito.

«Si alzi e appoggi entrambe le mani al muro, poi si chini in avanti il più possibile» disse il secondino.

Il professore tremava per il freddo, ma anche per la

paura. Non poteva vedere ciò che avveniva alle sue spalle, ma lo immaginò quando riconobbe lo schiocco di un guanto di lattice. L'ispezione corporale durò pochi secondi, durante i quali il professore chiuse gli occhi per rimuovere l'umiliazione. Dopo aver verificato che non nascondeva nulla nel retto, lo invitarono nuovamente a posizionarsi sullo sgabello.

Trascorsero alcuni minuti in totale silenzio. Nessuno gli anticipava nulla e Martini era costretto ad attendere gli eventi. Poi un suono di passi precedette l'arrivo di un medico in camice bianco che portava una cartelletta. « È affetto da patologie croniche? » domandò senza presentarsi.

« No » rispose il professore con un filo di voce.

« Ha bisogno di assumere farmaci? »

« No. »

« È affetto o ha sofferto in passato di malattie veneree? »

« No. »

« Fa uso di stupefacenti? »

« No. »

Il medico carcerario annotò anche l'ultima risposta sulla cartelletta, poi andò via senza aggiungere altro. I secondini afferrarono nuovamente Martini per le braccia, costringendolo a rialzarsi. Uno di loro gli consegnò la divisa da detenuto, di tela ruvida color blu slavato, e un paio di ciabattine di plastica di due numeri più piccole. « Si vesta » gli intimò. Poi lo condussero ammanettato lungo un corridoio che sembrava non finire mai. Al loro passaggio, si aprirono e si richiusero una serie di cancellate.

Anche se era notte, il carcere non dormiva mai.

Da una delle celle iniziò un rumore basso e metallico, ritmato, che presto si propagò alle altre. Il suono accompagnava la sua passeggiata con le guardie, come una fanfara che precede il condannato a morte. Da dietro alle porte sbarrate arrivavano sussurri sinistri.

« Bastardo. »

« Conta i giorni, ti faremo la pelle. »

« Benvenuto all'inferno. »

Era l'accoglienza riservata ai colpevoli di crimini orrendi contro i minori. Secondo il codice d'onore dei carcerati, il loro reato li rendeva indegni persino di stare dietro le sbarre. Gli altri detenuti, infatti, non sopportavano di mischiarsi con gli assassini di bambini. Per quelli era prevista una pena aggiuntiva. Dovevano scontare una condanna nella condanna. Essere marchiati come carne morta.

Martini camminava col capo chino, la divisa gli stava troppo larga e gli cadeva dai fianchi, però con i polsi ammanettati era difficile tenerla su.

Arrivarono di fronte a una pesante porta di ferro. Uno dei secondini la aprì e lo spinse dentro. Il locale era angusto per una persona, figurarsi per tre. C'erano una branda e, in un angolo, un water d'acciaio e un lavandino a muro. Da una finestrella in alto filtrava la luce della luna insieme a uno spiffero di aria gelida.

Una quarta persona varcò la soglia. Era un uomo

robusto, sulla cinquantina. I bicipiti forzavano il tessuto dell'uniforme. «Sono il capo Alvis» si presentò. «Dirigo la sezione di isolamento.»

Il professore immaginava che gli avrebbe fatto un discorsetto, illustrandogli, anche in modo severo, come funzionavano le cose là dentro. Invece quello gli piazzò fra le braccia una coperta marrone di lana, una gavetta e un cucchiaio in silicone, perché non potesse usarli per fare o farsi del male.

«Questi oggetti, così come il materasso della branda, sono di proprietà del carcere. Le vengono consegnati integri, lo smarrimento o il danneggiamento le saranno addebitati» ripeté a memoria, per poi aggiungere: «Adesso firmi qui».

Gli porse una cartelletta e Martini appose il proprio nome in calce al breve elenco, domandandosi quale valore potessero avere mai quegli oggetti per richiedere un simile accorgimento. In quel momento capì che proprio l'ossessione per la burocrazia era l'aspetto peggiore del carcere. Ogni cosa della vita dietro le sbarre era regolata da moduli e codicilli, persino la più insignificante. Ogni decisione era stata già presa da qualcun altro. Per limitare al minimo il coinvolgimento delle persone, ogni azione veniva tradotta in uno standard preordinato. E disumanizzata. In questo modo, non c'era spazio per l'emotività, la compassione o l'empatia.

Si era soli con se stessi e la propria colpa.

Mentre i secondini e il capo Alvis lasciavano la cella, Martini rimase in piedi tenendo fra le braccia la coperta marrone e la gavetta col cucchiaio. La pesante porta di ferro si richiuse e si udirono le mandate delle chiavi.

Carne morta, si ripeté il professore mentre il silenzio calava nella cella.

Aveva atteso ventiquattro ore prima di rilasciare una dichiarazione. Vogel voleva che prima diminuisse un po' il clamore per l'arresto del giorno prima, così da avere la ribalta solo per sé.

Il poliziotto che era riuscito a far incriminare un assassino anche senza il cadavere della vittima.

Adesso l'agente speciale si godeva l'attenzione dei media davanti a una selva di microfoni e telecamere nella palestra scolastica che fungeva, ancora per poco, da sala operativa. Aveva scelto un completo nuovo per presentarsi ai giornalisti. Giacca scura di velluto liscio, pantaloni grigi, una cravatta regimental. Sui polsini della camicia bianca risaltava un paio di gemelli d'oro bianco a forma di stella. Indossava ancora il braccialetto di perline di Anna Lou e intendeva sfoggiarlo come un trofeo. «Alla fine, la puntuale e silenziosa opera della polizia ha portato al risultato che tutti aspettavamo. Come vedete, la costanza e la pazienza premiano sempre. Le pressioni dei media e dell'opinione pubblica non ci hanno condizionato. Abbiamo lavorato sottotraccia e a fari spenti per centrare l'obiettivo che c'eravamo prefissati fin dall'inizio: giungere alla verità sul caso della scomparsa di Anna Lou Kastner. »

Era paradossale come riuscisse a stravolgere i fatti senza provare alcun imbarazzo, pensò l'agente Borghi che in disparte assisteva alla scena. E, anche se la verità di cui parlava Vogel non comprendeva una risposta sulla fine della ragazzina coi capelli rossi e le lentiggini, era comunque bravo a convincere tutti delle cose che diceva. Perché, in fondo, ne era convinto in primo luogo lui stesso.

« A questo punto, il nostro lavoro ad Avechot è terminato e lasciamo il campo alla giustizia, sicuri che la procuratrice Mayer saprà fare buon uso delle preziose e inequivocabili risultanze dell'indagine. »

La Mayer, che era accanto a lui, spostò leggermente lo sguardo dagli obiettivi che la inquadravano. Fu un gesto piccolo ma eloquente per Borghi. Non era in grado come Vogel di mentire a se stessa.

« Come hanno accolto i Kastner la notizia dell'arresto? » chiese un cronista.

« Mi risulta che ieri l'abbiano appresa dalla tv » rispose l'agente speciale. « Ho preferito non interferire con il comprensibile dolore di queste ore. Ma mi recherò da loro appena possibile, per spiegare cosa è accaduto e cosa accadrà adesso. »

« Smetterete di cercare Anna Lou? » Era stata Stella Honer a domandarlo.

Vogel, che si attendeva quella domanda, evitò di rispondere direttamente a lei e si rivolse a tutti. « Certo che no » li tranquillizzò subito. « Non avremo pace finché non avremo aggiunto anche l'ultimo tassello mancante. Il destino della povera ragazza è sempre stato la nostra priorità. »

Ma con quel « povera ragazza » aveva anche decretato ufficialmente la fine di ogni speranza di ritrovarla, notò Borghi. Erano piccoli accorgimenti dialettici che però gli avrebbero consentito di cavarsela in caso di fallimento. D'altronde, i fondi per le ricerche avrebbero subito un netto ridimensionamento con lo spegnersi dei riflettori. Niente più squadra scientifica, unità cinofile e di sommozzatori. Nessun elicottero avrebbe più volteggiato fra le montagne. I volontari poco a poco se ne sarebbero tornati a casa. Ma i primi ad abbandonare Avechot sarebbero stati i giornalisti. Di lì a un paio di giorni, il circo avrebbe levato le tende. Al suo posto sarebbe rimasta una distesa brulla e piena di cartacce. Le troupe avrebbero smobilitato lasciando che la vallata e i suoi abitanti sprofondassero nuovamente nel proprio inesorabile letargo. Sarebbe ricominciata la vecchia vita, sarebbero riemerse le disparità fra chi aveva avuto la fortuna di possedere un suolo sotto cui si trovava una vena di fluorite e chi, invece, a causa della miniera si era impoverito. Alberghi e ristoranti, che avevano momentaneamente riaperto, avrebbero perso gradualmente la clientela, i turisti dell'orrore avrebbero scelto altre mete, altri crimini sanguinari per le gite domenicali con la famiglia. Forse la tavola calda sulla statale avrebbe rimandato di un annetto la cessazione delle attività, ma alla fine anche il proprietario si sarebbe rassegnato e avrebbe compreso che chiudere i battenti era la cosa migliore.

Per Avechot si era esaurita una breve stagione d'insperata e, a volte, fastidiosa popolarità. Ma nessuno avrebbe mai dimenticato quell'inverno.

Vogel stava per congedare la platea perché doveva tornare al più presto in città, dove l'attendeva la partecipazione a un noto talk show serale, quando Stella Honer alzò nuovamente la mano. «Agente speciale Vogel, un'ultima domanda» disse la giornalista senza che lui l'avesse autorizzata a prendere la parola. «Dopo questo importante successo, possiamo affermare che il caso Derg è stato solo una pagina infelice della sua carriera?»

Vogel detestava la capacità quasi ferina di Stella di aggredire le ferite aperte. Si concesse un sorriso di circostanza. «Vede, signora Honer, so che è piuttosto facile per lei e per i suoi colleghi distinguere fra il successo e il fallimento, ma per noi poliziotti esistono delle sfumature. Il mutilatore – così come l'avete battezzato voi dei media – non ha più colpito. Forse un giorno tornerà a farlo, o forse no. Ma mi piace credere che gli abbiamo messo addosso una tale paura che ci penserà parecchio prima di piazzare un altro ordigno.» Aveva segnato il punto, adesso era il momento di sottrarsi. Vogel si allontanò dai microfoni prima che qualcuno fra i presenti potesse trattenerlo con un'altra domanda scomoda.

Mentre i flash accompagnavano l'uscita del protagonista principale di quel dramma, l'agente Borghi si staccò dal muro in fondo alla sala per raggiungerlo. Una parte di lui era contenta che fosse finalmente finita, ma ce n'era un'altra, molto piccola e tenace, che non si rassegnava a quell'epilogo. Per un po' aveva creduto davvero di essere parte di qualcosa di epico, una sorta di battaglia fra bene e male. Ma dopo l'arresto del professore non aveva provato alcun senso di appagamento. In fondo, il caso era stato risolto da un colpo di fortuna. L'aspetto positivo era che adesso poteva tornare da Caroline e che insieme avrebbero atteso l'arrivo della loro bambina. Ma il lavoro gli sarebbe mancato. Avechot gli sarebbe mancato.

Borghi raggiunse Vogel all'esterno della palestra. «Vuole che l'accompagni in albergo?» chiese.

Vogel guardò il cielo. «No, grazie. Approfitto della bella giornata per fare due passi.» E tirò fuori dal cappotto il solito taccuino nero.

Borghi gli aveva visto compiere quel gesto decine di volte nel corso dell'indagine. Era curioso di sapere cosa appuntasse con tanta diligenza l'agente speciale. Sicuramente c'era molto da imparare da quelle note.

«Allora, agente Borghi, dobbiamo salutarci.» Vogel gli posò addirittura una mano sulla spalla, un gesto paternalistico che non era da lui. «Nel prossimo caso che si presenterà, chiederò che venga assegnato alla mia squadra.» In effetti, pensò l'agente speciale, stavolta le cose erano andate per il meglio e non era stato necessario scaricare la responsabilità di un fallimento su un sottoposto. Borghi, però, poteva tornargli utile: il ragazzo era sufficientemente acerbo da credere a tutto ciò che gli si raccontava.

« È stato un onore lavorare per lei, agente speciale » affermò il giovane poliziotto con convinzione. « Ho imparato tanto. »

Vogel ne dubitava. La sua tecnica d'investigazione era un insieme di tattica e opportunismo. Non s'imparava facilmente, e lui non era disposto a condividerne il segreto. « Bene, buon per lei » disse con un sorriso. Stava per andare, quando Borghi richiamò di nuovo la sua attenzione.

« Mi scusi, signore, mi chiedevo una cosa... »

« Dica pure, agente. »

« Non si è mai domandato perché il professor Martini avrebbe dovuto rapire, uccidere e occultare il corpo di Anna Lou? Sì, insomma... Qual è il movente, secondo lei? »

Vogel finse di prendere in seria considerazione l'interrogativo. « Le persone odiano, agente Borghi. L'odio è qualcosa d'impalpabile, è difficile da dimostrare e non produce prove che possano essere esibite davanti a un tribunale. Ma esiste, purtroppo. »

« Scusi, ma non capisco: perché Martini avrebbe dovuto odiare Anna Lou? »

« Non lei in particolare, ma il mondo intero. In fondo, il professore conduceva una vita modesta, priva di soddisfazioni. La moglie l'aveva tradito con un altro, rischiava di perdere la propria famiglia e di rimanere solo, come poi è capitato. A lungo andare, la rabbia accumulata deve trovare uno sfogo. Credo che Martini covasse un desiderio di vendetta nei confronti degli altri... E Anna Lou, con il suo candore e l'innocenza della gioventù, era perfetta per punirci tutti. »

Borghi, però, non era del tutto persuaso. « Strano, perché in accademia ci hanno insegnato che l'odio non è il primo fra i moventi di un crimine. »

Vogel sorrise di nuovo. « Le do un consiglio che non sentirà ripetere mai più da un poliziotto... Impari a considerare ogni caso a sé e lasci perdere tutto ciò che ha appreso, altrimenti non riuscirà mai a sviluppare l'istinto di cattura. »

Borghi osservò il cappotto di cachemire mentre si allontanava. L'istinto di cattura, considerò. Come se fosse il contrario dell'istinto di uccidere.

L'odio non è il primo movente di un crimine, si ripeté Vogel mentre rientrava nella stanza d'albergo. Che ne sapeva quel moccioso di criminali? E come aveva osato mettere in dubbio le sue parole? Ma lui non avrebbe lasciato che l'arrabbiatura offuscasse la sensazione di benessere che aveva provato per tutta la giornata. Borghi non aveva futuro, questo era certo.

Sul letto erano stati già riposti gli abiti che per tutti quei giorni erano stati appesi negli armadi. Ciascuno nella propria custodia. Come le scarpe, che erano state infilate in appositi sacchetti di cotone. Poi c'erano le cravatte, le camicie e il resto della biancheria. L'insieme occupava l'intera superficie del materasso e componeva un perfetto e ordinatissimo mosaico cromatico. Di lì a poco, Vogel avrebbe trasferito tutto in valigia. Ma, quando si accostò al letto, notò qualcosa che prima non c'era.

Sul tavolino, accanto al televisore, c'era un pacco.

Si avvicinò con sospetto. Qualcuno del personale dell'hotel doveva averlo messo lì mentre era via. Ma non c'era alcun biglietto che l'accompagnasse. Gli sembrò strano. Dopo qualche secondo di esitazione, decise di scartare comunque il dono.

Quando aprì la scatola, si trovò davanti a un vecchio notebook pieno di graffi e ammaccature.

Che razza di scherzo è questo? pensò. Sollevò lo schermo e vide che sulla tastiera c'era un cartoncino con un messaggio scritto a penna con una grafia precisa.

È innocente.

Sotto quelle parole, come firma era riportato un numero di cellulare. Lo stesso da cui aveva ricevuto due sms anonimi, che aveva liquidato pensando che si trattasse di qualche giornalista in cerca di uno scoop.

«Ho bisogno di parlarle. Mi chiami a questo numero.»

Vogel era irritato. Non tollerava invasioni della propria sfera privata. Ma, nello stesso tempo, dovette ammettere con se stesso di provare un'inedita curiosità per il contenuto del computer. Il buonsenso gli suggeriva di fermarsi lì, ma in fondo verificare non costava nulla.

Allungò una mano e premette il tasto di accensione.

Il notebook ci mise un po' a prendere vita. Lo schermo nero divenne blu. Al centro solo un'icona, quella di un browser di Internet. Vogel stava per avviarlo, ma la connessione alla rete fu automatica. Di lì a poco apparve una pagina Internet con una grafica scarna e rudimentale. L'agente speciale pensò subito a un vecchio sito che si trovava in rete da anni e che ormai nessuno più consultava, ma che continuava a galleggiare come spazzatura sulla superficie del web.

La pagina aveva anche un nome.

L'uomo della nebbia.

Sotto quel titolo, una sfilata di sei volti di ragazzine, molto simili fra loro. Capelli rossi e lentiggini. Ma, soprattutto, erano molto simili ad Anna Lou Kastner.

Dall'altro capo della linea, il telefono suonò parecchie volte. Rispose una roca voce femminile. «Agente speciale, ce ne ha messo di tempo.»

«Chi è lei e cosa vorrebbe dimostrare con questo?» l'aggredì subito Vogel.

L'altra invece era calma. «Vedo che finalmente ho la sua attenzione.» La frase fu seguita da una breve serie di colpi di tosse. «Mi chiamo Beatrice Leman, sono una giornalista. O meglio, lo ero.»

«Non rilascerò alcuna dichiarazione su ciò che ho appena visto – qualunque cosa sia. Perciò non si fac-

298

cia illusioni: non diventerà popolare con questa storia. »

« Non desidero ottenere alcuna intervista » rispose la Leman. « C'è una cosa che vorrei mostrarle. »

Vogel ci pensò un momento. La rabbia non scemava ma c'era qualcosa che gli diceva di ascoltare quella strana donna. « Va bene, incontriamoci » propose.

« Dovrà venire lei da me. »

Vogel si lasciò scappare una risata infastidita. « E perché? »

« Lo capirà. »

La donna riattaccò senza che lui potesse replicare.

21 gennaio.
Ventinove giorni dopo la scomparsa.

Beatrice Leman era costretta su una sedia a rotelle.

Vogel aveva impiegato quattro giorni per decidere se andare a trovarla, ma nel frattempo, con discrezione, aveva raccolto informazioni su di lei. Come giornalista si era occupata soprattutto di cronaca locale, ma coi suoi articoli aveva messo più volte in imbarazzo politici e potenti di turno. Era un osso duro, ma ormai aveva fatto il suo tempo. Non incuteva più paura a nessuno.

In un primo momento, l'agente speciale aveva deciso di ignorare i deliri di una vecchia cronista in cerca di gloria per riscattarsi dall'anonimato. Ma poi aveva riflettuto sulla possibilità che la Leman si mettesse in contatto con una come Stella Honer. Sicuramente l'inviata non avrebbe perso l'occasione per riesumare il caso Kastner proponendo al pubblico un'appetitosa versione alternativa della verità stabilita dalla sua indagine. Sarebbe stato disastroso se qualcuno avesse dato credito a simili farneticazioni, specie alla luce del fatto che lui aveva falsificato una prova per incastrare Martini. Vogel non voleva che nessuno cacciasse più il naso nella faccenda, perciò alla fine aveva deciso di incontrare la donna.

La Leman abitava in uno chalet poco fuori Avechot. Non si era mai sposata e la sua unica compagnia era uno stuolo di gatti che popolava la specie di studio in cui si rintanava. Quando lo accolse, Vogel si trovò davanti una donna inacidita e disillusa, con il volto scavato da profonde rughe marroni e i capelli grigi raccolti in una crocchia spettinata dietro la nuca. Indossava un pile sporco di cenere di sigaretta e posacenere colmi di cicche erano disseminati ovunque. Nella casa si avvertiva un persistente odore di nicotina stantia che si mischiava con quello pungente di orina di gatto che, per abitudine, la Leman non avvertiva più. Vigeva un disordine di carte e vecchi giornali ammassati perfino sul pavimento.

« Benvenuto, agente speciale Vogel » disse mentre lo guidava all'interno. Nel caos era visibile una specie di sentiero che consentiva alla Leman di muoversi tutto sommato agevolmente con la sedia a rotelle.

Vogel si strinse nel cappotto di cachemire perché non voleva sfiorare nulla, timoroso della polvere e, soprattutto, dei germi che potevano annidarsi nell'ambiente. « Francamente, non so cosa sono venuto a fare » ci tenne a premettere.

L'anziana giornalista rise. « L'importante per me è che adesso lei sia qui. » Poi si piazzò dietro una scrivania e fece cenno al proprio ospite di occupare la sedia di fronte al tavolo.

Anche se con riluttanza, Vogel si sedette.

« Vedo che non mi ha riportato il notebook che le ho inviato. È l'unico che possiedo e ci terrei a riaverlo. »

« Credevo fosse un regalo per me » ironizzò l'agente speciale. « Comunque provvederò a restituirglielo presto. »

La Leman si accese una sigaretta.

« È proprio necessario? » chiese Vogel.

« Sono paraplegica dalla nascita a causa di una manovra sbagliata di un'ostetrica, perciò me ne fotto di ciò che può fare male agli altri » rispose sgarbata.

« Va bene, ma veniamo al punto: non ho tempo da perdere. »

« Ho fondato e diretto per quarant'anni un piccolo quotidiano locale. Diciamo che facevo tutto io: dalla cronaca ai necrologi. Poi l'avvento di Internet ha reso inutile ogni sforzo e ho chiuso la baracca per mancanza di lettori... Adesso conosci in tempo reale cosa avviene all'altro capo del mondo ma non sai cosa cazzo succede dietro l'angolo di casa tua. » Dopo la breve premessa, Beatrice prese un pesante fascicolo da uno scaffale, provocando anche una piccola slavina di carte e giornali. Lo tenne sulle ginocchia, senza aprirlo. « Un giornalista si occupa di centinaia di casi di cronaca nella propria carriera » proseguì la donna. « Però c'è sempre quello che ti rimane appiccicato addosso: non riesci più a dimenticare il nome e il volto delle vittime, e te lo porti dentro come una specie di parassita che si nutre di sensi di colpa... Forse è lo stesso per voi poliziotti. »

« A volte » ammise Vogel pur di farla proseguire col racconto.

« Be', il mio verme solitario ha cominciato a scavarsi la tana con la scomparsa di Katya Hilmann. » Sollevò il fascicolo per poi farlo ricadere pesantemente sul tavolo. «Lei è stata la prima. »

Il tonfo riecheggiò brevemente nell'angusta stanza. Vogel osservò in silenzio il voluminoso dossier che aveva davanti. Sapeva che se avesse accettato di entrare in quella faccenda, poi sarebbe stato difficile uscirne. Ma non aveva scelta. Sollevò la copertina di cartone e cominciò a sfogliarlo.

S'imbatté subito in una vecchia fotografia di Katya Hilmann. L'aveva già vista sul sito Internet, ma adesso la osservò meglio. La ragazzina indossava un grembiule blu, la divisa della scuola. Sorrideva rivolta all'obiettivo. Aveva occhi verdi e sinceri. Facevano seguito le altre immagini delle adolescenti coi capelli rossi e le lentiggini. Vogel le studiò, una per una. Sembravano sorelle. Nelle espressioni del volto c'era lo stesso candore. Predestinate, si disse. La maledizione dell'innocenza si era abbattuta su di loro.

Mentre l'agente speciale consultava i documenti, Beatrice lo osservava fumando in silenzio la sua sigaretta, la reggeva solo con la punta delle dita e la consumava con boccate lente e profonde, lasciando che la cenere si accumulasse in bilico sull'estremità.

Vogel constatò che a corredo delle schede personali delle presunte vittime, c'erano numerosi articoli di giornale scritti dalla stessa Leman e scarni rapporti di polizia.

«Le ragazze avevano tutte situazioni familiari difficili» affermò Beatrice violando il silenzio. «Padri violenti, madri che subivano senza denunciare. Forse è per questo che gli sbirri di Avechot e dei paesi qui intorno non hanno mai indagato troppo sulle scomparse: era quasi normale che le ragazze scappassero da quegli inferni. »

« Lei invece ha messo insieme i casi, ipotizzando un comportamento compulsivo. »

« Età fra i quindici e i sedici anni, capelli rossi, lentiggini: sono gli elementi di un'ossessione, è evidente... Ma nessuno mi ha creduto. »

« L'ultima scomparsa risale a trent'anni fa » le fece notare Vogel leggendo la data di un rapporto.

«Appunto» disse Beatrice. «A quell'epoca il *suo* professor Martini non viveva ad Avechot e, soprattutto, era ancora un bambino. »

Sì, pensò Vogel, a Stella Honer sarebbe proprio piaciuta quella storia. Anche se la riteneva una mera coincidenza col caso Kastner, non poteva andarsene da lì con una semplice alzata di spalle. Prima doveva sradicare dalla testa della Leman l'idea che potesse esserci un collegamento. E per farlo, doveva saperne di più. «Come mai, dopo la scomparsa di Anna Lou, nessuno a parte lei nella valle ha tirato fuori questa storia? »

« Perché la gente dimentica in fretta, non lo sapeva? Anni fa ho creato il sito Internet che le ho mostrato sperando di mantenere viva la memoria, ma di quelle povere ragazze non importa più a nessuno. »

« E perché 'l'uomo della nebbia'? »

La voce di Beatrice Leman, già profonda per le

troppe sigarette fumate in una vita intera, divenne un suono unico, raschiante. «La nebbia fa sparire le persone: sappiamo che sono lì, ma non possiamo vederle... Quelle ragazze sono ancora fra noi, agente speciale Vogel, anche se gli è accaduto qualcosa di brutto, anche se sono morte. Per qualche oscuro motivo, l'uomo della nebbia le ha prese – perché c'è un'unica mano, ne sono sicura. Assodato che non è il professore, scommetto che si aggira ancora là fuori, in cerca di una nuova preda.»

«Non ha senso» la contraddisse. «Perché fare una pausa di trent'anni?»

«Forse si è trasferito altrove e adesso è tornato. Magari ha colpito in altri posti e non lo sappiamo. Basterà cercare ragazzine con le stesse caratteristiche.»

Vogel scosse il capo. «Mi dispiace, non ci credo: con il clamore del caso Kastner, qualcun altro avrebbe portato all'attenzione della polizia o dei media casi simili.»

La Leman stava per replicare qualcosa ma s'interruppe per tossire. «Non è solo quel fascicolo che volevo mostrarle» riuscì a dire nel mezzo dell'accesso. Poi aprì un cassetto della scrivania e porse a Vogel un plico postale. «Mi è arrivato qualche tempo fa, ma se legge il timbro di spedizione si accorgerà che riporta la data della scomparsa di Anna Lou.»

L'agente speciale si disinteressò al fascicolo e afferrò il pacchetto.

«Come può vedere, è indirizzato a lei presso il mio domicilio» proseguì la giornalista. «Ma visto che lei non rispondeva ai miei messaggi, qualche giorno fa l'ho aperto.»

Vogel sollevò il plico per osservarne il contenuto attraverso il bordo strappato. Quindi vi infilò la mano ed estrasse un libriccino rosa, con sovraimpresse delle immagini di gattini.

Il *vero* diario di Anna Lou, pensò subito.

Quello che nascondeva alla madre e che non avevano trovato. Probabilmente lo teneva nello zaino finito nel canale di scolo.

Vogel osservò il piccolo lucchetto a forma di cuore che lo sigillava.

L'agente speciale cercò di razionalizzare la situazione. Se qualcuno aveva mandato il diario alla Leman era perché voleva riaccendere l'attenzione sul caso dell'uomo della nebbia. Che fosse stato il mostro? E allora che ruolo aveva avuto Martini in quella storia? Nacque in lui il presentimento di essersi sbagliato sul conto del professore. Eppure aveva avvertito la stessa sensazione provata con Derg. Anche allora la convinzione di essere al cospetto del mutilatore lo aveva spinto a falsificare le prove. Solo che con il contabile non aveva commesso alcun errore. Era lui l'attentatore, per questo poi si era fermato. «Cosa vuole in cambio?» chiese alla donna, agitando il diario. Cercava di essere pratico.

«La verità» disse la Leman senza esitare.

«Vuole realizzarci uno scoop o cosa?»

«Lei è troppo diabolico, amico mio. Io sono una donna semplice.»

Il peccato più sciocco del diavolo è la vanità, si disse Vogel ripensando alle parole di Martini e alla propria attuale situazione. Forse aveva peccato di vanità, e adesso sarebbe stato punito.

« Se avessi voluto ciò che mi sta offrendo lei adesso, mi sarei rivolta a un network e avrei venduto quel diario per molti soldi. »

Aveva ragione lei, che stupido era stato a non pensarlo. Ma se la giornalista non ambiva a notorietà o denaro, allora cosa cercava realmente? « Le prometto che se qui sopra c'è qualcosa che possa permettere di riaprire l'indagine estendendola anche alla scomparsa delle altre sei ragazze, non esiterò un momento. » La fece suonare come una promessa solenne.

« Questa è l'ultima occasione per catturare l'uomo della nebbia » disse allora la Leman. « Sono sicura che non la sprecherà. »

A quanto pareva, ci era cascata.

La sala dei colloqui fra detenuti e familiari era arredata con tavoli d'acciaio fissati al pavimento con dei bulloni, così come le sedie che gli stavano intorno. Il soffitto era basso e, di solito, le voci rimbombavano fastidiosamente rendendo quasi impossibile parlare. Ma in quel momento, a parte quattro secondini silenziosi che osservavano la scena a distanza, c'erano solo il professor Martini e l'avvocato Levi.

Anche se erano trascorsi solo pochi giorni di prigionia, il professore appariva provato. « Sono molto popolare qua dentro. Mi tengono in isolamento, ma la notte sento lo stesso gli altri detenuti che mi minacciano dalle loro celle: non potendo avermi fra le mani, fanno di tutto per tenermi sveglio. »

« Parlerò col direttore, la faremo spostare. »

« Meglio di no, non vorrei farmi altri nemici. È già difficile essere una *star*. » Rise amaramente. « Anzi, uno dei secondini mi ha fatto capire che è meglio se non tocco il cibo che arriva dalla cucina del carcere. Credo che anche le guardie mi disprezzino e che l'abbia detto solo per mettermi paura. Be', ci è riuscito perché da allora mi arrangio con cracker e merendine. »

Levi provava a incoraggiare il proprio assistito, ma sembrava seriamente preoccupato per lui. « Non può andare avanti così, deve mangiare, tenersi in forze. Altrimenti non reggerà mai alla pressione del processo. »

« Ha idea di quando comincerà? »

« Parlano di un mese, forse un po' di più. L'accusa ha prove a sufficienza ma noi ci stiamo attrezzando per ribattere colpo su colpo. »

« Come farò senza soldi? » Martini era disilluso.

Levi parlò sottovoce per non farsi sentire dalle guardie. « Le avevo organizzato l'incontro con la Honer proprio per questo. È stato davvero stupido non accettare la sua offerta. »

« Allora rinuncerà alla difesa, avvocato? »

« Non dica sciocchezze. Penso che abbiamo lo stesso una chance: la prova del dna sorregge da sola il complesso d'indizi a suo carico, se la smontiamo crolla tutto. Ho già trovato un genetista che ripeterà tutti i test di compatibilità con il profilo rinvenuto nella macchia di sangue sullo zainetto.»

Martini non sembrò crederci molto. «Mi hanno detto che è stato ospite in tv a parlare di me e del mio caso.»

Suonava come un'accusa, ma Levi non sembrò prendersela a male. «È necessario che la gente ascolti anche la sua versione. Lei non può essere presente, perciò devo farlo io.»

Martini non ebbe nulla da ridire, in fondo il legale si ripagava con la pubblicità. Allora che si servisse pure della sua storia. «Ha sentito la mia famiglia? Come stanno mia moglie e mia figlia?»

«Stanno bene, ma fin quando è in isolamento non possono venire a trovarla.»

Non sarebbero venute comunque, pensò il professore.

«Vedrà, arrivati al processo ribalteremo le accuse e la verità verrà fuori.»

Dopo aver lasciato la casa di Beatrice Leman, Vogel aveva vagato in auto per quasi tutto il pomeriggio, percorrendo soltanto strade secondarie che si inerpicavano sui monti. Aveva bisogno di riflettere, di schiarirsi le idee. Aveva previsto di lasciare Avechot giorni prima, invece era ancora bloccato lì, costretto a fare qualcosa che non aveva mai fatto e che non era sicuro di saper fare.

Indagare.

L'uomo della nebbia gli aveva scombinato i piani. E adesso forse lo stava osservando al sicuro della sua coltre bianca. E rideva di lui.

Il presunto diario di Anna Lou era sul sedile accanto. Vogel non l'aveva ancora aperto perché non era convinto che fosse la mossa giusta. Doveva prima valutarne i pro e i contro. Forse la soluzione era gettarlo via, sicuramente bruciarlo e dimenticare tutto. Forse l'uomo della nebbia non aveva alcuna intenzione di apparire, forse voleva solo mettergli paura. Forse. Ma gli sarebbe bastato? Probabilmente ha previsto anche questo, si disse l'agente speciale. Perciò non aveva ancora distrutto la prova che poteva scagionare Martini. Gli era anche balenata in mente l'idea di usare il diario per prendersi il merito della scarcerazione del professore, ma poi qualcuno si sarebbe chiesto se, per ipotesi, non avesse falsificato le risultanze del caso come aveva fatto con Derg. Il sospetto avrebbe potuto mettere fine alla sua carriera. Non lo sfiorava nemmeno il pensiero che in carcere ci fosse un innocente. Non era affar suo, non più. Semmai aveva paura che davvero l'uomo della nebbia avesse deciso di rimettersi in azione dopo trent'anni. In quel caso, sarebbero stati gli eventi a smentire Vogel, perché dopo Anna Lou sarebbe sicuramente toccato a qualcun'altra. Una ragazzina coi capelli rossi e le lentiggini. La figlia di qualcuno. Ma anche questo era irrilevante per l'agente speciale. Doveva pensare prima di tutto a se stesso. Non si trattava di cinismo, era istinto di sopravvivenza.

Fuori il sole aveva già iniziato la propria discesa inesorabile verso le tenebre.

Dopo aver girovagato per quasi tre ore, fu la spia del carburante a costringere Vogel a una sosta. Fermò l'auto nel piazzale antistante i bacini di decantazione della miniera. Scese e annusò l'aria carica di polvere. Di fronte a lui una serie di montagnole di fluorite. Al buio, il minerale emetteva un bagliore verdastro, simile a un'aurora boreale. Non c'era anima viva intorno. Vogel si avvicinò e, davanti a quello scenario incantato, si aprì la patta e cominciò a orinare. Mentre si svuotava la vescica, avvertì come una serie di piccoli colpi sulla spalla. Ovviamente era frutto dell'immaginazione, ma sembrava lo stesso che qualcuno stesse cercando di attirare la sua attenzione.

Il diario lo chiamava dal sedile della macchina. Non puoi ignorarmi, sembrava gli dicesse.

Quando ebbe terminato, l'agente speciale tornò verso l'abitacolo. Si sedette e prese il libriccino. Lo osservò come fosse una reliquia. Poi, mosso da un impulso improvviso, afferrò il piccolo lucchetto a forma di cuore e tirò fino a strapparlo via. Aveva freddo e caldo ed era agitato.

Aprì una pagina a caso e riconobbe subito la grafia di Anna Lou Kastner.

«Merda» mormorò. Quindi iniziò a leggere. La speranza era trovare qualcosa che riconducesse a Loris Martini – qualunque cosa che provasse che era davvero lui l'assassino della ragazzina scomparsa e non l'uomo della nebbia. Ovviamente, non era plausibile che il professore avesse inviato il diario a Beatrice Leman. Però la spedizione era avvenuta lo stesso giorno della scomparsa, quindi chiunque l'avesse effettuata non voleva scagionare Martini, che all'epoca non era nemmeno sospettato. No, quel pacchetto postale aveva un altro significato.

Era una firma.

Ecco perché Vogel non vi trovò nulla che collegasse Anna Lou all'uomo che era attualmente detenuto. Il segreto che la ragazzina cercava gelosamente di custodire nel diario era un altro.

« Undici agosto: al mare ho incontrato un ragazzo molto carino. Gli ho parlato solo un paio di volte, credo che gli piacerebbe baciarmi. Ma non è successo. Chissà se l'anno prossimo ci rivedremo... Si chiama Oliver, è un bel nome. Ho deciso che mi scriverò ogni giorno con una biro la sua iniziale sul braccio sinistro, quello del cuore. E lo farò per tutto l'inverno, finché non lo rivedrò l'anno prossimo. Sarà il mio segreto, un pegno per incontrarci di nuovo. »

Vogel sfogliò rapido le altre pagine. C'erano altri passaggi riferiti al misterioso Oliver, oggetto di innocue fantasie, e di desideri che non si sarebbero mai realizzati.

« Oliver » disse fra sé l'agente speciale ripensando all'iniziale che ora era impressa sul braccio del cadavere di Anna Lou Kastner. Una piccola « O » disegnata a penna che si stava consumando insieme a lei e che nessuno avrebbe mai scoperto.

Il suo segreto era morto con lei.

Ma nel diario c'era anche altro. Vogel non si accorse subito del foglietto che era scivolato dalle pagine. Lo raccolse dopo dal tappetino sotto il sedile. Lo aprì e lo guardò, capendo subito che non era stata la ragazzina a infilarlo là dentro.

Il nuovo indizio della caccia era una mappa.

22 gennaio.
Trenta giorni dopo la scomparsa.

Aveva trascorso una notte insonne.

La mappa era sul comodino accanto al letto e Vogel, con il piumone tirato fino al mento, era rimasto tutto il tempo a fissare il soffitto, immobile. Le domande e i dubbi che si affastellavano nella sua testa gli impedivano di ragionare. Ormai era iniziata una nuova partita, e lui non poteva permettersi di non giocare. L'uomo della nebbia non gliel'avrebbe consentito. Perciò c'era un'unica cosa da fare.

Andare avanti.

Anche se l'agente speciale temeva che il finale che il mostro aveva previsto non sarebbe stato piacevole per lui. Per la prima volta nella sua carriera, aveva paura della verità.

Verso le cinque decise che ne aveva abbastanza della camera d'albergo. Era il momento di agire. Solo se avesse anticipato gli eventi si sarebbe potuto salvare. Così si sbarazzò del bozzolo di coperte in cui si era rintanato e scese dal letto. Prima di vestirsi diede una controllata alla pistola d'ordinanza, quella che ormai da anni portava con sé solo per fare scena. In realtà, non aveva mai sparato un colpo se non al poligono e dubitava di riuscirci ancora. Così come non sapeva preservare l'efficienza dell'arma e, infatti, di

314

solito affidava il compito a qualche sottoposto. Afferrando la Beretta gli sembrò improvvisamente più pesante, ma era l'ansia a trasfigurare la consistenza delle cose. Si assicurò che il caricatore fosse pieno e che il carrello scorresse bene sulla rotaia. Però gli tremava la mano. Calma, si disse. Si vestì, ma non con il solito abito elegante. Scelse un maglione scuro, dei pantaloni casual e le scarpe più comode che aveva. Da ultimo indossò il cappotto e uscì.

Quasi tutti i giornalisti avevano abbandonato Avechot. Erano rimaste alcune troupe di copertura per gli ultimi strascichi del caso, ma i nomi degli inviati erano mutati. I pezzi grossi del video erano andati via. Però Vogel nutriva lo stesso il timore che qualche stagista in cerca di uno scoop per terminare prima la gavetta notasse il suo allontanamento. Perciò, fu molto prudente nel lasciare l'abitato. Continuava a guardare insistentemente lo specchietto retrovisore per essere sicuro che nessuno lo seguisse. Mentre guidava, con una mano stringeva la mappa cercando di capire la direzione.

Al centro della cartina era indicato un punto preciso con una «X» rossa. E c'erano anche delle indicazioni, tanto che la sera prima aveva acquistato una bussola in un negozio di articoli per l'alpinismo. Evitò di pensare a cosa avrebbe trovato. Il posto era situato a nord-ovest, in una zona neanche troppo impervia che era stata battuta più volte dalle squadre di ricerca, anche in quei giorni. Allora perché non avevano notato nulla? Il lavoro è stato fatto male, si disse

Vogel. Nessuno si era realmente preoccupato di trovare Anna Lou Kastner. E la colpa era solo sua, che avrebbe dovuto sovrintendere le operazioni e invece aveva affidato ogni decisione propriamente investigativa al giovane e inesperto Borghi per essere libero di curare i media.

I rivoli di un'alba rossastra avevano superato le vette dei monti e iniziato a invadere la vallata come fiumi di sangue. Vogel arrivò nei pressi del posto indicato, ma da lì in poi cominciava il bosco. Fu costretto ad abbandonare la macchina e a proseguire a piedi con una torcia. Il terreno era leggermente in pendenza e le scarpe scivolavano sul manto di foglie che ricopriva il suolo. Si aggrappava ai rami per tenersi in piedi. L'intrico era così fitto che un rovo gli ferì leggermente una tempia. Vogel non se ne accorse nemmeno. Ogni tanto si fermava per controllare la mappa e la bussola. Doveva fare presto, prima che sorgesse il sole. Lo angosciava che qualcuno notasse la sua presenza.

Sbucò in una piccola radura. Secondo la cartina era giunto in prossimità della X rossa. Se non fosse stata in gioco la sua carriera, la sua stessa vita, sarebbe sembrato tutto uno scherzo. Ma, in fondo, lo era. L'uomo della nebbia si stava facendo beffe di lui. Va bene, vediamo cosa hai preparato per me, stronzo.

Spazzò il terreno con il fascio della torcia, ma non trovò nulla di anomalo. Fu solo quando puntò la luce verso l'alto che notò qualcosa. Qualcuno aveva piazzato su un ramo una scatola di biscotti. *Il caso Derg –*

pensò subito. A quanto pareva, l'uomo della nebbia conosceva bene i suoi punti deboli. Vogel riuscì perfino a cogliere l'ironia del riferimento al mutilatore e alla prova falsificata.

E seppe anche dove doveva scavare.

Si inginocchiò ai piedi dell'albero, indossò un paio di guanti di lattice e liberò il suolo dalle foglie morte. Quindi cominciò a rimuovere la terra umida, incurante di sporcarsi i vestiti. Non aveva intenzione di andare troppo a fondo, perché se là sotto ci fosse stato il cadavere di Anna Lou Kastner lui non voleva vederlo. Aveva solo bisogno di una conferma. Ma, dopo aver scavato solo pochi centimetri di terra, avvertì già qualcosa al tatto. Davanti ai suoi occhi era sbucato il lembo di un telo di plastica opaca. Vogel esitò un momento, poi lo afferrò e tirò con tutte le forze.

Venne fuori un involucro perfettamente sigillato col nastro isolante, in modo che il contenuto fosse preservato.

L'agente speciale se lo rigirò fra le mani, cercando di capire cosa potesse essere. Lo scosse accanto a un orecchio e quello produsse un suono familiare, come un sonaglino per bambini. Qualunque fosse il regalo dell'uomo della nebbia, non sembrava il pezzo di un corpo umano. Facciamola finita si disse, con la rabbia che adesso soppiantava il timore. Prese la decisione di scartare il pacchetto. Ci mise un po' a rimuovere la plastica, anche perché era stato assemblato con impegno. Quando riconobbe l'oggetto, però, le peggiori

paure si materializzarono in una specie di bolo che gli
serrò la gola. Stavolta non c'era niente di ironico.

Il dono che l'uomo della nebbia aveva voluto fare a
Vogel – lo sbirro della tv – era una videocassetta.

L'isolamento acuiva i sensi. L'aveva scoperto nei giorni di solitudine forzata. Gli era preclusa la possibilità
di leggere i giornali o vedere la tv, gli era stato portato
via anche l'orologio da polso al quarzo. Però dall'o-
dore che proveniva dalle cucine era in grado d'intuire
quando cominciavano a preparare i pasti, così sapeva
che si avvicinava l'ora di colazione, pranzo o cena. La
cella era un embrione, ogni cosa che entrava rimane-
va imprigionata – proprio come lui. Ormai anche i
rumori del carcere gli erano familiari. Sentì tintinnare
il mazzo di chiavi in dotazione del secondino a guardia del cancello automatico nel corridoio e così seppe
che il turno di notte era terminato e che stava avvenendo il passaggio di consegne al collega del mattino.
Dovevano essere grossomodo le sei.

La visuale di ciò che accadeva fuori gli era impedita
dalla pesante porta di ferro, ma dalla luce che filtrava
dalla fessura sulla soglia si potevano capire molte cose. Quando scorse delle ombre inserirsi nel chiarore,
capì che di lì a poco qualcuno sarebbe entrato nella
cella. Si tirò su e attese che la chiave compisse tutti
i giri nella serratura. Poi l'uscio si aprì e apparvero
due figure in controluce.

Si trattava di due secondini che non aveva mai visto prima.

« Prenda le sue cose » gli disse uno.

« Perché, dove andiamo? »

Nessuno gli rispose. Martini fece come gli era stato ordinato e raccolse la coperta di lana marrone, la gavetta e il cucchiaio che erano la dotazione del carcere, nonché la saponetta e i flaconcini di shampoo e bagnoschiuma che aveva acquistato allo spaccio e che, al momento, costituivano le sue uniche proprietà. Quindi seguì gli agenti.

Il professore immaginò che volessero semplicemente spostarlo di cella, invece percorsero l'intero corridoio della sezione d'isolamento, fino al cancello. E lì – prima stranezza – non c'era nessuno di guardia. Ancora un paio di corridoi, poi presero un ascensore e scesero di un paio di piani. Il tutto senza incontrare anima viva – seconda stranezza. Era impossibile che tutti i secondini avessero abbandonato contemporaneamente le proprie postazioni. Inoltre, c'era uno strano silenzio che proveniva dalle celle. Di solito, a quell'ora i detenuti erano già in piedi e facevano un gran baccano reclamando la colazione. Martini ripensò alla notte appena trascorsa. Nessuno si era prodigato per tenerlo sveglio con urla o minacce. Terza stranezza.

Arrivarono davanti a un ingresso di sicurezza e quando il professore lesse sul muro il cartello con su scritto Blocco F, capì che stavano per entrare nella sezione dei detenuti comuni e si allarmò. « Un momento» disse. «Io sono un detenuto speciale, devo stare in isolamento. È un ordine del giudice.»

I due lo ignorarono e lo spinsero oltre.

Martini provò un senso di improvviso terrore. «Mi avete capito? Non potete mettermi con gli altri.» La voce gli tremava. Alle guardie non interessavano le sue rimostranze e lo afferrarono energicamente per le braccia.

Giunsero di fronte alla porta di una cella. Un secondino la aprì, mentre l'altro si rivolse al professore. «Starà qui per un po', poi torneremo a prenderla.»

Martini fece un passo, ma esitava. Oltre la soglia era buio e non poteva vedere cosa o chi ci fosse all'interno.

«Avanti, entri» lo esortò la guardia. Il tono, però, era rassicurante.

Per la mente di Martini transitò un pensiero fugace. Era convinto che quegli uomini lo odiassero, come d'altronde tutti nel carcere. Ma perché avrebbero dovuto fargli del male? A differenza dei detenuti, loro erano obbligati a rispettare la legge. Così decise di fidarsi ed entrò. La porta si richiuse alle sue spalle e lui attese senza muoversi che gli occhi si abituassero all'oscurità. Però avvertiva dei rumori intorno a sé – piccoli suoni, fruscii.

L'isolamento acuiva i sensi. Capì che non era solo.

Quando il primo pugno si abbatté sul suo viso, Martini perse subito l'equilibrio. Gli oggetti che teneva fra le mani caddero per terra insieme a lui. Poi fu travolto da una serie di colpi e calci che provenivano da ogni dove. Provava a farsi scudo con le braccia, ma non riusciva a evitare le botte. Sentiva il sapore del sangue, il bruciore dei tagli sulla faccia. Le costole s'incrinavano e gli mancava il fiato. Ma dopo un po' non avvertì più nulla. Era solo un ammasso di carne che si dibatteva inutilmente sul pavimento.

Carne morta.

Non c'era più dolore, solo fatica. La mente si arrese prima del corpo e si lasciò andare in una specie di torpore. Solo le braccia continuavano una strenua e inutile resistenza. Anche se era buio, gli occhi gli si annebbiarono. E quando ogni cosa stava per svanire, una luce irruppe nel suo campo visivo. Proveniva da dietro le sue spalle. Si sentì afferrare con forza e trascinare via, oltre la soglia della cella. Era salvo, ma non lo sarebbe stato mai più.

Poi perse i sensi.

Si era rintanato nello sgabuzzino della scuola dove c'erano i videoregistratori dell'antiquato sistema di sorveglianza. Il buio era rischiarato solo dalla luce del monitor che si rifletteva sul volto di Vogel creando una maschera di ombre.

Il poliziotto inserì la videocassetta nell'apposito scomparto che la ingoiò dopo una lieve pressione. Seguì una serie di suoni mentre gli ingranaggi catturavano il nastro e lo distendevano intorno alle bobine. Poi il filmato partì.

Prima ci fu la polvere grigia dello statico che produceva un fruscio intenso e fastidioso. Vogel regolò il volume perché voleva che tutto rimanesse in quella stanza. Trascorsero alcuni secondi, poi l'immagine cambiò di colpo.

Uno stretto fascio di luce si spostava su una superficie opaca. Piastrelle sporche e sbeccate. Di sottofondo, una serie di colpi sul microfono della videocamera. Chi stava filmando, cercava di sistemarla al meglio. Poi la ripresa risalì lungo una parete e si bloccò davanti a uno specchio. Il faretto piazzato sopra l'obiettivo si riflesse violentemente. Nel bagliore si scorgeva solo la mano dell'operatore, indossava un guanto nero. Poi questi fece un passo di lato, perché si vedesse anche il suo volto. Portava un passamontagna. L'unica cosa umana erano gli occhi – lontani, indecifrabili. Vuoti.

L'uomo della nebbia, si disse Vogel. Attendeva che dicesse o facesse qualcosa, invece se ne stava lì. Immobile. Si sentiva solo il suo respiro – calmo, regolare. Si perdeva nell'eco del piccolo bagno in cui si trovava. Cos'era quel luogo? E perché aveva voluto mostrarglielo? L'agente speciale si avvicinò allo schermo per vedere meglio e si accorse che alle spalle dell'individuo c'era un asciugamano liso appeso a un gancio.

Su quello, due piccoli triangoli verdi, appaiati.

Vogel cercò di capire il senso di quel simbolo, quando l'uomo nello schermo sollevò la mano libera dalla videocamera. E sulle dita del guanto scandì un conteggio.

Tre... due... uno...

Poi la videocamera scartò improvvisamente di lato. Il volto col passamontagna sparì dallo specchio e al suo posto apparve una macchia chiara, sullo sfondo. L'obiettivo ci mise un po' a centrare il fuoco.

E allora lui la vide. E fece un balzo all'indietro sulla sedia.

Oltre la soglia del bagno, c'era una stanza – la stanza di un hotel abbandonato. Seduta in un angolo ai piedi di un lercio materasso, una figura esile. La luce del faretto della telecamera la faceva apparire come avvolta da un'aura chiara in mezzo al buio che incombeva minaccioso intorno a lei. La schiena ricurva e le braccia abbandonate, una postura rassegnata. La pelle della ragazzina era bianchissima. Indossava solo un paio di slip verdi e un reggiseno bianco che però le aderiva quasi del tutto al torace. La biancheria intima di una bambina. L'obiettivo strinse su di lei. Aveva i capelli rossi che le ricadevano davanti alla faccia in ciocche spettinate. Si intravedeva solo la bocca semiaperta, con un rivolo di saliva che colava da un lato. Ogni volta che respirava, le magre scapole si sollevavano per poi riabbassarsi lentamente. Oltre le labbra il fiato si condensava per il freddo, ma lei non tremava. Era come se non sentisse niente.

Anna Lou Kastner sembrava quasi incosciente, forse ottenebrata da qualche sostanza. Vogel la riconobbe solo dal cerchietto disegnato sull'avambraccio sinistro. La piccola «O» di Oliver, il ragazzo dell'estate in cui aveva scoperto l'amore. Il piccolo segreto che aveva confidato solo al suo diario.

La videocamera indugiò su di lei, impietosamente. Poi la ragazzina sollevò leggermente il capo, come se volesse dire qualcosa. L'agente speciale attese, ma aveva paura di sentire la sua voce. E nel momento in cui cominciò a urlare, la registrazione s'interruppe all'improvviso.

Per prima cosa, distrusse la videocassetta. Si assicurò che il nastro fosse completamente bruciato quando lo gettò nella caldaia a gasolio della scuola. Non poteva rischiare che qualcuno lo trovasse in suo possesso. Ormai Vogel era paranoico.

Stava per disfarsi anche del diario di Anna Lou, ma ci ripensò appena in tempo. Beatrice Leman poteva testimoniare di averglielo consegnato, perciò non era una buona idea distruggere anche quella prova. E, in fondo, non conteneva informazioni che avrebbero potuto compromettere. Quindi decise di conservarlo, ma lo nascose in uno degli armadietti dello spogliatoio che ancora fungeva da suo ufficio.

Poi Vogel iniziò a fare ricerche su Internet. Doveva scovare l'albergo abbandonato in cui era stata effettuata la ripresa. Era sicuro che il video fosse un invito. Se in quella stanza avesse rinvenuto il corpo di Anna Lou Kastner, avrebbe potuto sempre manipolare la scena in modo da far ricadere la responsabilità dell'assassinio sul professore.

Era ciò che voleva l'uomo della nebbia, ormai il poliziotto ne era convinto.

Altrimenti perché guidarlo alla scoperta della verità? Perché mostrargli il video con la ragazzina? Se avesse voluto semplicemente rivendicare la paternità del rapimento, l'avrebbe inviato ai media, non a lui.

Sul web, Vogel fece una ricerca sulle vecchie strutture turistiche di Avechot, concentrandosi soprattutto su quante avevano chiuso i battenti dopo l'apertura della miniera, che aveva fatto scappare i turisti. Di alcune esistevano addirittura ancora i siti Internet. Non aveva molti dettagli a disposizione. Ma il più importante erano i due piccoli triangoli verdi appaiati. E fu proprio grazie a quel simbolo che trovò il vecchio hotel.

I triangoli erano due pini stilizzati su un'insegna quasi del tutto arrugginita.

Vogel era giunto davanti al cancello che immetteva nel parco che circondava l'edificio. Erano le sette passate e in giro non c'era nessuno, anche perché l'albergo si trovava in una zona isolata, lontana da Avechot.

Vogel si accorse che il cancello non era chiuso, così spinse le ante e le superò con la macchina. Poi scese dall'abitacolo per richiuderle. Percorse il breve viale a fari spenti e parcheggiò sotto a un portico, in modo che nessuno notasse la vettura.

L'hotel aveva quattro piani. Le finestre delle stanze erano coperte da assi di legno inchiodate, ma quelle sulla porta d'ingresso erano state in parte rimosse.

S'infilò in un passaggio e solo allora accese la torcia che aveva portato con sé.

Lo spettacolo era desolante. Pur avendo cessato l'attività da appena cinque anni, sembrava che per l'albergo ne fossero trascorsi almeno cinquanta. Come se la fine dell'umanità fosse passata da lì. Gli arredi erano quasi inesistenti. Scheletri di vecchi divani arrugginivano nell'ombra. L'umidità aveva aggredito le pareti coprendole di una patina verdognola da cui colavano rivoli di acqua densa e giallastra. Il pavimento era una distesa di calcinacci e pezzi di legno ammuffito. Su tutto dominava un odore di marcio. Vogel superò quello che una volta era stato il bancone della reception, con alle spalle la rastrelliera per le chiavi, e si ritrovò ai piedi di una scalinata di cemento su cui un tempo doveva essere distesa un'elegante moquette i cui brandelli bordeaux coprivano ancora qualche gradino.

Iniziò a salire.

Arrivato al primo piano, si trovò davanti una targhetta che indicava i numeri delle stanze nei corridoi alla sua destra e alla sua sinistra – dalla 101 alla 125 e dalla 126 alla 150. Considerando quattro piani, Vogel pensò che erano troppe per trovare al primo colpo quella giusta. Ma non voleva trattenersi in quel posto più del necessario. Fu allora che gli venne in mente un altro dettaglio del video che fino a quel momento aveva trascurato. Prima di mostrargli Anna Lou, l'uomo della nebbia aveva fatto una specie di conto alla rovescia con la mano.

Tre... due... uno...

Ma non era affatto così. Non era un colpo di teatro, l'ennesima burla di un maniaco. Gli stava indicando dove si trovavano.

La stanza trecentoventuno era al terzo piano, verso il fondo del corridoio di sinistra. Vogel era fermo sulla soglia e puntava la torcia all'interno. Il fascio di luce esplorò l'ambiente e infine si soffermò sull'angolo ai piedi del lercio materasso su cui era stata seduta Anna Lou.

Però non c'era nessun corpo nella camera – nemmeno l'*odore*.

E non c'erano segni di passaggio umano. Che sta succedendo? si domandò l'agente speciale. Poi si accorse che la porta del bagno era chiusa. Si avvicinò e appoggiò la mano sullo stipite, come se con quel gesto potesse percepire qualcosa, un'energia di morte e distruzione. Oltre la soglia, il mostro aveva effettuato la sua macabra ripresa.

Vuole che la apra, si disse. Ormai nella testa di Vogel comandava lui.

Così afferrò la maniglia e, lentamente, spinse in basso fino a sentir scattare la serratura. Poi la spalancò.

Venne investito da una luce accecante.

Fu come un'esplosione, ma senza calore. Un'onda d'urto bianchissima che lo respinse.

«Stagli addosso. Ce l'hai?» disse una voce femminile.

Qualcuno le rispose: «Sì, ce l'ho!»

Vogel indietreggiò ancora alzando un braccio per coprirsi gli occhi. Nel bagliore distinse un uomo con una telecamera e, dietro di lui, una seconda figura che allungò il braccio e gli piazzò qualcosa sotto il mento.

Un microfono.

« Agente speciale Vogel, come spiega la sua presenza qui? » domandò Stella Honer senza dargli tregua.

Il poliziotto continuò ad arretrare, confuso.

La giornalista lo incalzò. « Il nostro network ha ricevuto un video in cui si vede Anna Lou col rapitore. Lei sapeva che la ragazzina era stata in questo hotel? »

Vogel rischiò di cadere sul materasso lercio, ma riuscì a conservare l'equilibrio. « Lasciatemi in pace! » urlò.

« Come ne è venuto a conoscenza e perché ha taciuto quest'informazione? »

« Io... Io... » tergiversava. Ma non gli veniva nulla in mente. Nemmeno di rivendicare il proprio ruolo di pubblico ufficiale e chiedere a loro cosa ci facessero lì. « Lasciatemi in pace! » si sentì gridare di nuovo e non riusciva a credere che quella fosse proprio la sua voce – così incerta, stridula, vacillante.

Fu proprio in quel preciso momento che Vogel comprese che la sua carriera era finita per sempre.

23 febbraio.
Sessantadue giorni dopo la scomparsa.

La notte in cui tutto cambiò per sempre, Flores osservava Vogel camminare per la stanza e passare in rassegna i pesci imbalsamati sulle pareti.

« I suoi pesci si assomigliano tutti, lo sa dottore? »

Flores sorrise. « In realtà sono lo stesso pesce » disse.

Vogel si voltò a guardarlo, incredulo. « Lo stesso? »

« *Oncorhynchus mykiss* » ripeté ancora una volta lo psichiatra. « Sono tutti esemplari di trota iridea. Cambia solo qualche dettaglio nei colori o nella forma. »

« Vuol dirmi che lei colleziona solo quelle? »

« È strano, lo so. »

Ma Vogel non si rassegnava all'idea. « Perché? »

« Potrei dirle che è una specie affascinante, difficile da catturare... ma non sarebbe la verità. Le ho già parlato del mio infarto. Ebbene, ero da solo su un lago di montagna quando è arrivato l'attacco. Qualcosa aveva appena abboccato all'amo e io lo stavo tirando su con tutte le mie forze. » Flores mimò anche il gesto. « Scambiai il dolore acuto al braccio sinistro per un crampo dovuto allo sforzo, ma non mollai la presa. Quando lo spasmo si irradiò al torace, fino allo sterno, capii che qualcosa non andava. Caddi all'indietro e persi quasi i sensi. Ricordo solo che accanto a me, sull'erba, c'era questo pesce enorme che mi fissava boccheggiando. Entrambi stavamo per morire.» Rise. «Non trova che sia stupido? Ero giovane, avevo appena trentadue anni, ma anche quell'esemplare era nel pieno del proprio vigore. Col poco fiato che mi restava in corpo, riuscii a chiamare aiuto. Per mia fortuna, nei boschi passava un guardiacaccia.» Indicò un punto sul muro. «È quella la trota.»

«E quale sarebbe la morale della storia?»

«Non c'è» ammise Flores. «È solo che da allora, ogni volta che catturo un'*Oncorhynchus mykiss*, l'esemplare finisce su queste pareti. Sono io stesso a imbalsamarle. Ho un piccolo laboratorio a casa, giù nel seminterrato.»

Vogel sembrava divertito. «Io avrei dovuto imbalsamare Stella Honer. Quell'arpia mi ha fregato per bene. Avrei dovuto immaginare che il rapitore di Anna Lou non avesse coinvolto solo me...»

Flores tornò a farsi serio. «Credo che la sua presenza di stanotte ad Avechot non sia un caso. L'incidente stradale lo è: quando è uscito fuori strada, lei stava scappando.»

«È un'ipotesi affascinante» ammise Vogel. «Ma scappavo da cosa, esattamente?»

Flores si lasciò andare sullo schienale della propria poltrona. «Non è vero che lei è sotto shock. Non è vero che lei ha perso la memoria... Invece ricorda ogni cosa – è esatto?»

Vogel tornò a sedersi, si passò una mano sul cappotto di cachemire accarezzando la stoffa come a volerne saggiare la morbidezza. « Dovevo perdere tutto perché dentro di me nascesse un pensiero profondo. Perché, per una volta, non pensassi solo al mio tornaconto. »

« E quale sarebbe questa riflessione che ha mutato per sempre il suo modo di sentire? »

« Una piccola 'O' tracciata con una biro sul braccio sinistro. » Vogel mimò il gesto. « La prima volta che ho letto il passaggio su una pagina del diario di Anna Lou, non ho pensato al povero Oliver. Mi è venuto in mente dopo. »

« Il povero Oliver? »

« Sì, quel ragazzo che non aveva trovato il coraggio di baciarla durante l'estate ha perso qualcosa. Anche lui, come tutti gli altri – la famiglia e quanti conoscevano la ragazzina. Ma, a differenza loro, non lo sa, e non lo saprà mai... Forse Anna Lou è morta, ma con lei sono morti anche i figli che non avrà, e i suoi nipoti: generazioni e generazioni che non esisteranno mai. Tutte queste anime prigioniere del nulla meritavano qualcosa di meglio... una vendetta. »

Flores sentì dentro di sé che era venuto il momento della verità. « A chi appartiene il sangue che c'è sui suoi vestiti, agente speciale Vogel? »

L'altro sollevò il capo e sorrise in un modo inequivocabile. « Io so chi è » disse, e gli brillarono gli occhi. « E stanotte ho ucciso il mostro. »

31 gennaio.
Trentanove giorni dopo la scomparsa.

La scarcerazione non era stata immediata.

Per Martini erano dovuti trascorrere altri dieci giorni di prigionia dopo lo scoop della Honer. Un periodo necessario alle autorità per svolgere tutti gli accertamenti utili a stabilire che l'autore del rapimento e del probabile omicidio di Anna Lou Kastner era un serial killer con la passione per le ragazzine dai capelli rossi, che era tornato in azione dopo un inspiegabile intervallo di trent'anni.

L'uomo della nebbia.

Il nome attribuitogli da Beatrice Leman era piaciuto subito ai media, che infatti l'avevano adottato per tornare a occuparsi massicciamente del caso. La svolta era stata clamorosa e il pubblico aveva ancora fame.

Martini aveva passato quei dieci giorni in uno stato di quasi totale indifferenza, in un letto dell'infermeria. Il pretesto ufficiale in base al quale non l'avevano ancora liberato era legato alle sue condizioni di salute; in realtà – e lui lo sapeva bene – le autorità speravano che i segni del pestaggio subito in carcere si attenuassero prima che il professore riapparisse in pubblico. Poteva capirli, in fondo Levi aveva già minacciato davanti alle telecamere di denunciare il direttore e di coinvolgere perfino il ministro nello scandalo.

Quando gli dissero di preparare le sue cose perché i familiari sarebbero venuti a prenderlo, Martini quasi non ci credeva. Si alzò con fatica e, lentamente, iniziò a infilare la propria roba in un borsone aperto sul letto. Portava un'ingessatura all'avambraccio destro ma era il costato a fargli ancora male, una fasciatura lo cingeva stretto e ogni tanto gli mancava il fiato e doveva fermarsi. Un ematoma violaceo gli circondava l'occhio sinistro e scendeva fin sulla guancia dove assumeva sfumature giallastre. Aveva aloni simili su tutto il corpo, ma una gran parte si stava riassorbendo. Il labbro superiore era spaccato e aveva richiesto più di un punto. In compenso, la ferita alla mano sinistra che risaliva al giorno della scomparsa di Anna Lou era guarita del tutto.

Verso le undici, un secondino disse che il direttore aveva controfirmato l'ordine di scarcerazione emesso dalla procuratrice Mayer e che, perciò, poteva andare. Martini si serviva di una stampella per camminare, la guardia gli prese la borsa e lo accompagnò per i corridoi, fino alla sala in cui i detenuti incontravano i parenti. Fu un tragitto interminabile.

Quando la porta si aprì, Martini vide la moglie e la figlia che erano in trepidazione. Sui loro volti i sorrisi commossi furono presto sostituiti da un'espressione sgomenta. L'avvocato Levi era presente e aveva provato ad anticipare loro ciò che avrebbero visto, ma quando se lo trovarono davanti fu differente. Nessuno avrebbe mai potuto prepararle a quello. Non fu tanto vederlo con la stampella e con quella specie di maschera livida sul volto a spegnere l'entusiasmo, quanto l'immediata consapevolezza di trovarsi di fronte un uomo diverso rispetto a quello che conoscevano. Un uomo che aveva perso più di venti chili, col volto scavato e la pelle che penzolava sotto il mento anche se lui aveva cercato di nasconderla facendosi crescere un rado e ispido pizzetto. Ma, soprattutto, un uomo di quarantatré anni che sembrava un vecchio.

Martini proseguì claudicando verso di loro, cercando di sfoggiare il suo miglior sorriso. Poi, finalmente, Clea e Monica si liberarono dallo shock e gli corsero incontro. Si abbracciarono a lungo, e piansero in silenzio. Mentre affondavano il capo nel suo petto, il professore baciò entrambe le sue donne sulla nuca e accarezzò i loro capelli. «È finita» disse. È finita, *si* disse – perché ancora non ci credeva.

Poi Clea sollevò gli occhi nei suoi, e fu come riconoscersi dopo tanto tempo. Loris comprese il senso di quello sguardo. Lei gli stava chiedendo scusa per averlo lasciato solo, per non essergli rimasta accanto nel momento peggiore e, soprattutto, per aver dubitato di lui. Martini le rivolse un cenno con la testa, e fu sufficiente a far capire a entrambi che tutto era stato perdonato.

«Andiamo a casa» disse il professore.

Salirono sulla Mercedes di Levi. L'avvocato prese posto davanti, accanto all'autista. Loro tre occuparono il

sedile posteriore. Riuscirono a evitare i cronisti assiepati davanti al carcere perché si servirono di un'uscita
secondaria. Ma quando l'auto dai vetri oscurati giunse nella via di casa, si trovarono di fronte un nuovo
assembramento di microfoni e telecamere. C'era anche una discreta folla di curiosi.

Martini scorse sui volti di Clea e Monica la paura
che l'assedio riprendesse come prima, impedendogli
di continuare a vivere. Ma fu Levi a tranquillizzarle,
voltandosi verso il sedile posteriore. «Da adesso in
poi sarà diverso. Guardate...»

Infatti, appena la folla vide che l'auto svoltava nel
vialetto della villetta, iniziò ad applaudire sempre più
forte. Qualcuno fece anche un grido di incoraggiamento.

Levi fu il primo a scendere e aprì la portiera posteriore in modo che la famiglia Martini, finalmente riunita e felice, si svelasse a beneficio di fotografi e cameraman. Clea fu la seconda a uscire dalla macchina,
poi toccò a Monica e infine al professore. L'applauso
e le urla festose crebbero e loro erano come smarriti,
non se l'aspettavano.

Martini si guardò intorno. Mentre i flash si accen-
devano e si spegnevano sul suo volto affaticato, riconobbe molti dei vicini. Gridavano il suo nome e lo
salutavano. C'erano anche gli Odevis al completo e
il capofamiglia, che lo aveva calunniato in tv appena
qualche settimana prima, adesso cercava di attirare la
sua attenzione per dargli il bentornato. Il professore
non pensò all'ipocrisia di quello spettacolo, preferì

invece dimostrare di non serbare alcun rancore e sollevò il braccio per ringraziare i presenti.

Varcata la soglia di casa, Martini si diresse subito verso il divano. Era stanco, le gambe gli dolevano e aveva bisogno di sedersi. Monica gli diede una mano, reggendolo per un fianco. Lo aiutò a sistemarsi, poi gli sollevò i piedi su uno strapuntino e gli sfilò le scarpe. Fu un gesto di estrema tenerezza che non si sarebbe mai aspettato dalla figlia. «Vuoi che ti porti qualcosa? Un tè, un panino?»

L'accarezzò sulla guancia. «Grazie, tesoro, sto bene così.»

Clea, invece, era iperattiva. «Preparo subito il pranzo. Mangia insieme a noi, vero, avvocato?»

«Certamente» rispose Levi che aveva capito che non avrebbe potuto rifiutare l'invito. Mentre la donna si recava in cucina, si rivolse al proprio cliente. «Dopo mangiato noi due dobbiamo parlare di cose importanti...» disse con fare ammiccante.

Martini conosceva già l'argomento del discorsetto che il legale gli avrebbe fatto. «D'accordo» rispose.

Da giorni, ormai, era rinchiuso in quella maledetta camera d'albergo ad Avechot. Aveva dovuto disfare i bagagli e restare «a disposizione delle autorità». La formula scelta dalla Mayer era perfetta per significare tutto e niente. Non avevano elementi per arrestarlo perché l'inchiesta sul suo conto era ancora in corso, ma nello stesso tempo non poteva andare via

336

da lì perché la procuratrice poteva sempre aver bisogno di un chiarimento oppure d'interrogarlo. Vogel non temeva che la situazione sarebbe precipitata. La falsificazione della prova che aveva incastrato il professore al momento era solo un'ipotesi difficile da dimostrare. La versione ufficiale parlava genericamente di contaminazione accidentale delle prove. Ma, sommato al caso Derg, l'episodio era destinato a mettere una pietra tombale sulla sua carriera.

Mentre camminava nervosamente nella piccola stanza, facendo la spola fra il bagno e il letto, Vogel considerò che non l'avrebbero licenziato: avrebbero fatto in modo che desse le dimissioni, anche per attenuare lo scandalo che si stava abbattendo fino ai vertici della polizia. Il suo allontanamento sarebbe poi avvenuto in sordina, con un congedo per generici «motivi personali». In questo senso, l'uomo della nebbia gli stava dando una mano. Ormai l'attenzione dei media e dell'opinione pubblica era solo per lui, e aveva fatto passare il resto in secondo piano. Per questo l'agente speciale doveva solo farsi furbo e trattare le condizioni della propria uscita di scena.

Ma a lui non bastava.

Non gli andava giù che lo liquidassero così. Per anni aveva risolto casi che si erano guadagnati titoloni in cronaca, e per anni i suoi capi si erano avvantaggiati del suo lavoro. Avevano posato accanto a lui nelle conferenze stampa conclusive, prendendosi parte del merito e servendosene per fare carriera. Bastardi. Adesso che era lui ad aver bisogno di loro, dov'erano finiti? Adesso che gli serviva che gli salvassero il culo, dov'erano?

Il motivo per cui era tanto adirato era la conferenza stampa convocata dalla Mayer e che era andata in onda su tutti i network la sera prima.

« Da questo momento le indagini ripartono con maggiore vigore » aveva detto colei a cui prima non piaceva apparire in televisione. « Abbiamo una nuova pista e renderemo giustizia anche alle sei ragazze scomparse prima di Anna Lou » aveva promesso sapendo che, dopo trent'anni, sarebbe stato quasi impossibile.

E quando qualcuno aveva domandato se la polizia adesso avrebbe dato la caccia all'uomo della nebbia, aveva risposto quell'ingrato dell'agente Borghi. « A voi giornalisti piace dare dei nomi suggestivi per eccitare la fantasia del pubblico. Io preferisco immaginare che abbia un volto e un'identità e che non sia semplicemente un mostro. Solo così lo prenderemo. » Il ragazzo si era saputo adattare rapidamente, pensò Vogel. Forse l'aveva sottovalutato. Hai ancora bisogno che la mamma ti soffi il naso, non ce la farai mai a reggere la pressione.

Ma la cosa che lo faceva veramente imbufalire era l'aura di santità da cui era avvolto adesso il professore. Il passaggio da mostro a « vittima del sistema » era stato quasi immediato. Anche perché i media avevano molto da farsi perdonare, rischiavano di essere citati per danni morali e alla reputazione. Quei cronisti che avevano linciato Martini per settimane, adesso ce l'avevano con Vogel. Per questo, pur essendo costretto a rimanere ad Avechot, non poteva muoversi dalla stramaledetta camera d'albergo. Fuori ad attenderlo c'era un'orda che aspettava solo di crocifiggerlo.

Ma non me ne andrò in silenzio e a capo chino, si disse. Aveva già pensato a una via d'uscita più onorevole e, soprattutto, vantaggiosa per lui. Se davvero doveva finire, allora ne avrebbe ricavato il massimo. E i soldi avrebbero placato almeno in parte la sua frustrazione e sanato la ferita inferta al suo ego. Sì, era l'idea giusta.

Doveva solo recuperare un certo oggettino.

Dopo pranzo aveva detto di sentirsi molto stanco. Così si era scusato con Clea e Monica e con Levi ed era salito in camera a riposare. Aveva dormito per quasi cinque ore filate e al risveglio sperò che l'avvocato se ne fosse andato. Non era ancora pronto ad affrontare il discorso che voleva fargli. Invece, quando scese in soggiorno era ancora lì. Fuori era già buio da un pezzo e Levi sedeva sul divano accanto a Clea. Stringevano entrambi fra le mani una tazza di tè fumante e chiacchieravano. Quando lo videro in cima alle scale, la moglie si alzò per andare ad aiutarlo. Lo accompagnò alla poltrona.

« Ero sicuro che avrebbe continuato a dormire fino a domattina » disse il legale sfoggiando il solito sorriso.

« Lei non molla mai, vero? » gli rispose Martini, che aveva intuito il suo gioco.

« È il mio lavoro » replicò l'altro.

« Va bene, allora mi dica ciò che deve dirmi e facciamola finita. »

« Vorrei che fosse presente tutta la famiglia, se possibile. »

« Perché? »

« Perché so già che sarà dura farla ragionare e ho bisogno del massimo supporto. »

Martini sbuffò. Ma Clea gli prese la mano. « Vado a chiamare Monica » disse.

Poco dopo, erano tutti riuniti nel soggiorno.

« Bene » esordì a quel punto l'avvocato. « Ora che sono presenti tutti gli interessati, posso dirle che lei è un idiota. »

Martini rise, sorpreso. « Non crede che abbia ricevuto abbastanza insulti? »

« Be', la metta così: è sicuramente quello che più corrisponde alla realtà. »

« E perché mai? Sentiamo... »

Levi accavallò le gambe e posò la tazza di tè sul tavolino. « Quella gente ha un debito con lei » affermò, indicando fuori. « Le stavano per rovinare la vita e, per quanto vedo, ci sono quasi riusciti. »

« Cosa dovrei fare? »

« Citare per danni il carcere, tanto per cominciare. E anche il ministero. E poi chiedere un enorme indennizzo per come è stata condotta l'indagine della polizia contro di lei. »

« Alla fine ho ottenuto giustizia, no? »

Ma Levi non voleva ascoltarlo e proseguì. « Non

solo. I media sono responsabili almeno quanto i poliziotti di ciò che è accaduto. Hanno celebrato un processo fuori dall'aula di un tribunale e, cosa ancor peggiore, emesso una sentenza senza darle la possibilità di difendersi. Anche loro devono pagare. »

« E in che modo? » domandò uno scettico Martini. « Si trincereranno dietro il diritto di cronaca e la faranno franca. È inutile. »

« Ma devono comunque salvare la faccia col pubblico, altrimenti rischiano di perdere la loro credibilità. E quindi perdere ascolti. E poi la gente vuole sentire la sua versione, festeggiare con lei la ritrovata libertà... E anche adularla, se necessario. »

« Dovrei chiedere di andare in tv per riabilitare la mia immagine? »

Levi scosse il capo. « No. Deve farsi *pagare* per questo, solo così sarà veramente risarcito. »

« Dovrei vendere le interviste al miglior offerente... È questo che sta dicendo? » Il tono di Martini era inorridito. « Come ho già detto a Stella Honer una volta, non speculerò sul dramma dei Kastner. »

« Questo non è speculare sulla tragedia di una ragazzina » ribatté Levi. « Semmai sta speculando sulla sua. »

« È lo stesso. Voglio solo dimenticare questa storia. Ed essere dimenticato. »

Levi rivolse lo sguardo a Clea e Monica che fino a quel momento erano rimaste in silenzio. « So che sei un uomo integro » affermò la moglie con dolcezza. « E capisco le tue ragioni. Ma quei bastardi ci hanno fatto del male.» Disse l'ultima cosa con una rabbia inaspettata.

Martini si voltò verso Monica. «Anche tu sei d'accordo?» La ragazzina annuì, aveva gli occhi pieni di lacrime.

Allora Levi prese la valigetta che teneva accanto a sé ed estrasse dei fogli. «Qui c'è il contratto di una casa editrice, le propongono di scrivere la sua storia in un libro.»

«Un libro?» Martini era sorpreso.

Levi sorrise. «È ancora un professore di letteratura, no? E il libro prossimamente in uscita sarà la scusa per invitarla nelle trasmissioni o per intervistarla sulle testate online e della carta stampata... Una specie di 'pretesto culturale' che renderà la cosa più nobile anche per lei.»

Martini scosse il capo, divertito. «Mi avete messo proprio all'angolo» disse. Poi guardò ancora una volta la moglie e la figlia, sospirò. «Va bene, ma non dovrà durare all'infinito. Voglio chiudere al più presto con tutto questo, chiaro?»

Alle undici di sera, Borghi era ancora seduto al proprio tavolo nella sala operativa nella palestra scolastica. Tutti gli altri erano già andati via e la lampada che aveva accanto era l'unica luce nella grande sala vuota. L'agente stava studiando gli scarni rapporti sulle sei scomparse precedenti a quella di Anna Lou Kastner. In effetti, i profili delle vittime combaciavano e si poteva davvero ipotizzare l'esistenza di un serial killer. A dar retta a quelle convergenze, l'uomo con il passamontagna nel video dell'hotel era tornato dopo trent'anni per colpire ancora e, stavolta, anche per prendersene il merito.

Ma perché?

Proprio su quel punto il giovane agente non riusciva a trovare una spiegazione. Perché lasciar passare così tanto tempo? Certo, c'era la possibilità che nell'intervallo avesse colpito ancora, ma altrove, oppure che qualche motivo di forza maggiore gli avesse impedito di farlo. Per esempio, poteva aver scontato una lunga condanna per un altro reato e, una volta tornato in libertà, si era rimesso in azione. Però aveva modificato il *modus operandi*. Nei primi sei casi aveva protetto il proprio anonimato, nel settimo aveva cercato l'attenzione di tutti. Era anche vero che trent'anni prima i media non erano ancora pronti a riservare un palcoscenico ai mostri, ma a Borghi appariva lo stesso strano.

Quel pomeriggio era stato nuovamente a trovare Beatrice Leman. La donna che per tanto tempo aveva conservato la documentazione sul caso nella speranza che qualcuno bussasse alla sua porta per chiedergliela, l'aveva accolto con un'insolita freddezza. Le prime volte, Borghi aveva avuto l'impressione che l'anziana giornalista ci tenesse a collaborare con la polizia. Ma dopo l'ultima visita non ne era più sicuro.

« Vi ho già detto tutto ciò che sapevo » aveva affermato con durezza sulla soglia, senza spostare di un centimetro la sedia a rotelle per farlo entrare in casa. « Adesso lasciatemi in pace. »

Non era vero, la Leman nascondeva qualcosa. Borghi aveva scoperto che la giornalista aveva provato a mettersi più volte in contatto con Vogel nei giorni successivi alla scomparsa di Anna Lou Kastner. Perché? La donna aveva dichiarato di volergli solo chiedere un'intervista e l'agente speciale aveva negato di averla incontrata. Ma entrambi dicevano il falso. Solo che Borghi capiva l'intenzione di Vogel di evitare altre grane, per esempio quella di aver condotto un'indagine senza informare i superiori. Ma la Leman che motivo aveva di mentire? Inoltre, la giornalista aveva ricevuto un pacchetto tempo prima. La circostanza, emersa dopo un controllo, era singolare perché Beatrice non frequentava più nessuno e non riceveva mai posta. Cosa conteneva il pacchetto? C'era un legame con Vogel?

Prima che quel pomeriggio la donna gli richiudesse la porta in faccia, Borghi aveva gettato uno sguardo in casa e gli era balzato subito agli occhi un particolare. Nel posacenere che era accanto all'entrata, insieme ai numerosi mozziconi delle solite sigarette che la Leman fumava senza sosta, c'erano anche quelli di un'altra marca. Stella Honer era stata lì, aveva pensato l'agente. Ora la Leman taceva per un motivo preciso. Si era fatta comprare. Borghi non la biasimava. Per anni aveva patito l'indifferenza e la solitudine. Si erano dimenticati di lei e delle battaglie che conduceva col suo giornale locale. Adesso aveva l'occasione per rifarsi.

Mentre dava un'attenta lettura alla denuncia di scomparsa della prima rapita, Katya Hilmann, nell'eco della palestra risuonò un colpo. Borghi sollevò lo sguardo, in allerta. Ma, a causa della lampada da tavolo, non vedeva nulla. Così la orientò verso il resto della sala, facendole fare un ampio giro tutt'intorno. Non riuscì a capire da dove provenisse il rumore. Però notò un rapido bagliore che scorreva sotto la porta dello spogliatoio.

Si alzò per andare a controllare.

Aprì l'uscio lentamente e scorse un'ombra che armeggiava accanto a un armadietto con in mano una torcia. L'agente estrasse la pistola. « Fermo » disse con calma puntando l'arma.

L'ombra si bloccò. Quindi sollevò entrambe le braccia e cominciò a voltarsi.

« Che sta facendo? » chiese Borghi appena lo riconobbe. « Lei non può stare qui. »

Vogel sfoderò il più falso dei sorrisi. « Ti ho osservato in tv, sai? Sei bravo, hai stoffa. »

« Che sta facendo? » ripeté il giovane.

« Non essere duro con il tuo maestro. » Vogel finse d'essere imbronciato. « Sono venuto solo a prendere qualcosa che mi appartiene. »

« Questo non è più il suo ufficio e tutto ciò che si trova in questa stanza è sequestrato ai fini dell'inchiesta che la riguarda. »

«Conosco le regole, agente Borghi. Solo che, a volte, i poliziotti fanno dei favori ai colleghi.»

Il tono mellifluo di Vogel cominciava a dargli sui nervi. «Mi faccia vedere cosa ha preso da quell'armadietto.»

«È riservato.»

L'agente speciale lo stava sfidando. «Me lo mostri subito» insistette Borghi cercando di apparire risoluto. Teneva ancora fra le mani la pistola, anche se non la stava più puntando.

Vogel abbassò lentamente la mano sinistra per aprire il cappotto, poi con altrettanta calma infilò la destra nella tasca interna ed estrasse il taccuino nero su cui di solito prendeva appunti.

«Lo metta sul tavolo» gli intimò Borghi. Vogel obbedì. «Ora devo pregarla di lasciare l'edificio.»

Mentre Vogel si allontanava verso l'uscita, il giovane agente non lo perse d'occhio, sicuro che l'altro non avrebbe rinunciato all'ultima battuta. Infatti, fu così.

«Avremmo potuto essere una grande squadra, io e te...» disse con disprezzo. «Ma forse è meglio così. Buona fortuna, ragazzino.»

Appena se ne fu andato, Borghi abbassò l'arma e sospirò. Quindi si avvicinò al tavolo su cui Vogel aveva appoggiato il taccuino. Era stato sempre curioso di sapere cosa appuntasse in continuazione l'agente speciale. Era affascinato da quel metodo di lavoro, sembrava che a Vogel non sfuggisse nulla. Ma quando lo aprì per verificarne il contenuto, scoprì che le pagine erano piene solo di disegni osceni realizzati con la stilografica d'argento. Scene di sesso esplicito, volgari quanto infantili. Scosse il capo, incredulo. Quell'uomo era sicuramente pazzo.

Mentre camminava sul piazzale deserto fuori dalla palestra scolastica, Vogel si complimentò con se stesso per la scaltrezza con cui aveva fatto credere a Borghi che fosse tornato lì per recuperare il taccuino. Non gli importava cosa avrebbe pensato il giovane agente scoprendo il contenuto. Contava di più ciò che realmente aveva portato via dall'armadietto.

Prese il cellulare e fece partire una chiamata. Poi restò in attesa di una risposta. «Venticinque minuti prima degli altri» disse. «Io mantengo sempre la parola.»

«Cosa vuoi?» domandò Stella infastidita. «Ormai non hai più nulla da vendermi.»

«Sicura?» Vogel portò istintivamente la mano alla tasca del cappotto. «Scommetto che Beatrice Leman ti ha parlato di un diario...»

La Honer tacque. Bene, si disse Vogel: era interessata.

«Non mi ha detto molto, in realtà» ammise la donna con prudenza.

Ci aveva azzeccato: le due si erano incontrate. «Peccato.»

«Quanto vuoi?» domandò la giornalista in maniera diretta.

« Di certi dettagli parleremo a tempo debito... Però avrei anche una richiesta aggiuntiva. »

La Honer rise. « Non sei più nella posizione per dettare condizioni. »

« Ma non è granché » ironizzò l'agente speciale. « Ho saputo che, dopo lo scoop con cui mi hai rovinato, il network ti ha affidato un programma in studio. Complimenti, finalmente non dovrai più gelarti il culo nei servizi in esterna come inviata. »

« Non posso crederci: mi stai chiedendo di invitarti in trasmissione? »

« E voglio che con me ci sia pure qualcun altro. »

« Chi? »

« Il professor Martini. »

22 febbraio.
Sessantuno giorni dopo la scomparsa.

Era seduto su una poltrona inclinata, davanti a uno specchio circondato da brillanti lampadine bianche. Aveva dei kleenex infilati nel colletto della camicia, per non sporcarsela. Una truccatrice gli passava il fondotinta sugli zigomi servendosi di un morbido pennello e Vogel si godeva la carezza a occhi chiusi. Pochi metri più indietro, la sarta di scena stava stirando la sua giacca. Per l'occasione aveva scelto un abito blu di lana fredda, fazzoletto giallo di seta nel taschino, cravatta azzurro polvere con piccoli disegni floreali e per gemelli dei semplici ovali d'oro rosa.

Stella Honer irruppe nel camerino senza bussare, seguita da un cinquantenne distinto che aveva con sé una ventiquattrore. «Siamo pronti a cominciare» annunciò la donna che indossava già il tailleur scuro con cui sarebbe andata in onda. Tese la mano. «Dov'è il diario?»

Vogel non si voltò, non aprì nemmeno gli occhi. «Tutto a suo tempo, mia cara.»

«Sono stata ai patti, adesso devi fare la tua parte.»

«La farò, sta' tranquilla.»

«No, non sono affatto tranquilla» replicò l'altra. «Chi mi dice che non stai cercando di fregarmi?»

« La tua redazione ha ricevuto una pagina, avete verificato l'autenticità. »

« Era solo una fotocopia, adesso voglio il resto. »

Vogel sollevò pigramente le palpebre, cercando il riflesso di Stella nello specchio. Era comprensibilmente agitata. « La grafia di Anna Lou Kastner, però, corrispondeva. »

« Almeno dimmi cosa c'è scritto su quel maledetto diario. »

« Segreti inconfessabili » enfatizzò volutamente Vogel per darle ai nervi.

« Anna Lou aveva una relazione con un uomo più grande? » azzardò la giornalista, sperando di cogliere un tentennamento che confermasse un'ipotesi tanto torbida.

« Ogni volta che ci sentiamo o ci vediamo provi a farmi rivelare qualcosa. Ma non riuscirai a farmi dire una parola finché non vedrò la lucina rossa che si accende sulla telecamera. »

« Io *devo* sapere. Non posso permetterti di condurre il gioco come ti pare. È il mio programma, non esiste che io sia completamente all'oscuro dell'argomento che tratteremo. Perché hai voluto che ci fosse anche Martini? Che c'entra lui col diario di Anna Lou? »

Non c'entrava nulla, ma Vogel non aveva intenzione di svelarglielo. Il libriccino era stato solo il pretesto per ottenere il faccia a faccia. Sapeva già cosa avrebbe fatto una volta in onda. Si sarebbe scusato con Martini a nome della polizia, avrebbe ammesso il proprio errore provocando l'imbarazzo dei suoi capi – gli stessi bastardi che l'avevano abbandonato. Magari dopo la sua ammenda, il professore l'avrebbe perdonato pubblicamente. Persecutore e perseguitato si sarebbero anche potuti abbracciare in lacrime – la gente apprezzava sempre simili scene di riconciliazione. Il diario di Anna Lou sarebbe stata la chicca della serata. Vogel avrebbe letto il passaggio in cui la ragazzina scriveva di Oliver, dell'iniziale del nome tracciata sull'avambraccio come un pegno d'amore. Chissà, forse la redazione di Stella sarebbe stata in grado di rintracciare in tempo reale il giovane misterioso. La sua testimonianza in diretta telefonica poteva essere l'apice della serata.

Ma la Honer, che non conosceva i suoi piani, ovviamente scalpitava. «Posso far saltare questa cosa quando voglio» minacciò. «Niente trasmissione, niente professore... E scarico la colpa su di te.»

Vogel rise. «Ha accettato subito» affermò riferendosi a Martini. «Sono stupito.»

«Penso che lo abbia fatto perché non vede l'ora di farti il culo in diretta» sorrise Stella, compiaciuta di sé.

«Ha posto condizioni?»

«Non sono cazzi tuoi.»

Vogel alzò le mani in segno di resa. «Come non detto, scusa.»

Stella si rivolse all'uomo con la ventiquattrore e gli fece cenno di venire avanti. «Voglio presentarti l'avvocato che cura gli interessi del network.»

«Addirittura» ironizzò l'agente speciale.

L'uomo estrasse dei moduli dalla ventiquattrore e li appoggiò sul ripiano davanti a Vogel. «Adesso le faremo firmare un atto con cui garantisce che il diario è autentico e ci solleva da qualsiasi responsabilità legale. »

« Un mucchio di paroloni per dire una cosa semplice semplice. »

« Ho rispettato la mia parte » ringhiò Stella. « Non è stato facile convincere Martini, te l'assicuro. »

Vogel si compiacque della cosa. Il professore aveva ancora paura di lui. « Ho sentito dire che sta scrivendo un libro sulla sua storia. Sai già che ruolo ti ha riservato? Sei l'inviata d'assalto o la giornalista senza scrupoli? »

Stella aggirò la poltrona per piazzarsi davanti a lui, in modo che la guardasse bene in faccia. « Attento. Non voglio scherzi. »

« Pare che la libertà renda molto bene agli ex detenuti famosi. Sarei curioso di sapere quanto vi ha spillato Levi... »

« L'argomento non sarà oggetto dell'intervista, perciò non ti azzardare a tirarlo fuori. »

Si intromise di nuovo l'avvocato. « Per assicurarci che tutto vada secondo gli accordi, la trasmissione andrà in onda con una differita di cinque secondi, in modo da darci la possibilità di tagliarvi dalla regia. »

Vogel finse di esserne spaventato. Guardò Stella. « Non ti fidi più di me? » domandò sarcastico.

« Non mi sono mai fidata. » Poi uscì dal camerino.

Dopo una decina di minuti, un'assistente della produzione si presentò per prelevare Vogel e condurlo

352

in studio. L'agente speciale s'infilò la giacca e si diede un'ultima occhiata allo specchio. Avanti, vecchio mio, si disse. Mostragli chi sei.

L'assistente, munita di cuffie e cartelletta, scortò l'agente speciale lungo un corridoio. Poi spinse i battenti di una porta tagliafuoco ed entrarono in un ampio spazio buio. Lo studio riservato al programma di Stella era gigantesco. Vogel e l'assistente costeggiarono il retro delle scenografie, con lei che faceva sempre strada e ogni tanto diceva qualcosa nel microfono piazzato sotto le cuffie. « L'ospite sta arrivando » annunciò alla regia.

Mentre camminavano, Vogel poteva sentire già il pubblico che rumoreggiava. Stella gli aveva assicurato che gli spettatori erano stati selezionati in un campione d'opinione qualificato, ed erano perfettamente divisi fra colpevolisti e innocentisti perché non ci fossero claque a favore suo o del professore. Vogel aveva preso per buona la rassicurazione, perché in realtà non gli importava: fra poco lui e Martini sarebbero stati dalla stessa parte.

Arrivarono in uno spazio dedicato agli ospiti e l'assistente lo affidò a un tecnico che cominciò a sistemargli il radiomicrofono sulla cravatta. Mentre gli faceva passare un filo sotto la giacca, si raccomandò: « Anche se non siamo ancora in onda, da questo momento dalla regia possono ascoltare ogni sua parola ».

Vogel annuì per fargli intendere che aveva capito. Era una frase di rito per metterlo in guardia perché capitava spesso che qualche ospite si lasciasse andare a commenti o esternazioni. L'agente speciale, però, era troppo esperto e non avrebbe corso un tale rischio.

«Allora, signori e signore, fra un po' inizieremo» disse l'animatore che stava scaldando il pubblico in studio. La sua voce era amplificata. Partì un applauso e ci furono degli schiamazzi.

Anche se l'argomento della serata era il diario di una ragazzina morta, la gente era eccitata. L'idea di andare in video trasformava le persone, pensò Vogel. Non sarebbero stati celebri, né ricchi, ma la loro vita sarebbe cambiata comunque. Avrebbero potuto fregiarsi di aver fatto parte dello show, anche con un ruolo insignificante. Tutto pur di apparire in quel maledetto schermo.

«Vi ricordiamo di non commentare ad alta voce ciò che accadrà e di applaudire solo su indicazione dei nostri assistenti» concluse l'animatore. Nuovo applauso.

Mentre la truccatrice gli dava un'ultima sistemata col fondotinta, Vogel si voltò distrattamente verso il varco fra le scenografie da cui gli ospiti venivano introdotti in studio. Era come se la luce dei riflettori si fermasse proprio al limite. Dietro le quinte aleggiava una gradevole penombra.

Su quel confine fra luce e oscurità, c'era Martini.

Non si era accorto di Vogel e, con la curiosità di un bambino, sbirciava ciò che stava accadendo fuori. Anche se distava alcuni metri da lui, l'agente speciale poté notare che si era rimesso quasi in sesto. I lividi sul volto erano spariti, oppure la truccatrice aveva fatto un ottimo lavoro. E non portava più il gesso al braccio destro. Aveva ancora bisogno di un bastone per muoversi, ma aveva anche recuperato peso e non sembrava più uno scheletro.

Ma il suo aspetto era mutato radicalmente rispetto al passato.

Gli abiti erano cambiati. Non più giacche di velluto a coste e pantaloni di fustagno, aveva detto finalmente addio al vecchio paio di Clarks consumate. Adesso indossava un completo grigio piombo, sicuramente di taglio sartoriale. E aveva scelto un'elegante cravatta rossa. Vogel considerò che gli stava benissimo. Il fatto che il professore alla fine gli somigliasse, lo inorgoglì. Ti ho portato nel lato oscuro della luce. Perché anche la luce ne aveva uno. Non tutti riuscivano a vederlo. Vogel aveva costruito la propria fortuna su quel talento. Notò anche l'orologio costoso che Martini portava al polso sinistro. La tua vita è cambiata, amico mio, dovresti ringraziarmi per averti dato la caccia.

Fu allora che il professore fece un gesto piccolo e quasi insignificante. Si sistemò il polsino della camicia perché forse non era abituato a indossare dei gemelli. Nel farlo, tirò su di qualche centimetro la manica della giacca, scoprendo in parte l'avambraccio.

Vogel notò un dettaglio che all'inizio faticò a interpretare. Qualcosa di segreto, che solo lui e Anna Lou potevano conoscere. Perché la ragazzina l'aveva annotato nel diario e Vogel l'aveva letto.

Allora che ci faceva quel segno circolare sul braccio del professor Martini?

La piccola «O» di Oliver tracciata con una biro.

23 dicembre.
Il giorno della scomparsa.

Lei voleva rimanere a casa ad addobbare l'albero.

Ma il lunedì alle cinque e un quarto c'era il catechismo dei bambini e aveva preso l'impegno di seguire il gruppo dei più piccoli. I suoi fratelli erano cresciuti e non ne facevano più parte, perciò potevano trascorrere il pomeriggio a sistemare le palle colorate e i festoni argentati sui rami. Soprattutto quell'anno, Anna Lou ci teneva particolarmente. Anche perché aveva il sospetto che sarebbe stato l'ultimo. Sua madre aveva già iniziato a fare strani discorsi sull'argomento. Diceva cose del tipo: «Gesù non aveva un albero di Natale».

Quando faceva così, c'era sempre da aspettarsi un cambiamento nella loro routine.

Come il giorno del digiuno in cui la famiglia non toccava cibo per ventiquattro ore, solo acqua. E poi c'era quello del silenzio – «il digiuno della parola», come lo chiamava Maria Kastner. Ogni tanto inseriva una nuova regola o stabiliva che una tal cosa dovesse essere fatta in un altro modo. E poi sua madre ne parlava nella sala delle assemblee e provava a convincere anche gli altri genitori che le davano ragione. Ad Anna Lou piaceva la confraternita, ma non capiva perché certi comportamenti fossero sbagliati. Per esempio, non ci vedeva niente di male nel vestirsi di rosso in chiesa o nel bere Coca-Cola. Non ricordava di aver letto nulla in proposito nelle Scritture. Eppure sembrava che per tutti gli altri fosse davvero importante agire in una determinata maniera, come se il Signore li giudicasse in continuazione e, in silenzio, decidesse anche dalle più piccole cose se erano davvero degni di considerarsi suoi figli.

Anna Lou era sicura che anche la storia dell'albero di Natale sarebbe finita allo stesso modo. Per fortuna, suo padre era intervenuto dicendo che « i bambini hanno ancora bisogno di certe cose ». Di solito era remissivo e, alla fine, avrebbe ceduto anche su quello. Ma per quell'anno, aveva tenuto il punto. E Anna Lou era felice che almeno una consuetudine della sua infanzia si fosse salvata momentaneamente dal cambiamento.

« Tesoro, sbrigati o farai tardi » le urlò Maria dalla base delle scale. Anna Lou accelerò i tempi, perché a sua madre non piaceva far aspettare Gesù. Aveva già indossato la tuta da ginnastica grigia e le sneakers, mancava solo il piumino bianco. Restava anche da ultimare lo zaino. Vi infilò i libri del catechismo, la bibbia e il diario segreto. Pensò che era un po' che non aggiornava l'altro. Da quando aveva scoperto che a sua madre piaceva frugare nella sua roba di nascosto, aveva deciso di tenerne due. Non perché il secondo le servisse per mentire, ci scriveva sempre la verità. Solo che evitava di metterci dentro ciò che provava. I sentimenti erano cose che uno poteva raccontare solo a se stesso. E poi voleva proteggere Maria, perché lei si preoccupava sempre tanto per i figli. Non voleva che sua madre pensasse che era triste, e nemmeno che fosse troppo felice. Perché in casa loro anche la felicità andava misurata. Se ce n'era in eccesso, allora era probabile che ci fosse lo zampino del diavolo. «Perché altrimenti Satana sorride sempre?» diceva. In effetti, Gesù, la Madonna e i santi non sorridevano mai nelle sacre effigi.

«Anna Lou!»

«Arrivo!» Si infilò nelle orecchie le cuffiette del lettore mp3 che le aveva regalato la nonna al compleanno, poi scese di corsa le scale.

Al piano di sotto, Maria l'attendeva appoggiata con un braccio al corrimano, l'altro invece era piegato su un fianco e la faceva assomigliare a una teiera. «Che musica ascolti, tesoro?»

Si aspettava la domanda e le porse un auricolare. «È una filastrocca che ho trovato e volevo insegnarla ai piccoli del catechismo. Parla di bambine e di gattini.»

«Non mi sembra che abbia molta attinenza col Vangelo» obiettò Maria.

Anna Lou sorrise. «Voglio che imparino i salmi a memoria, ma per farli esercitare devo cominciare dalle cose semplici.»

La madre la guardò dubbiosa perché non trovava niente per replicare. Invece mosse il polso per far tintinnare il braccialetto di perline che Anna Lou aveva fatto per lei. Era un gesto d'affetto, significava che erano legate. «Fa freddo fuori, copriti bene.»

Anna Lou le stampò un bacio sulla guancia e uscì di casa.

Quando richiuse la porta, avvertì un brivido. Sua madre aveva ragione, faceva davvero freddo. Chissà se avrebbe nevicato per Natale, sarebbe stato bello. Tirò su la lampo del piumino e percorse il vialetto fino alla strada, poi s'incamminò sul marciapiede in direzione della chiesa. Avrebbe voluto confessarsi. Da quando aveva rotto con Priscilla per via di Mattia, si sentiva un po' in colpa. Aveva addirittura cancellato il suo numero dal cellulare. Pensò che avrebbe dovuto fare pace con l'amica, ma ancora non le andava giù come aveva maltrattato quel povero ragazzo. In fondo, cosa faceva di male? Aveva capito che forse si era preso una cotta per lei, non lo incoraggiava ma non poteva nemmeno ignorarlo. Priscilla non capiva, per lei i ragazzi avevano una sola cosa in mente. Avrebbe voluto dirle di Oliver, di ciò che provava pur conoscendolo appena, ma non era sicura che lei l'avrebbe capito. Forse avrebbe addirittura riso di quel sentimento così infantile. Ma Anna Lou ne aveva bisogno. Le serviva per sognare a occhi aperti. Per questo si era scritta sul braccio l'iniziale del suo nome. Non voleva perdere una cosa che, in fondo, era solo sua.

Appena svoltò l'angolo alla fine dell'isolato, rallentò.

A pochi passi da lei c'era un'auto ferma sul ciglio della strada. In un primo momento non riuscì a comprendere la scena che le stava davanti. Perché quel signore aveva una gabbietta per animali fra le mani? E cosa stava cercando lì intorno? Poi l'uomo si voltò e le parve di riconoscerlo. L'aveva visto a scuola, era un insegnante. Ma non della sua classe. Si chiamava... Martini – sì, insegnava letteratura.

«Ciao.» Anche lui l'aveva vista e la stava salutando con un sorriso. «Hai per caso visto un gatto randagio nei paraggi?»

«Che tipo di gatto?» domandò Anna Lou tenendosi a distanza.

«Grosso più o meno così.» Lui mimò le dimensioni. «Rosso e marrone, col pelo maculato.»

«Sì, l'ho visto. Sono giorni che bazzica qua intorno.» Gli aveva dato anche da mangiare e gli aveva messo uno dei suoi braccialetti al collo. Ma non voleva ancora dargli un nome proprio perché temeva che da un momento all'altro si presentasse il padrone per reclamarlo. Era un gatto troppo curato per essere semplicemente un randagio.

«Mi aiuteresti a cercarlo?»

«Veramente, devo andare: ho un incontro in chiesa.»

«Ti prego» insistette l'uomo. «È il gatto di mia figlia, è disperata.»

Avrebbe voluto dirgli che sua madre pensava che fuori di casa non doveva intrattenersi con persone che non appartenevano alla confraternita. Era sconveniente. A differenza delle altre imposizioni, Anna Lou pensava che quel precetto avesse un senso. Ma l'uomo aveva una figlia, magari una bambina che stava piangendo da giorni perché aveva perso il suo migliore amico. Perciò decise che poteva fidarsi di lui. «Come si chiama il gatto?»

«Derg» aveva risposto subito l'uomo.

Che strano nome, pensò lei. Ma si avvicinò lo stesso.

«Grazie dell'aiuto. Come ti chiami?»

«Anna Lou.»

«Allora, Anna Lou, io provo a chiamarlo e intanto tu reggi la gabbia» disse l'uomo, porgendogliela. «Appena spunta fuori, lo costringo a venire verso di te e lo imprigioni là dentro.»

Anna Lou non sapeva come far funzionare quell'arnese. «A me è sembrato docile, forse è più facile catturarlo a mani nude.»

«Derg odia viaggiare in macchina e, se non lo metto là dentro, non saprei come riportarlo a casa.»

Allora Anna Lou prese la gabbietta dalle mani dell'uomo e si voltò. «L'altra volta l'ho visto nel giardino dei vicini» disse, indicando anche il punto. L'ultima cosa che vide fu la mano che le copriva la bocca con un fazzoletto. Non urlò, perché non sapeva cosa stesse accadendo. L'improvvisa costrizione delle vie aeree la indusse a trarre istintivamente un profondo respiro. L'aria era amara, sapeva di medicina. Le si oscurarono gli occhi, senza che lei potesse farci nulla.

«Voglio essere onesto con te... Almeno in questo.»

Da dove viene la voce di quest'uomo? Lo conosco? Sembra arrivare da lontano. E cos'è quella piccola luci-

na? Sembra una lampada a gas da campeggio – papà ne ha una uguale in garage.

«So che ti stai domandando dove sei e cosa sta succedendo. Partiamo dalla prima risposta: siamo in un vecchio hotel abbandonato. La seconda, invece, è un po' più complicata...»

Sono senza vestiti. Perché? Prima ero seduta, ora sono distesa. È scomodo qui. E dove sono il sopra e il sotto? Non lo so più. Mi sembra di guardare in un cristallo. E chi è quell'ombra che danza intorno a me?

«Derg non è il nome del gatto. Anzi, quel gatto è morto. Il suo cadavere si trova nel mio fuoristrada. Credimi, non voglio spaventarti, ma è giusto che tu sappia. L'ho dovuto uccidere perché nessuno dovrà mai trovarlo. Troveranno il suo pelo e il suo dna quando analizzeranno la mia macchina. Perché dovranno sospettare di me fino all'ultimo, altrimenti il mio piano non si potrà realizzare... Allora, dicevo: Derg non è un gatto, è una persona. E quando mesi fa ho scoperto la sua storia, ho capito che quell'uomo in fondo era stato fortunato. Certo, aveva pagato un prezzo per la sua fortuna. Gli era venuto un ictus, ma tutto sommato aveva avuto in cambio una nuova vita... È così che mi è venuta l'idea.»

L'ombra si è fermata, meno male. Mi rimette addosso il giacchetto della tuta. Forse crede che abbia freddo. È vero.

«Ai miei studenti lo dico sempre: la prima regola di un buon romanziere è copiare. È così che ho capito di dover trovare qualcuno che mi insegnasse a fare

qualcosa che mai avrei pensato di fare nella vita. Uccidere. Ho trascorso interi pomeriggi in biblioteca a
cercare su Internet la lezione che mi serviva. E poi,
un giorno, l'ho trovata... C'era un sito curato da
una giornalista, una certa Beatrice Leman. Non credo
che qualcuno lo visitasse più da tanto tempo. Ma in
quelle pagine c'era la storia giusta. Trent'anni fa, ad
Avechot e nella zona confinante sono scomparse sei
ragazzine della tua età. Non contemporaneamente,
ma a intervalli più o meno regolari. Erano speciali,
perché avevano tutte i capelli rossi – proprio come
te. Nessuno si era preoccupato seriamente della loro
sorte, ma la Leman sosteneva che fossero state rapite
dalla stessa mano. Aveva individuato un mostro e gli
aveva dato pure un nome: l'uomo della nebbia. Era
perfetto. Avrei dovuto solo riprodurre quello che in
gergo si chiama *modus operandi*, e poi la colpa di
ciò che mi apprestavo a fare sarebbe ricaduta su di
lui – anche dopo tutto quel tempo. Infatti, se ogni cosa andrà come deve, sarà il mio alibi, la chiave che mi
libererà dalla galera...»

*Mi sta infilando i pantaloni della tuta. Li sento sci-
volare lungo le gambe, come un solletico leggero. Non so
se è piacevole.*

«Come dicevo, però è necessario che sospettino di
me. Perciò lascerò in giro delle tracce. Ho già cominciato in realtà, con Mattia. È stato proprio lui a portarmi da te. Perché, devi sapere, non è stato facile trovare una ragazzina coi capelli rossi e le lentiggini. Poi
un giorno, mentre la classe era in palestra per l'ora di

ginnastica, io mi aggiravo fra i banchi intento a preparare la lezione sui poeti romantici che avrei tenuto subito dopo. Avvicinandomi al posto di Mattia, ho notato la videocamera. L'aveva dimenticata, così l'ho accesa e ho scoperto la ragazza protagonista dei suoi filmati... *Tu*... Così mi è bastato seguirlo nei suoi appostamenti – lui seguiva te, io lui. È così che ho scoperto che ti piacciono i gatti. Ho fatto qualche apparizione con la mia auto nei suoi video, in modo che Mattia si accorgesse di me. Spero che la polizia li veda e venga a cercarmi. Quando racconterò loro che oggi sono stato da solo in montagna e, soprattutto, quando vedranno il taglio sul palmo della mia mano, inizieranno a sospettare di me. Ho portato un coltello e credo che sarà abbastanza doloroso procurarmi una ferita, ma sta' tranquilla: tu non assisterai...»

Questo è il rumore che fa la lampo del piumino quando la tiro su. Ma non sono io a farlo. È l'ombra che mi sta parlando. E adesso mi rimette pure le scarpe ai piedi. E me le allaccia.

«Spero tanto che mandino qui un certo poliziotto. Si chiama Vogel ed è bravo a montare i casi. Riesce sempre a convincere tutti che ha ragione – con il signor Derg, per esempio, ci è riuscito. Lui mi rovinerà la vita, lo so già. Ma è necessario che io perda tutto, altrimenti non sarà servito a nulla. Ogni persona dovrà dubitare di me, perfino la mia famiglia. Ieri la tua amica Priscilla mi ha lasciato il suo numero di telefono. Penso che la chiamerò o le manderò un messaggio, poi lei andrà in tv e farà credere a tutti che ho cercato di adescarla. E diventerò sempre di più il mostro di cui la gente ha tanto bisogno...»

C'è odore di umido qua dentro. Anche se sono vestita, ho ancora freddo ma non riesco a muovermi. Sono ubriaca, come quando a sei anni ho bevuto di nascosto il liquore al ribes della nonna. A quest'ora i miei fratelli avranno finito l'albero di Natale. Sarà bellissimo, lo so.

«Oltre alla voce dell'istinto, Vogel avrà solo una montagna di indizi contro di me. Nessuna prova. Devo spingerlo fino al punto di fargli credere che forzando un po' la verità potrà arrestarmi. Gli mostrerò la mano ferita – dovrò fare in modo che non si cicatrizzi. Appena ci incontreremo, lascerò distrattamente una traccia del mio sangue. So già che avrà la tentazione di servirsene, ma dovrà essere davvero disperato. Quando ritroveranno il tuo zainetto in un fosso, sono convinto che farà come ha fatto con Derg: adatterà la verità ai suoi scopi... Ma perché ciò accada, è necessario che il meccanismo che ho messo in moto funzioni in maniera ordinata, come un orologio. Ogni cosa avrà un suo tempo...»

Qualunque sbaglio ho fatto – ti prego – non lo faccio più. Perdonami. Fammi tornare a casa.

«Andrò in carcere. E sarà dura stare lontano dalla mia famiglia. Forse avrò anche paura di non uscire mai più, ma dovrò tenere duro. Intanto, là fuori l'ingranaggio continuerà a girare da solo... Sai, da bambino ero bravo a organizzare le cacce al tesoro. Mi divertiva creare quesiti e indovinelli e disseminare in giro indizi da scovare. Per questo manderò qualcosa di tuo alla Leman, ma sul pacco ci sarà anche il nome di Vogel. Ho trovato un diario nel tuo zaino, l'ho scelto per destare la sua curiosità... Poco fa abbiamo girato un video messaggio – non te ne sei nemmeno accorta. So già dove seppellirlo. Ma ne invierò una copia anche ai media... Perché tutto sia perfetto, Vogel deve cadere. Solo con lui nella polvere io mi potrò risollevare... E allora verrà fuori la storia dell'uomo della nebbia, che magari è anche morto in questi trent'anni. Ma tornerà a vivere e cercheranno lui per darti giustizia. E io invece sarò libero. »

La nebbia è già qui, la vedo. È tutt'intorno a me. È fresca, leggera.

« Adesso viene la risposta più difficile. Mi stai per caso domandando perché faccio tutto questo? »

No, no... non credo di volerlo sapere.

« Perché amo la mia famiglia. E voglio che abbiano tutto ciò che meritano. E non voglio più rischiare di perdere mia moglie. Lo so che non sai di cosa parlo, ma *la cosa* è stato un brutto periodo per noi. Mi sono sentito inadeguato: un modesto professore delle superiori... Invece fra poco Clea e Monica saranno orgogliose di me. Perché non mi venderò subito, terrò duro. Dimostrerò di essere un uomo integro. Ma, diciamoci la verità, ognuno ha un prezzo, è inutile negarlo. »

Anch'io amo la mia famiglia. E anche loro mi amano. Perché non lo capisci?

« Ecco, è tutto. Mi dispiace coinvolgerti, ma è come nei romanzi: il cattivo *fa* la storia, ai lettori non

interesserebbero i racconti dove i personaggi sono solo i buoni. Il tuo ruolo però non è secondario. E, chissà, magari un giorno qualcuno troverà davvero l'uomo della nebbia, e allora sei ragazze che tutti hanno
dimenticato riceveranno giustizia. E sarà solo grazie a
te, Anna Lou...»

*Perché mi stai raccontando questa storia? Non m'in-
teressa, non mi piace. Voglio la mia mamma, voglio il
mio papà, voglio i miei fratelli. Voglio vederli ancora
una volta, ti prego – una volta sola. Devo salutarli, anche se non vorrei farlo. Mi mancheranno.*

«Ora scusami, ma vedo che l'effetto dell'etere sta
svanendo. Farò in fretta, non sentirai quasi nulla.»

*C'è qualcosa che mi punge il braccio. Apro un poco gli
occhi, ora ci riesco. Mi sta infilando un ago nella pelle e
intanto osserva la «O» che ho dedicato a Oliver. Si sta
domandando che cos'è. È un segreto.*

«Addio Anna Lou, sei tanto bella.»

Ho freddo. Mamma, dove sei? Mamma...

23 febbraio.
Sessantadue giorni dopo la scomparsa.

La notte in cui tutto cambiò per sempre, sembrava che la nebbia alla fine fosse riuscita a varcare la finestra, riempiendo la stanza come un brivido sottile.

Vogel fece una lunga pausa al termine del suo racconto. « Lo sapeva che l'odio non è il primo fra i moventi di un crimine? Borghi aveva provato a dirmelo, ma non l'ho ascoltato. Se l'avessi fatto, forse avrei capito tutto in tempo... Il primo fra i moventi di un crimine è il denaro. »

« No, non lo sapevo » ammise Flores.

« L'ingranaggio ruotava intorno a una semplice quanto banale idea... Nessuno avrebbe dovuto trovare il corpo di Anna Lou, *mai più*. Era tutto lì l'inganno. Senza un cadavere non c'erano prove. Per questo l'ha fatta franca. »

« E l'iniziale sul braccio? Perché correre il rischio di essere scoperto? Non capisco... »

« Un omicida commette mediamente venti errori. Meno della metà sono quelli di cui si rende conto. La maggior parte è il prodotto d'imperizia o imprudenza. Ma c'è un tipo di errore che per la propria particolare natura può essere considerato 'volontario'. È come una firma. Inconsciamente, ogni assassino vuole che gli si riconosca il merito del suo lavoro. » Poi aggiunse, citando il professore: « Il peccato più sciocco del diavolo è la vanità... Ma in fondo che gusto c'è a essere il diavolo se non puoi farlo sapere a nessuno ».

Lo psichiatra cominciava a comprendere ogni implicazione successiva. « Dopo la trasmissione lei ha seguito Martini fino ad Avechot... E l'ha ucciso. »

Vogel congiunse le mani in grembo. « Non lo troverete mai. Anche lui è finito nella nebbia. »

A quel punto, Flores sollevò la cornetta del telefono che era sulla scrivania. Compose un numero. « Sì, sono io. Venite pure. » Riattaccò.

Attesero in silenzio. Poi la porta dell'ambulatorio si aprì. Due agenti in divisa entrarono nella stanza e si piazzarono accanto a Vogel.

« Un pescatore che pesca sempre lo stesso pesce. » Il poliziotto rise a quel pensiero. « È stato davvero piacevole parlare con lei, dottor Flores. »

Quando rientrò a casa erano quasi le sei del mattino. L'alba sarebbe arrivata presto, intanto regnava ancora il buio, tutto taceva. Nella villetta col tetto spiovente il riscaldamento andava già da un po', insieme al calore regnava una quiete soporifera e si stava bene. Sophia dormiva serenamente in camera, al piano di sopra. Flores pensò di raggiungerla, di infilarsi accanto a lei e provare a riposare almeno un po'. Ma cambiò idea. Non era più sicuro che sarebbe riuscito a prendere sonno. Non dopo una notte come quella. Allora, senza far rumore, scese nel seminterrato.

Lì sotto c'era il laboratorio di tassidermia, dove imbalsamava le sue *Oncorhynchus mykiss*. Il locale era piccolo e aveva solo una stretta finestra. Flores sollevò la mano e tirò la cordicella che accendeva una lampadina che rimase a oscillare piano sopra la sua testa, le ombre degli oggetti danzavano insieme a lei. Davanti a lui c'era il vecchio bancone di legno con tutto l'occorrente. I flaconi con l'ammoniaca e la formaldeide per arrestare il processo di decomposizione. Le vernici trasparenti per esaltare i colori naturali. Lo spray all'alcol puro. Il barattolo coi pennelli e l'acqua ragia. I coltellini disposti ordinatamente su una griglia. La scatola degli spilli. Gli scovolini e lo scavino a punta cava. Polvere di borace e acido salicilico. Una lampada a emissione di calore.

Molto presto, Flores sarebbe andato in pensione e quella sarebbe diventata la sua nuova tana. Lì teneva anche gran parte dell'attrezzatura da pesca, e avrebbe dovuto trasferirvi i cimeli che teneva nell'ambulatorio. Sarebbe stato triste lasciare il lavoro di una vita, ma si immaginava già in quel posto, al rifugio dallo stress e dalle preoccupazioni, mentre si dedicava pazientemente al proprio hobby. Di tanto in tanto, avrebbe portato anche i nipotini per mostrargli cosa faceva il nonno. Non gli sarebbe dispiaciuto trasmettergli la propria passione. Lì sotto avrebbe perso la cognizione del tempo e verso metà mattinata avrebbe riconosciuto i passi di Sophia sulle scale mentre gli portava un vassoio con un sandwich e un bicchiere di tè freddo. Sì, sarebbe stato un bel modo di trascorrere la vecchiaia.

Flores appoggiò entrambe le mani sul tavolo e rilassò le spalle. Fece un respiro profondo. Poi si chinò sulle ginocchia. Sotto il bancone c'erano un mucchio di scatole ordinate, in cui riponeva gli ami per la pesca. Ogni Natale o compleanno i suoi cari gliene regalavano uno diverso, perché sapevano che tanto a lui non sarebbe piaciuto ricevere altri doni. Alcuni arrivavano a costare anche molti soldi. Però verso il fondo c'era anche una vecchia cassetta di metallo con un lucchetto. Flores la prese e l'appoggiò sul ripiano. La chiave per aprirla la portava sempre con sé, anche se era confusa fra le altre del suo mazzo personale. La cercò fra quelle di casa, dell'auto e dell'ambulatorio. Poi la infilò nella piccola serratura e aprì il coperchio.

Le sei ciocche di capelli rossi erano sempre lì.

Gli ricordavano un periodo della sua vita tutto sommato felice. Era già sposato con Sophia ed erano nati due dei suoi tre ragazzi. Nessuno aveva mai saputo cosa facesse a volte invece di andare a pesca. Lo vedevano tornare a casa come sempre, senza immaginare che la gioia sul suo volto era dovuta a qualcosa di diverso.

Il pescatore che da trent'anni pescava sempre lo stesso pesce – trota iridea o arcobaleno – precedentemente si dedicava alla cattura dello stesso esemplare di ragazzina. Capelli rossi e lentiggini.

E adesso tutti si domandavano che fine avesse fatto l'uomo della nebbia. Avrebbe voluto poter dire loro che ogni tanto aveva ancora la tentazione di uscire di casa e mettersi in cerca di una preda, ma che dopo l'infarto che stava per stroncarlo a soli trentadue anni, aveva fatto una promessa solenne.

Niente più ragazzine coi capelli rossi e le lentiggini.

Per tanto tempo la gente si era dimenticata di lui. Ma adesso, a causa del professor Martini, l'uomo della nebbia era tornato nei loro pensieri. Non arriveranno mai a me, si disse. L'intervento provvidenziale di Vogel di quella notte aveva rimesso a posto le cose. Torneranno a credere che il mostro sia morto.

Flores osservò ancora un po' la cassetta metallica. Forse avrebbe dovuto disfarsene. Non era per la paura che quei capelli potessero costituire una prova per incastrarlo. Invece pensava spesso che, se gli fosse venuto un altro infarto, stavolta fatale, i suoi familiari – le persone che più amava al mondo – avrebbero trovato la sua collezione segreta. E sicuramente non avrebbero capito, allora forse avrebbero cambiato idea sul suo conto. Non voleva che scoprissero quel lato di lui. Voleva essere amato.

Ma ancora una volta decise che non avrebbe distrutto il contenuto della cassetta, perché certi affetti erano difficili da scordare. E quelle sei ragazze perse nella nebbia in fondo erano sue, gli appartenevano. Se ne prendeva cura da trent'anni, nel segreto della propria mente. Allora richiuse il coperchio e serrò il lucchetto. Poi rimise tutto a posto sotto al bancone. Dalla finestrella del seminterrato filtrò un debole raggio di sole.

La notte in cui tutto cambiò per sempre era terminata.

Ringraziamenti

Stefano Mauri, editore – *amico*. E, insieme con lui, tutti gli editori che mi pubblicano nel mondo.

Fabrizio Cocco, la mia colonna. Giuseppe Strazzeri, Raffaella Roncato, Elena Pavanetto, Giuseppe Somenzi, Graziella Cerutti, Alessia Ugolotti, Tommaso Gobbi. Per avermi supportato in questa sfida all'ultimo sangue.

Cristina Foschini, che con la sua dolcezza mi salva la vita.

Andrew Nurnberg, Sarah Nundy, Giulia Bernabè e quanti lavorano con passione nell'agenzia di Londra.

Tiffany Gassouk, Anais Bakobza, Ailah Ahmed.

Alessandro Usai e Maurizio Totti.

Gianni Antonangeli.

Michele, Ottavio e Vito, i miei migliori amici. Achille.

Antonio e Fiettina, i miei genitori.

Chiara, mia sorella.

Alla mia grande famiglia. Senza di voi non sarei qui.

**DOPO *LA CASA DELLE VOCI*
IL NUOVO ROMANZO DI**

DONATO CARRISI

LA CASA SENZA RICORDI

IMPREVEDIBILE, IPNOTICO, POTENTE

C'è una casa che abitiamo da sempre,
senza rendercene davvero conto: è la nostra mente.
Ma cosa succederebbe se diventasse una casa senza ricordi?

« Magistrale, mette i brividi. »
THE TIMES

Novità novembre 2021

DONATO CARRISI

LA CASA SENZA RICORDI

Novità novembre 2024

LONGANESI

Donato Carrisi
Il tribunale delle anime

Roma è battuta da una pioggia incessante. In un antico caffè, vicino a piazza Navona, due uomini esaminano lo stesso dossier. Una ragazza è scomparsa. Forse è stata rapita, ma se è ancora viva non le resta molto tempo. Uno dei due uomini, Clemente, è la guida. L'altro, Marcus, è un cacciatore del buio, addestrato a riconoscere le *anomalie*, a scovare il male e a svelarne il volto nascosto. Perché c'è un particolare che rende il caso della ragazza scomparsa diverso da ogni altro. Per questo solo lui può salvarla. Sandra è addestrata a riconoscere i dettagli fuori posto, perché sa che è in essi che si annida la morte. Sandra è una fotorilevatrice della Scientifica e il suo lavoro è fotografare i luoghi in cui è avvenuto un fatto di sangue. Il suo sguardo, filtrato dall'obiettivo, è quello di chi è a caccia di indizi. E di un colpevole. Quando le strade di Marcus e di Sandra si incrociano, portano allo scoperto un mondo segreto e terribile, nascosto nelle pieghe oscure di Roma. Un mondo che risponde a un disegno superiore, tanto perfetto quanto malvagio. Un disegno di morte.

www.tealibri.it

Visitando il sito internet della TEA potrai:

- **Scoprire subito le novità dei tuoi autori e dei tuoi generi preferiti**
- **Esplorare il catalogo on line trovando descrizioni complete per ogni titolo**
- **Fare ricerche nel catalogo per argomento, genere, ambientazione, personaggi... e trovare il libro che fa per te**
- **Conoscere i tuoi prossimi autori preferiti**
- **Votare i libri che ti sono piaciuti di più**
- **Segnalare agli amici i libri che ti hanno colpito**
- **E molto altro ancora...**

www.illibraio.it

Il sito di chi ama leggere

Ti è piaciuto questo libro?
Vuoi scoprire nuovi autori?

Vieni a trovarci su **IlLibraio.it**, dove potrai:

- scoprire le **novità editoriali** e sfogliare le prime pagine **in anteprima**
- seguire i **generi letterari** che preferisci
- accedere a **contenuti gratuiti**: racconti, articoli, interviste e approfondimenti
- **leggere** la trama dei libri, **conoscere** i dietro le quinte dei casi editoriali, **guardare** i booktrailer
- iscriverti alla nostra **newsletter settimanale**
- unirti a **migliaia di appassionati** lettori sui nostri account **facebook**, **twitter**, **google+**

« La vita di un libro non finisce con l'ultima pagina. »

Fotocomposizione Editype s.r.l.
Agrate Brianza (Milano)

Questo libro è stampato col sole

Azienda carbon-free

Finito di stampare
nel mese di ottobre 2021
per conto della TEA S.r.l.
da Grafica Veneta S.p.A. di Trebaseleghe (PD)
Printed in Italy